CÓRF
FAŁSZE

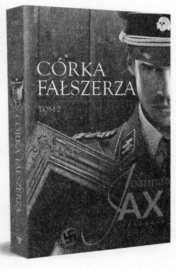

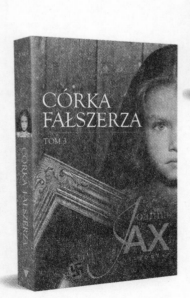

CÓRKA
FAŁSZERZA

TOM 1

VIDEOGRAF

Redakcja
Anna Seweryn

Projekt okładki
Joanna Jax

Redakcja techniczna, skład i łamanie
Damian Walasek

Fotografia na okładce
© *Andrey Bondarets | Shutterstock*

Grafiki na stronach rozdziałowych
© *Deedster | pixabay.com*

Korekta
Urszula Bańcerek

Marketing
Anna Jeziorska
promocja.videograf@gmail.com

Wydanie I, Chorzów 2020

Wydawca: Wydawnictwa Videograf SA
41-500 Chorzów, Aleja Harcerska 3 C
tel. 600 472 609
office@videograf.pl
www.videograf.pl

Dystrybucja: LIBER SA
01-942 Warszawa, ul. Kabaretowa 21
tel. 22-663-98-13, fax 22-663-98-12
dystrybucja@liber.pl
dystrybucja.liber.pl

ISBN 978-83-7835-788-9

Printed in EU

*Zło utkane z pięknych słów potrafi przekroczyć
wszystkie granice szaleństwa.*

Annie Seweryn

1923

1.

Od chwili, gdy lekarz z sumiastym wąsem oznajmił, że z matką Judith Kellerman jest bardzo źle, w domu nie mówiono o niczym innym tylko o śmierci. Dziewczynka miała niespełna jedenaście lat, kiedy to straszne słowo stało się nieodzownym elementem rozmów dorosłych. Wwiercało się jej w mózg, prześladowało i wywoływało drżenie w sercu. Nie wiedziała, jak to jest, gdy ktoś bliski umiera. Jeszcze nikt z jej rodziny nie odszedł z tego świata i nie miała pojęcia, co poczuje, jeśli kiedyś ktoś jej powie, że już nigdy więcej nie zobaczy matki. Prawdę mówiąc, bardzo się tego słowa „nigdy" bała. Tak samo jak słowa „śmierć".

Pewnego dnia, gdy ciężkie chmury spowiły niebo nad Berlinem, zapytała o to ojca. Odpowiedział, że należy wierzyć, iż śmierć nie jest końcem, a jedynie przejściem do innego wymiaru. Stanowi jednak nierozłączną część życia i każdy, kto przychodzi na świat, musi pewnego dnia z niego odejść.

Podążali właśnie do kantoru Rosenbluma, by sprzedać ostatnią piękną rzecz, jaka znajdowała się w ich obszernym mieszkaniu przy Bregenzer Strasse. Kamienica czynszowa usytuowana była niedaleko Olivaer Platz, w dzielnicy Charlottenburg, i należała do najbardziej eleganckich w tej okolicy. Rodzina Judith zajmowała lokal na parterze, a największą jego część stanowiło atelier ojca, Ismaela, który uchodził za mistrza w swoim fachu, a niektórzy nazywali go nawet cudotwórcą. Judith, słysząc podobne opinie na temat talentu ojca, nie mogła pojąć, dlaczego wobec tego musieli wyprzedać wszystkie cenne rzeczy, jakie posiadali w domu. Za każdym razem ojciec otrzymywał za te piękne przedmioty całą masę pieniędzy, które niekiedy nie mogły pomieścić się nawet w ich ogromnej walizce. Banknoty walały się także po całym mieszkaniu, a ona patrzyła na piętrzące się stosy papierków i myślała sobie, że teraz są bardzo bogaci i za chwilę kupią kolejne ładne przedmioty, by wypełnić ich coraz bardziej puste mieszkanie. Tymczasem okazywało się, iż za owe góry marek mogli kupić jedynie chleb i lekarstwa dla matki.

Właściwie podczas takich transakcji handlowych nikt już nie mówił o kwotach, a jedynie o towarach, jakie można było nabyć danego dnia za sprzedane dobra. Jej tata twierdził, że pieniądze dosłownie co kilka godzin tracą na wartości, bo teraz szaleje hiperinflacja. Nie rozumiała tego pojęcia, ponieważ była zbyt mała, ale jej starszy brat, Serafin, objaśnił jej, że za walizkę wypchaną banknotami jednego dnia mogą kupić dwa bochenki chleba, a następnego już tylko jeden.

Dziewczynka uważała swojego siedemnastoletniego brata za wszechwiedzącego, chociaż tata niekiedy jej mówił, że Serafin nabija Judith głowę głupotami, bo chce uchodzić za kogoś mądrzejszego niż jest.

Kiedy Ismael Kellerman postawił na kontuarze biały serwis kawowy z delikatnej chińskiej porcelany, a Rosenblum zaczął go wnikliwie oglądać, ojciec ścisnął dłoń Judith tak mocno, że zapiszczała z bólu. Zawsze to robił, gdy czekał na ofertę handlarza, ale kiedy padała propozycja zapłaty, przyjmował ją bez mrugnięcia okiem, bo chyba nie potrafił się targować jak inni, którzy także sprzedawali w tym miejscu precjoza, srebrne sztućce czy porcelanowe cacka. Dopiero gdy wychodzili z kantoru, zamienionego w ostatnim czasie na lombard, ojciec zaczynał sarkać i nazywał właściciela interesu złodziejem i kanciarzem.

Na Kurfürstendamm, gdzie mieścił się lokal Rosenbluma, zawsze było tłoczno i głośno. Zapewne dlatego, że znajdowało się tutaj mnóstwo sklepów, banków i przybytków kultury. Judith lubiła ten gwar i ciekawie rozglądała się dookoła, obserwując wystawy i mijanych po drodze ludzi. Tego dnia jednak czuła jedynie lęk. Być może za sprawą ciemnych chmur, złowrogo wiszących nad miastem, a może z uwagi na to, że sprzedali już wszystko, co posiadali i przyjdzie im teraz umrzeć z głodu.

Serafin mawiał, że ojciec ma kiepski fach, bo w trudnych czasach ludzie myślą jedynie o zaspokojeniu podstawowych potrzeb, a nie o dziełach sztuki malarskiej, i dziewczynka czasem nawet miała żal do taty, że wybrał tak niepopularne zajęcie. W takich chwilach ojciec Judith bardzo się złościł i mówił, że teraz znalezienie jakiejkolwiek pracy graniczy z cudem i jedynie firmy pogrzebowe mają stały ruch w interesie, on jednak nie ma zamiaru zostać grabarzem.

Powrócili do mieszkania przy Bregenzer, które teraz wydawało się puste i bezduszne. Z mebli pozostał jedynie solidny ciemny stół, wykonany z dębowego drewna, i stara kanapa, którą ojciec dawno temu zabrał do swojej pracowni, a teraz przyniósł z powrotem, by mieli na czym siedzieć. Uchowały się także cztery krzesła, ale może dlatego, że kiedy mieli psa, ten obgryzł w nich wszystkie nogi i teraz nikt nie chciałby kupić takiego zniszczonego mebla. Zniknęły nawet miękkie dywany, po których zwykle biegała boso, bujany fotel matki i kolekcja porcelanowych figurek, które podobno kosztowały fortunę. Teraz mieszkanie wydawało się obce, mimo że wciąż był w nim ojciec, mama i Serafin.

Pokój Judith także opustoszał, bo zniknęły z niego najcenniejsze zabawki i było jej nawet trochę smutno z tego powodu, ale wiedziała, że muszą spieniężyć wszystko, co się da, by ratować zdrowie Sary Kellerman. Była wciąż dzieckiem, a jednak tego dnia, gdy pod młotek poszedł mamy ulubiony serwis do kawy, a dzień wcześniej jej lalka, przysłana z Londynu i przypominająca angielską księżniczkę, poczuła, jakby właśnie jej dzieciństwo się skończyło, a ona została rzucona w wir dorosłego życia. Nie chciała jeszcze żegnać się z tym beztroskim czasem, gdy wszystko wydaje się proste, a każdy dzień wypełniony jest radością. A może owo pragnienie kojarzyło się jej z chwilami, gdy jej mama była zdrowa i nic nie zapowiadało, by pewnego dnia miała nagle zaniemóc.

Matka Judith od kilku miesięcy nie wstawała już z łóżka. Leżała w piernatach, z twarzą białą jak wosk i zlaną cuchnącym potem. Niewiele mówiła, jedynie uśmiechała się z trudem, gdy któreś z jej dzieci wchodziło do sypialni. Musiała chyba widzieć przerażenie w ich oczach, gdy na nią patrzyły, bo za każdym razem prosiła ojca, by ten zasunął ciężkie i ciemne kotary. W istocie w panującym półmroku twarz chorej nie wydawała się już trupio blada. Judith widziała, jak jej matka gaśnie. Odzywała się coraz rzadziej i z coraz większym trudem i dziewczynka zdawała sobie sprawę, że niedługo wejdzie do pokoju, a Sara Kellerman nie powie już ani słowa.

Niekiedy przychodzili do mieszkania przy Bregenzer różni krewni i powinowaci, by odwiedzić chorą. Judith nienawidziła tych momentów, bo kiedy opuszczali sypialnię, w której leżała matka, lamentowali i rzucali proroctwami co do jej rychłej śmierci, niemal licytując się, czy nastąpi to za rok, czy może za miesiąc. A gdy tylko kończyli rozmowę na ten temat, zaczynali mówić o polityce, zamieszkach i pewnym człowieku z Monachium, który niedawno postanowił dokonać puczu. Judith nie miała pojęcia, co znaczy owo tajemnicze słowo, ale wypowiadano je tak grobowym głosem, że nie wróżyło to niczego dobrego. W ogóle mało rozumiała z tych politycznych dywagacji, ale wyczuwała doskonale ton rozmówców. Mówili podniesionym głosem, niekiedy wzdychali głośno, a czasami snuli apokaliptyczne wizje przyszłości dla całej Republiki Weimarskiej, podobnie jak przepowiadali tragedię, jaka niebawem miała nawiedzić ich dom.

Czuła ulgę, gdy goście opuszczali ich mieszkanie. Wtedy robiło się bardzo cicho i nawet nie tykał zegar, bo już jakiś czas temu ojciec sprzedał go w lombardzie Rosenbluma. Tylko gdzieś z oddali docierał do jej uszu uliczny gwar. Stukot dorożek, krzyki kobiet nawołujących swoje dzieci, by wracały do domu albo gwizdki policjantów. Siadała ojcu na kolanach, głaskała po gęstej brodzie i pytała:

— Tato, czy mama umrze, bo jesteśmy biedni?

— Jesteśmy biedni, ale zrobię wszystko, żeby było jak kiedyś — odpowiadał ojciec przez zaciśnięte zęby.

— Tato? — zagadywała nieśmiało. — Teraz, kiedy nie mamy już mebli, a ty nie malujesz nowych obrazów, może zamieszkamy w mniejszym domu?

— Nie, córeczko. Nie wyprowadzę się stąd, dopóki mama chce tu zostać. Nie zrobię jej tego, choćbym miał pójść żebrać. Jednak obiecuję, że wyjdziemy z nędzy.

— A co z mamą?

— Dla mamy też zrobię wszystko i to właśnie dla niej muszę zdobyć pieniądze — wzdychał.

— I ona wtedy nie umrze, prawda? — Dziewczynka nie dawała za wygraną.

— Kiedyś wszyscy umrzemy, mówiłem ci — odpowiadał enigmatycznie, a potem dodawał: — Muszę wyjść na miasto.

Znikał wówczas na całe wieczory i Judith sądziła, że to przez nią i jej pytania, na które najpewniej nie miał ochoty odpowiadać. Pozostawał jej więc do towarzystwa Serafin. Szła do jego pokoju, kładła się na wąskim łóżku i prosiła, by poczytał jej bajkę. Mogła zrobić to sama, ale kiedy słuchała niskiego, ale ciepłego głosu brata, znowu czuła się jak kiedyś, gdy była małym dzieckiem. Przymykała powieki i wyobrażała sobie, że ma pięć lat, mama jest zdrowa, w domu niczego nie brakuje, a śmierć stanowi abstrakcję. Brat najczęściej sięgał po opowieści braci Grimm i wybierał te najstraszniejsze, po których albo nie mogła zasnąć, albo też śniły się jej zjawy, potwory i czarownice. A jednak lubiła wracać myślami do tamtych czasów, bo o poranku owe okrutne istoty znikały, a zza ściany dobiegał do jej uszu śmiech matki. Teraz panowała albo złowroga cisza, albo słyszała rzężenie swojej rodzicielki, która dogorywała w sypialni obok. Tak, w ciągu ostatnich miesięcy w ich pięknym i tętniącym życiem domu wiele się zmieniło, a ona mogła być radosnym i szczęśliwym dzieckiem tylko wówczas, gdy zamykała oczy i uciekała w świat fantazji. I nie było w nim ani choroby mamy, ani pustych pokoi, zaś wszystkie jej zabawki wciąż stały na swoim miejscu.

2.

jciec Rudolfa Dorsta przypominał bokse-
ra wagi ciężkiej. Ostatnio takiego, który co
chwilę dostawał na ringu cięgi. A wszystko dlatego,
że jako policjant musiał niemal codziennie staczać
walki z różnej maści bojówkarzami. On sam nie był
obiektem ataków, ale rozdzielał tłukących się między sobą komunistów i skrajnych prawicowców.
Niekiedy burdy wszczynali także robotnicy, złaknie-
ni pracy i chleba, więc policja miała co robić niemal
bez przerwy.

— A zmieniłbyś robotę — sarkała matka, opatru-
jąc skaleczenia na głowie małżonka. — Prawie codziennie albo przychodzisz poturbowany, albo z po-
urywanymi kieszeniami, że o guzikach nie wspomnę.

— Ja się cieszę, że w ogóle mam pracę — mruczał
wtedy pod nosem ojciec.

— To prawda, teraz łatwiej w mieście o awanturę
niż o robotę — wzdychała matka.

W przeddzień szesnastych urodzin Rudolfa, ojciec
zamiast jak zwykle zapytać, jak mu idzie w szkole,
powiedział:

— Jutro masz urodziny, synu. Nie mogę ci kupić
niczego wyszukanego, tylko jakiś drobiazg. Chciałbym więc, aby było to coś, z czego będziesz naprawdę zadowolony.

— Wiesz, tato, że zawsze cieszą mnie albumy
i książki o malarstwie — odrzekł Rudolf, który pewnego dnia rozkochał się w tej dziedzinie sztuki.

— Tak myślałem. — Ojciec roześmiał się, ale zaraz spoważniał i dodał: — Mam jednak nadzieję, że nie zostaniesz ani pacykarzem, ani jakimś cholernym marszandem. Oni dzisiaj wszyscy żebrzą na ulicach. Gdyby mnie było stać, wykształciłbym cię na lekarza albo adwokata. To solidne zawody.

— Tato, wiem, co znaczy nędza. Oglądam ją codziennie. Zostanę policjantem, tak jak ty. A malarstwo... Ono pozwala mi oderwać się od zwyczajnego życia. Malarzem nie zostanę na pewno, bo nie mam takich zdolności.

Powiedział prawdę. Odkąd skończyła się wojna, a Niemcy musieli zapłacić reparacje, w Berlinie nastała bieda. A jeszcze gorzej zrobiło się, gdy Francuzi, nie doczekawszy się odszkodowań w wysokości, jaką ustalono w zabójczym dla Niemców traktacie wersalskim, zajęli Zagłębie Ruhry.

Mieszkał z rodzicami i chorowitym młodszym bratem niedaleko Krögel Strasse, a tam mógł napatrzyć się na prawdziwą biedę. Dorstowie zajmowali mieszkanie czynszowe z samodzielną łazienką i toaletą, co stanowiło dla mieszkańców tej okolicy szczyt marzeń i luksusu, bowiem większość musiała dzielić podobne przybytki z sześcioma albo siedmioma rodzinami. Właściwie nie zapuszczałby się w tamte rewiry, bo ani nie interesował go rynek, gdzie handlowano serwatką, ani tamtejsze nadbrzeże Szprewy, ale w jednej z tych obskurnych kamienic mieszkał jego przyjaciel, Max Geyer. Rudolf niekiedy dziwił się sobie, że zakolegował się z kimś takim, bowiem chłopak miał przedziwne zainteresowania. Otóż po przeczytaniu powieści o królu Arturze i Świętym Graalu zaczął szukać informacji historycznych na ten temat, nie stronił także od ezoteryki, mawiając niekiedy, że jeśli nie dogadał się z Bogiem, to może uda mu się porozumieć z Lucyferem. A jednak Max, przy całym swoim zdziwaczeniu, był pogodny, sympatyczny i prawie zawsze potrafił go rozśmieszyć.

Bliskość ulicy, przy której mieszkali Geyerowie, można było doskonale wyczuć nozdrzami. Fetor fekaliów roznosił się niemożliwy i przesiąkały nim nawet ubrania suszące się na podwórkach. W sieni kamienicy Geyerów także dziwnie pachniało. Był to odór starego potu, przemieszany z wonią gotowanej kapusty lub kartofli. Na ścianach klatki schodowej, podobnie jak w mieszkaniu Maxa, panoszył się grzyb. Nie brakowało także wszy i pluskiew, które w brudzie znalazły dobre podłoże do rozmnażania. Rudolf rzadko bywał u swojego przyjaciela, ale nie tylko z uwagi na jego kiepskie warunki lokalowe. Po prostu trzy okropne siostry Geyera nieodparcie kojarzyły się Rudolfowi z szekspirowskimi wiedźmami, nachodzącymi Makbeta w chwilach niepewności. Były wścibskie, wredne, głupie i czasami zastanawiał się, jak Max wytrzymuje z nimi pod jednym dachem.

Matka Rudolfa także nie była zadowolona, gdy ten odwiedzał Maxa, bo potem musiała całej rodzinie aplikować proszek do odwszawiania. Niekiedy nie musiał nawet zachodzić do Geyerów, by złapać wszy, bowiem wystarczyło kilka godzin spędzonych z przyjacielem, by przywlec to paskudztwo do domu. Wizyty na Krögel miały jednak na niego pozytywny wpływ, bowiem wyzbył się mrzonek o zostaniu marszandem czy artystą, które to zawody należały do wyjątkowo niepewnych. Nie chciał żyć w tak skrajnej biedzie, jak rodzina Geyerów, a nic nie zapowiadało, by Niemcy szybko podniosły się po ciosie, jakim była wojna i traktat wersalski. Dlatego doceniał fakt, że ojciec, mimo że ostatnio wracał ze służby trochę poobijany, wciąż miał pracę, w domu było co jeść i mogli cieszyć się własną toaletą. Być może bez względu na koniunkturę i tak nie zdecydowałby się na zawód znawcy sztuki, bo mimo swoich zainteresowań zawsze twardo stąpał po ziemi, a jego fascynacja malarstwem wynikała raczej z podziwu dla czyjegoś talentu, którego on nie miał za grosz. A tylko tego typu zdolności pozwalały zdobyć pieniądze, sławę i splendor. Szkoda tylko, że wielu zacnych malarzy osiągało to wszystko już po swojej śmierci. Nie marzył o wielkiej fortunie, ale o spokojnej egzystencji, a taką mogła zapewnić jedynie stała posada. W istocie, gdyby byli zamożniejsi i on pomyślałby o studiach prawniczych, ale zdawał sobie sprawę, że w obecnej sytuacji jest to niemożliwe. Jego brat był chorowitym dzieckiem i nawet jeśli matce udało się coś uciułać z pensji ojca, wszystko szło na lekarzy. Zresztą w pewnym momencie inflacja doszła do takiego poziomu, że oszczędzanie przestało mieć jakikolwiek sens. Jego rodzinie także bywało ciężko, ale w żadnym razie nie mógł porównywać ich życia do tego, jakie wiedli Geyerowie.

3.

Świat, w jakim przyszło spędzać młodość Maxowi Geyerowi, można było nazwać przedsionkiem piekła. Obskurne kamienice, brudne dzieciaki wałęsające się po bruku, wynędzniałe prostytutki i starcy siedzący nieruchomo pod ścianami. Wzrok tych ostatnich był tak pusty, jakby już przestali żyć i czekali jedynie, aż odpowiednie służby zabiorą ich ciała, by pochować je bez należytej czci na jakimś ponurym cmentarzu. Jednak gdy ktoś przechodził obok takiego człowieka, ten nagle, jak dobrze wytresowany pies, wysuwał dłoń po jałmużnę. Potem żebrak chował pieniądze do kieszeni brudnego palta i na powrót zamieniał się w nieruchomą postać. Dziwki, przeważnie wyniszczone przez życie i mężczyzn, wystawały w bramach i niekiedy nawet tam świadczyły swoje usługi, nie zważając na bawiące się na pobliskim podwórzu dzieciaki. Wiele z tych kobiet zapewne oprócz chorób wenerycznych cierpiało na gruźlicę, której prątkami częstowały swoich klientów. Obcowanie z nimi przypominało grę w rosyjską ruletkę i Max podziwiał śmiałków, którzy się na podobną uciechę decydowali. Jego także zaczepiały, chociaż pod nosem miał dopiero ledwie widoczny wąsik, ale mimo buzującego w nim młodzieńczego popędu nie pomyślał nawet, by skorzystać z takowej oferty.

Zdarzało się niekiedy, że któryś z dzieciaków opuszczał ich dzielnicę i znikał bez śladu. Mówiono wówczas o grasujących zboczeńcach, porywających małe dzieci, ale najczęściej można było je odnaleźć w miejscach, gdzie mężczyźni szukali rozrywek. Niekiedy jedenastoletnie dziewczynki albo chłopcy przebrani w sukienki i z pomalowanymi ustami oferowali swoje usługi za kostkę masła albo tabliczkę czekolady. W zaułkach można było także napotkać pokątnych handlarzy, paserów i drobnych złodziejaszków, czyhających na swoje potencjalne ofiary. Podczas rozmaitych transakcji nikt nie wymieniał sum, bo one w ciągu kilku godzin mogły się zdewaluować, a jedynie podawano równowartość cen towarów pierwszej potrzeby. Nawet w jednym z teatrów ceny biletów zapisano: „Bilet wstępu — miejsca na parterze: cena dwóch kostek masła, miejsca na balkonie: cena jednej kostki".

Jego rodzice nie pracowali już od dwóch lat. I nie dlatego, że upodobali sobie próżniaczy tryb życia, ale pracy po prostu nie było. Od czasu do czasu matka znajdowała dorywcze zajęcie w bogatych domach. Najczęściej jej praca polegała na myciu okien, pastowaniu podłóg albo praniu pościeli. Ojciec zaś codziennie szedł na bocznicę kolejową w nadziei, że nadjedzie pociąg towarowy i ktoś zechce zatrudnić go przy rozładunku. Niestety, chętnych z reguły było więcej niż wagonów z towarem.

Jakby tego było mało, Max miał trzy nieznośne siostry. Jego przyjaciel, Rudolf Dorst, twierdził, że nie zna głupszych dziewcząt niż one, ale Max nie był taki surowy w osądach i zrzucał to na karb wieku sióstr oraz braków w ich edukacji.

Młody Geyer niebawem miał ukończyć gimnazjum i obawiał się, że rodziców nie będzie stać na to, by kontynuował naukę. Z chęcią sam zarobiłby na szkołę, ale niemal trzydziestoprocentowe bezrobocie nie dawało mu zbyt dużych szans na zatrudnienie. Postanowił jednak terminować za darmo w jednej z gazet, by chociaż zdobyć doświadczenie. Przyjęto go do magazynu okultystycznego „Zentralblatt für Okkultismus", a wszystko za sprawą jego lekkiego pióra i zainteresowań, które jego przyjaciel, Rudolf, nazywał dziwacznymi. Może w istocie dla kogoś, kto stąpał po ziemi tak twardo, jak Dorst, była to pasja niezrozumiała, ale Max nade wszystko pragnął oderwać się od rzeczywistości, zaś podobne pasje pozwalały mu przenieść się do świata, gdzie wszystko było przygodą i nieodkrytą jeszcze tajemnicą.

Przełomowym momentem dla Maxa była książka Wolframa von Eschenbacha o Parsifalu i Świętym Graalu. Pobudziła jego ciekawość, a jednocześnie pozwoliła zanurzyć się w innej rzeczywistości. Tak jakby tam mógł poszukać ratunku. Może również z tego samego powodu uciekał w duchowość i filozofie oparte na ezoteryzmie. Najpierw pragnął odnaleźć Boga, który zechce nie tyle ulżyć mu w życiu, co da nadzieję na przyszłość, potem jednak doszedł do wniosku, iż sfera duchowa to znacznie więcej niż istnienie absolutu, zaś moc można odkryć w sobie samym albo sztukach magicznych.

Jego zainteresowania miały też praktyczne strony. Wiedza o poglądach Guidona von Lista czy Lanza von Liebensfelda wzbudziły we władzach redakcji podziw i nawet zaczęto mu płacić za artykuły. A że musiał mieć o czym pisać, całe dnie spędzał w bibliotekach. Tam też trafił na dzieła Dietricha Eckarta i zagłębił się w tematykę antysemicką, wiążąc ją z problemami współczesnych Niemców. Zajmował się także germańskim folklorem i legendami o Atlantydzie. Rudolf podśmiewywał się niekiedy z Maxa, a nawet nazywał go wariatem.

— Ja rozumiem, że musisz mieć temat i dlatego zaczytujesz się w tych księgach, ale naprawdę wierzysz w te wszystkie bzdury? — rechotał przyjaciel.

— W końcu pracuję w „Zentralblatt für Okkultismus" — mruczał nieco zmieszany Max i dodawał, jakby chcąc się usprawiedliwić: — Ale o polityce także czasami piszę.

Gazeta, w której terminował Max, należała do stowarzyszenia Kosmos, zrzeszającego okultystów i astrologów, jednak wielu z nich nie potrafiło nawet sklecić krótkiej notki, choć z pewnością dysponowali niemałą wiedzą. Czasopismo należało jednak wypełnić treścią, a on świetnie się do tego nadawał, bo pisał dobrze, zaś jego wynagrodzenie zależało od wierszówki, a nie od przepowiadania przyszłości z układu gwiazd tudzież z linii na dłoni. Poza tym obiecano mu, że jeśli nadal będzie się tak starał, zostanie w przyszłości zatrudniony na stałe.

Ten ostatni fakt stanowił wystarczającą motywację dla Maxa, a oprócz tego fascynowały go te wszystkie teorie, w które zagłębiał się w zacisznych miejscach biblioteki. Niekiedy patrzył na regały pełne książek i zastanawiał się, czy kiedykolwiek uda mu się przeczytać chociaż połowę z nich. Wierzył bowiem głęboko w to, że pewnego dnia odnajdzie coś, co pozwoli mu spełnić marzenia i być może wskazówki, jak to osiągnąć, znajdzie w którymś z tych woluminów. Tymczasem, gdy opuszczał czytelnię i rozglądał się dookoła, widział jedynie szarość i brud Berlina. Od czasu do czasu natykał się na jakąś bójkę pomiędzy komunistami a brunatnymi koszulami albo demonstrację robotniczą. Patrzył jak jego miasto powoli pogrąża się w nędzy i chaosie, a przepaść pomiędzy bogatymi i biednymi wciąż się powiększa. Nie miał jednak zaufania do komunistów, bo byli dla niego zbyt praktyczni. A jemu w życiu chodziło o coś więcej aniżeli tylko o pracę i napełnienie sobie żołądka. Uważał, że jego rodacy powinni się przebudzić i zobaczyć, że mogą nie tylko stanąć na nogi, ale także dokonać wielkich rzeczy, bo rasa, jaką reprezentowali, zobowiązywała ich do tego, by żyli inaczej. Wznioślej. Oczywiście teraz trudno było im myśleć o sprawach ducha, gdy kiszki marsza grały, ale gdyby tak zaspokoili podstawowe potrzeby, mogliby zwrócić się ku duchowości i mistycyzmowi.

Wracał więc do cuchnącej kamienicy, narzekających rodziców i głupiutkich sióstr z nadzieją, że pewnego dnia stanie się coś, co pozwoli mu na zawsze wyrwać się z tego miejsca.

4.

𝒥nformacje, jakie przeczytał Wilhelm von Reuss w swojej ulubionej gazecie, „Völkischer Beobachter", musiały być druzgocące, bo niemal od razu po odłożeniu pisma, które przysyłano mu aż z Monachium, nakazał swojemu służącemu, by ten posłał powóz po Josepha Stiegla. Franz, człowiek, który nigdy się nie uśmiechał, skinął jedynie głową i wolnym krokiem wyszedł z pokoju. Wilhelm nie omieszkał skomentować ślamazarności swojego podwładnego, jednak nie zamierzał go zwolnić, bowiem jego astrolog stwierdził, że los Wilhelma na zawsze jest związany ze starym sługą, a zobaczył to podczas badania układu gwiazd. Jego syn, Herbert, wówczas czternastoletni, przewrócił oczami. Wiedział bowiem, że teraz jego dom w eleganckiej dzielnicy Schöneberg przy Salzburger Strasse, wypełni się dziwacznymi ludźmi, a ojciec będzie analizował każde ich słowo. Wilhelm nie tylko korzystał wręcz nałogowo z wahadełka i traktował swojego astrologa jak bez mała członka rodziny, ale także zapraszał do siebie medium w postaci paskudnej Henrietty Stock. Wówczas w saloniku zasłaniano szczelnie kotary, zdejmowano ze stołu wazon z kwiatami i paterę z owocami, a następnie przykrywano go ciemnozielonym suknem. A kiedy zjawiała się Henrietta, wówczas z nabożną czcią wyciągano z kredensu elegancką i cholernie drogą ouiję. Najczęściej na seansach zjawiali się różni znajomi rodziców, a ich wizyty przeciągały się do późnych godzin wieczornych.

Herbert uważał magików, spirytystów i astrologów za szaleńców, chociaż niekiedy zastanawiał się nad ich fachem. W końcu na rynku istniało mnóstwo pism o takim charakterze, a astrologia nawet doczekała się badań uniwersyteckich, może więc owi ludzie robili te wszystkie rzeczy nie tylko dla pieniędzy, ale także by odkryć coś, co do tej pory stanowiło tajemnicę dla ludzkiego umysłu. Zdawało mu się, że teraz prawie każdy szukał pocieszenia u wróżek, magów i spirytystów. Jakby całą Republikę Weimarską opanowało ezoteryczne szaleństwo. Ani młody von Reuss, ani też jego siostra, Marita, nie uczestniczyli w tych okultystycznych spotkaniach. Podglądali jedynie przez dziurkę od klucza podekscytowanych uczestników seansów w nadziei, że zobaczą prawdziwe duchy i rozwieją wszelkie wątpliwości co do ich istnienia.

Wszystko zaczęło się od powrotu Wilhelma von Reussa z wielkiej wojny. Sarkał na cesarza, wieszczył upadek prawdziwych Niemców i — jak to mawiał — zwrócił się w stronę duchowości i mistycyzmu oraz prastarych germańskich obrządków. Być może jego zainteresowanie tematem nastąpiło po tym, jak wyjechał do Monachium i wstąpił do organizacji o tajemniczej nazwie „Thule", która nawiązywała do mitycznej cywilizacji Hyperborea. Założyciele tego klubu dyskusyjnego spotykali się w monachijskim hotelu Cztery Pory Roku i wciągnęli w swoje szeregi mężczyzn z Zakonu Germańskiego Walvater, pragnących niegdyś stworzyć organizację na miarę zakonu templariuszy. Wilhelm von Reuss zafascynowany był założycielami tego towarzystwa, których ezoteryczna wiedza była ogromna. Zbliżył się także do innego wyznawcy ariozofii, Rudolfa Hessa.

Z czasem młody Herbert pojął, że owo tajemnicze stowarzyszenie, mające na celu zdobywanie wiedzy o okultyzmie, kabale i hinduskich wierzeniach, a przede wszystkim przekonane o wyższości rasy aryjskiej nad innymi, zaczyna zmieniać charakter na bardziej polityczny i przyziemny. Chłopak nie znał się na tym specjalnie, podobnie jak na wywoływaniu duchów, ale ojciec powtarzał mu, że pewnego dnia zrozumie wszystko, jeśli tylko zwróci się ku swojej duszy, ignorując rozum i racjonalne podejście do życia. Herbert kiwał jedynie głową, ale nie odważył się zadać pytania, jaki związek z duchowością mają bojówki Niemieckiej Partii Robotników, która to organizacja zmieniła wkrótce swoją nazwę na Narodowosocjalistyczną Niemiecką Partię Robotników. Teraz już nie tylko okultyści dumnie chwalili się swastyką, która wywodziła się z Dalekiego Wschodu i była symbolem słońca lub ognia. Wilhelm posiadał brązową szpilkę ze swastyką w otoczeniu dwóch włóczni, a matka — złotą i Herbert pewnego dnia ze zdziwieniem stwierdził, że przestała już reprezentować tylko stowarzyszenie Thule, ale stała się także znakiem firmowym NSDAP.

Od pewnego czasu, gdy owo tajemne towarzystwo próbowało zarazić swoimi ideami całe niemieckie społeczeństwo, ojciec wraz z Rudolfem Hessem twierdzili, że świat potrzebuje nowego mesjasza albo czarodzieja, który porwie tłumy i poprowadzi Niemcy ku krainie szczęśliwości, jaką była mityczna Hyperborea, inaczej bowiem ich tezy przestaną mieć rację bytu. Obaj z Hessem stawiali horoskopy, radzili się chiromantów i duchów podczas seansów spirytystycznych, by pewnego dnia orzec, że oto „narodził się" prawdziwy zbawca narodu niemieckiego i zwolennik czystości rasy aryjskiej. A ta z kolei miała rządzić całym światem, jako wyjątkowa, niepowtarzalna i kierująca się w życiu ściśle określonymi zasadami.

Na arenie pojawił się Adolf Hitler. W monachijskiej piwiarni Hofbräuhaus wygłosił tak płomienne przemówienie, że zarówno Hess, jak i Wilhelm von Reuss okrzyknęli go mesjaszem, który przybył, by ocalić niemiecki naród przed całkowitą degrengoladą. Teraz jednak ów człowiek o nadprzyrodzonych zdolnościach okazał się zwykłym obywatelem, którego wtrącono do więzienia z powodu zamieszek, jakie wszczął w Monachium, by obalić rząd Bawarskiej Republiki Rad, powstałej po rewolucji w dziewiętnastym roku, potem planował zaś ruszyć na Berlin i sięgnąć po większą władzę.

— Co się stało? — pytała podekscytowana Marita, gdy w domu nastąpiło zamieszanie, jakiego dziewczynka nigdy wcześniej nie widziała.

— Hitlera i innych przywódców, którzy chcieli dokonać puczu, wtrącono do więzienia — oznajmił Herbert głosem znawcy tematu.

— A ten Hitler to jakiś znajomy tatki? — dopytywała zatrwożona Marita, bo co prawda z racji wieku nie miała pojęcia, co to pucz, ale słyszała o więzieniach, do których wtrącano złych ludzi.

— Podobno ten człowiek czyni cuda, ale nasz tata jedynie o nim słyszał, a nigdy go nie widział.

Herbert zarechotał, bo nie wierzył w opowieści ojca, jakoby ten znał Hitlera osobiście albo słuchał jego przemowy w piwiarni, bowiem stary von Reuss bywał w Monachium, gdy nikt nie wiedział jeszcze o istnieniu kaprala porywającego tłumy swoimi przemowami. Jego uwielbienie dla tego człowieka wynikało raczej ze ślepej wiary w Hessa, zastępcę Hitlera, jak również w horoskopy i przepowiednie.

— To znaczy, że zrobi cud i zaraz będzie mógł wyjść z więzienia? — zapytała naiwnie.

— Powiem ci coś w tajemnicy... On nie czyni cudów i spędzi resztę życia w więzieniu, a teraz ojciec chce zapytać duchy, dlaczego go tak strasznie okłamały, pokazując na ouiji, że ów człowiek stanie się kiedyś przywódcą wszystkich Niemców. I tych z Prus, i tych z Bawarii czy Śląska. — Herbert znowu zaczął się śmiać.

Ojciec pokazał mu kiedyś zdjęcie w gazecie i oznajmił z czcią, że oto jest właśnie nowy zbawca Niemców. Herbert przyglądał się wówczas mężczyźnie z małym ciemnym wąsem, ale nie ujrzał w jego twarzy niczego nadzwyczajnego. Wydał mu się wręcz pospolity z wyglądu i jakiś zupełnie niepozorny. Doszedł jednak do wniosku, że jest zbyt młody, by móc ocenić człowieka na podstawie jego zdjęcia w gazecie, zaś w treści jego przemówień nie wczytywał się zanadto. Bez względu jednak na wszystko nie wierzył w nadnaturalne zdolności Hitlera, tak jak nie ufał szarlatanom i okultystom, często odwiedzającym ich dom. Zapewne wynikało to z faktu, iż w jego szkole uczono go matematyki, fizyki i biologii, zaś żaden nauczyciel nie wspominał o chiromancji czy astrologii. A kiedy on albo Marita chorowali, wzywano prawdziwych lekarzy, a nie szamanów nakazujących pić zioła i przejść na wegetarianizm.

1927

1.

Tego dnia mijała trzecia rocznica śmierci Sary Kellerman. I tak, jak to było, odkąd ją pochowano, Judith odwiedziła jej grób. Tym razem towarzyszył jej ojciec, chociaż z reguły chodzili na cmentarz osobno.

Judith wydawało się, że Ismaelem targają wyrzuty sumienia. Uważał bowiem, iż ponosi częściowo winę za śmierć swojej żony. Często powtarzał, że gdyby wcześniej zdobył pieniądze, zdołałby ją uratować. Lekarz, który odwiedzał Sarę, gdy chorowała, orzekł, że nawet góry złota nie uzdrowiłyby matki, bo rak to podstępna i nieuleczalna choroba. A jednak ojciec Judith wciąż dręczył się, że stał się biedny i dlatego nie stać go było na lepszą opiekę medyczną dla żony.

Nadszedł jednak czas, gdy w ich domu przestało brakować jedzenia, przestrzeń wypełniły nowe meble i bibeloty, a Sara Kellerman została oddana pod skrzydła najlepszych berlińskich specjalistów. Jednak każdy z nich rozkładał bezradnie ręce i mówił to samo — że matki Judith nie da się już uratować.

Dziewczyna, gdy była trochę starsza, zaczęła podejrzewać, iż ojciec zadłużył się wówczas, ale nie widziała w tym niczego złego. Ona sama zachowałaby się podobnie na jego miejscu.

Owo słowo „już" wypowiadane przez lekarzy i sugerujące, iż Sara trafiła w ręce wybitnych doktorów zbyt późno, wbiło się w umysł Ismaela tak mocno, że nic nie było w stanie zmienić jego postawy wobec samego siebie.

Judith położyła wiązankę kwiatów na grobie i powiedziała:

— Zaraz zacznie padać, tato.

Ismael popatrzył w niebo i odrzekł:

— Zawsze pada, gdy nie wezmę parasola.

— Nie możemy zmoknąć, jeśli chcemy pójść do galerii. — Uśmiechnęła się ciepło. — Będziemy wyglądać jak ludzie, których nie stać nawet na parasol.

— To prawda. — Odwzajemnił uśmiech. — Zatem chodźmy. Nie wypada pokazywać się w takim miejscu w mokrych ubraniach.

— Chcesz tam coś kupić? — zainteresowała się Judith.

— Nie, córeczko. Malarz, który kupuje cudze obrazy, musiałby przyznać, że jest bardzo kiepski, a ja nie chcę w ten sposób o sobie myśleć. Mam ochotę po prostu obejrzeć te cuda. — Roześmiał się.

Judith ucieszyła się, że ojca nie przygnębiła wizyta na cmentarzu, jak to zazwyczaj bywało. Zresztą nie tylko wówczas ojciec sprawiał wrażenie załamanego. Przez pierwszy rok właściwie nie wychodził ze swojej pracowni, ignorując dzieci, jakby one odeszły z tego świata wraz z jego ukochaną małżonką. Gdyby nie Serafin, ona także by chyba wpadła w otchłań rozpaczy, bo czuła wówczas, jakby straciła nie tylko matkę, ale również ojca.

— Nigdy nie ceniłeś van Gogha — powiedziała zadziornie.

— Nie cenię także Kandinskiego, Dalego i Picassa, ale muszę wiedzieć, co jest teraz modne. Moi klienci niekiedy mają dziwne upodobania. Często mówią, że chcą mieć coś w stylu takiego, a nie innego malarza. Kiedyś życzyli sobie, by wisiały u nich obrazy podobne do tych, jakie malował Caravaggio, Rembrandt albo Rubens, potem przyszła moda na impresjonistów, a teraz zachwycają się jakimiś dziwolągami. Trzeba iść z duchem czasu, czy mi się to podoba, czy nie.

Obrazy towarzyszyły jej od zawsze. Najpierw te, które malował ojciec, a potem, gdy stali się znowu zamożni, wyjeżdżali do Holandii i Włoch, by zdzierać buty, chodząc od galerii do galerii. Serafin bardzo się irytował tym kontemplowaniem dzieł sztuki, bo zupełnie nie miał zacięcia artystycznego, ale Judith była zachwycona. Zawsze pragnęła malować, a ojciec był jej nauczycielem. Po śmierci matki zaniedbał trochę jej edukację w tym zakresie, ale potem powrócił do dawnych zwyczajów i znów uczył Judith malarskich technik. Był wymagający, surowy i niekiedy irytujący. Uważał, że nie tylko sprawna ręka i dobre oko powinny cechować malarza, ale także dogłębna wiedza. Twierdził, iż studiowanie prac wielkich mistrzów pozwoli jej dostrzec nie tylko piękno obrazów, ale także sposób stosowania światłocieni czy eksponowania poszczególnych elementów kompozycji. To zaś sprawi, że namalowana przez nią praca wzbudzi zachwyt i zapadnie w pamięć na długi czas. Tłumaczył jej, iż sztuka to rzemiosło. Z tym że cholernie wymagające.

O niewielkiej galerii Ottona Wackera, założonej niedawno przy wytwornej Viktoriastrasse, zrobiło się głośno, gdy okazało się, że ma ona zaprezentować nieznane dotąd obrazy Vincenta van Gogha. Na otwarcie zaproszono znakomitych gości, głównie potencjalnych nabywców owych dzieł, ale jej ojciec także otrzymał możliwość uczestniczenia w tej eleganckiej imprezie, mimo że nie był ani kolekcjonerem, ani też marszandem.

W holu galerii znajdowała się niewielka księgarnia, proponująca pozycje z zakresu historii sztuki, które to książki wydawał własnym nakładem właściciel galerii. Zapewne wynajęcie lokalu w tak prestiżowym miejscu kosztowało kolosalne pieniądze i przedsiębiorca obawiał się, iż może nie utrzymać się jedynie ze sprzedaży obrazów. Jednak wystawienie oryginalnych prac van Gogha gwarantowało mu sukces, więc od tego momentu mógł spać spokojnie, zaś wydawanie niskonakładowych publikacji stanie się jedynie dodatkowym dochodem. Niektórzy mówili, że po prostu skopiował pomysł znajdującej się nieopodal znanej galerii Paula Cassirera, która słynęła ze swojej wszechstronności. Zapewne jej bliskość także dodawała splendoru Wackerowi i całemu wydarzeniu.

Przed wejściem poczęstowano ich szampanem, a potem, gdy większość gości znalazła się w sali wystawienniczej, przemówił jej właściciel.

— Nasza galeria prezentuje nieodkryte dotąd prace z kolekcji książęcej. Oto macie państwo niepowtarzalną okazję ujrzeć po raz pierwszy nieznany dotąd *Autoportret* mistrza, *Martwą naturę z bułkami*, *Saintes-Maries* i *Pejzaż morski pod Saintes-Maries*. Autentyczność obrazów została potwierdzona przez samego doktora Baarta de la Faille'a, wybitnego historyka sztuki i znawcę dzieł Vincenta van Gogha. Na sali nastąpiło ożywienie, bowiem autorytet de la Faille'a był nie do podważenia. Każdy, kto interesował się rynkiem dzieł sztuki, doskonale wiedział, że doktor od lat żywo interesuje się tym malarzem i pracuje nad skatalogowaniem jego wszystkich dzieł. Te wystawione w galerii Ottona Wackera także miały znaleźć się w jego publikacji.

Wacker w dalszej części swojej przemowy nakreślił krótki życiorys van Gogha, nie omieszkując przypomnieć, jak niedocenianym za swojego żywota był artystą, jak również o tym, że rzucił rękawicę impresjonistom, tworząc zupełnie nowy trend w malarstwie. Wspomniał także o jego chorobie psychicznej i spotkaniach z innymi artystami. Nikt jednak nie słuchał tych wywodów. Nikogo także nie zdziwiło pojawienie się na rynku nowych dzieł van Gogha, bo każdy wiedział, jak płodnym był twórcą. Właściwie nikt nie potrafił określić spuścizny malarza, bo kiedy ten zmarł, jego obrazy ściągano z rozmaitych strychów, piwnic i komórek, ładowano na taczki i sprzedawano jako materiały wtórne i makulaturę. Często wśród tych dzieł znajdowały się prace niesygnowane jego nazwiskiem, niedokończone albo ledwie zaczęte.

Jako że obrazy van Gogha stanowiły niezłą lokatę kapitału na niepewne czasy, te wystawione przez Wackera zeszły na pniu, a nabywcami zostali zamożni kolekcjonerzy z Berlina i Dolnego Śląska oraz słynna galeria ze Stanów Zjednoczonych. Przez cały czas, gdy kolejni goście podchodzili do dzieł mistrza, wpatrując się czujnie bez mała w każde pociągnięcie pędzlem, Ismael wypijał kolejne kieliszki szampana i uśmiechał się ironicznie, jakby pogardzał zgromadzoną w galerii klientelą. Może doszedł do wniosku, że i on zostanie doceniony dopiero po swojej śmierci, tak jak van Gogh.

Judith rozejrzała się dookoła. Wśród przybyłych gości przeważali starsi, dobrze ubrani mężczyźni wraz ze swoimi eleganckimi małżonkami, obwieszonymi biżuterią, co nie budziło zdziwienia, bo to właśnie oni dysponowali największymi pieniędzmi. Potem zatrzymała wzrok na trzech młodych mężczyznach, którzy stali w rogu pomieszczenia, kilka metrów od niej, i żywo dyskutowali, aczkolwiek nie o obrazach, ale o tym, jakie lokale odwiedzą po wernisażu. Byli w wieku jej brata i prezentowali się dość ubogo na tle pozostałego towarzystwa. Pewnie w ogóle nie zainteresowałaby się nimi, gdyby nagle nie usłyszała dość śmiałego stwierdzenia.

— Chodźmy już, nie ma co się rozpływać nad falsyfikatami — powiedział jeden z nich.

Chłopak odróżniał się od swoich towarzyszy przede wszystkim ogromną posturą i tym, że wciąż poprawiał kosmyk jasnych włosów, który opadał mu na czoło. — Oszalałeś, Rudolfie? — zdziwił się jego chuderlawy kolega o ciemnych włosach i szarych oczach.

— Rozumiem, że jako świeżo upieczony policjant wszędzie węszysz podstęp, ale autentyczność tych obrazów potwierdził nieco lepszy od ciebie znawca sztuki.

— Ta żółć mi się nie podoba — stwierdził autorytatywnie ów postawny Rudolf.

— Żółty jak żółty — zarechotał chuderlawy.

— Max, van Gogh używał żółci chromowej, która na początku daje intensywny kolor, zaś po kilku latach brązowieje i blaknie. Ta tutaj wydaje mi się zbyt mało przygaszona — oznajmił.

W końcu odezwał się trzeci z chłopaków:

— Max, twój przyjaciel znowu zaczyna się wymądrzać.

Rudolf popatrzył na niego z niesmakiem. Chyba nie bardzo lubił tego człowieka. Jednak przestał dyskutować, kwitując swoje wywody jedynie lakonicznym „być może się mylę", i zaraz potem wesoła gromadka opuściła galerię.

Judith podeszła bliżej i zaczęła intensywnie wpatrywać się w prezentowane obrazy. Nie potrafiła jednak stwierdzić, czy są prawdziwe, bowiem ten malarz nigdy nie znajdował się w kręgu jej zainteresowań. Poza tym miała zaledwie piętnaście lat i jeszcze na wielu rzeczach się nie znała. Ale ów kolor, o którym mówił młody chłopak, dość często stosowany w poprzednim wieku, zaintrygował ją. W istocie po kilkudziesięciu latach powinien już nieco ściemnieć, bo żółć chromowa była wyjątkowo kapryśnym pigmentem i dlatego od połowy dziewiętnastego wieku stosowano żółć kobaltową, czyli aureolin, który był zdecydowanie bardziej trwały, jeśli chodzi o intensywność koloru. Postanowiła, że gdy tylko opuści galerię, zapyta o tę sprawę ojca, którego wiedza na temat pigmentów była tak samo ogromna, jak jego talent.

Pytanie Judith nie tyle zaintrygowało ojca, co chyba trochę zdenerwowało, chociaż nie miała pojęcia dlaczego.

— Następny domorosły znawca się znalazł — prychnął Ismael.

— Chyba masz rację, ten jego kolega nawet śmiał się z niego, że ten, jako policjant, ma we krwi podejrzliwość w stosunku do wszystkiego. — Roześmiała się.

Ojciec zatrzymał się na chodniku i nerwowo poprawił melonik.

— De la Faille jest najlepszym specjalistą od dzieł van Gogha. Jeśli on potwierdził autentyczność tych obrazów, to chyba wie, co mówi. Poza tym w galerii było słabe oświetlenie, bo wiadomo, że pod wpływem ostrego światła kiepskie farby ciemnieją i brunatnieją, a van Gogh używał tylko tych najtańszych, bo do krezusów nie należał, więc nie mam pojęcia, cóż ten kmiot mógł tam wypatrzyć — mruknął.

Nie rozumiała zdenerwowania ojca. W końcu co mogło go obchodzić, jakie obrazy wystawia kompletnie obcy mu człowiek. A może uważał się za takiego fachowca, który zna się na technikach malarskich każdego z uznanych artystów? Było to przecież nieosiągalne, a on pasjonował się głównie malarstwem siedemnastowiecznym, więc dość odległym w porównaniu z van Goghiem. Nie roztrząsała jednak tego, bo nie lubiła, kiedy ojciec tracił dobry humor. Może dlatego, że miewał go ostatnio bardzo rzadko.

2.

był pomysł Rudolfa, by ich paczka najpierw odwiedziła galerię Wackera, a potem dopiero ruszyła w miasto, by zabawić się w jakimś lokalu. Co prawda nie posiadali zaproszenia na to doniosłe wydarzenie, ale Max był dziennikarzem, okazał przy wejściu legitymację prasową i w rezultacie dostali się na wernisaż bez najmniejszych problemów. Najpewniej świeżo upieczonemu właścicielowi galerii zależało na rozgłosie i każdy pismak był mile widziany podczas otwarcia wystawy, bez względu na to, jaki tytuł reprezentował.

Jedyne, co zdenerwowało Rudolfa tego popołudnia, to obecność nowego kumpla Maxa, Klausa Fishera. Ten chłopak nic mu nie zrobił, ale zajmował się historią i antropologią na Uniwersytecie Fryderyka Wilhelma i kiedy pojawiał się w ich towarzystwie, potrafił jedynie mówić na temat swoich dokonań naukowych. Jako że temat templariuszy, Parsifala i Świętego Graala żywo interesował Maxa, mogli z Klausem godzinami na ten temat rozmawiać, zaś Rudolf nudził się przy tych opowieściach niemiłosiernie. A tego dnia Max ponownie pojawił się w towarzystwie Klausa i zepsuł Rudolfowi humor, bo chłopak był pewny, że jego kompani znowu będą rozprawiali tylko o jednym.

Wystawa w galerii Wackera przyciągnęła samą śmietankę towarzyską. Nie tylko Berlina. Wśród gości byli zamożni przedstawiciele klasy średniej, przemysłowcy i marszandzi z kraju i zagranicy. I każdy oniemiał na widok nieznanych dzieł van Gogha. To, że takowe wypłynęły, nie dziwiło nikogo, Rudolfa także, jednak zagadką pozostawała dla niego osoba właściciela galerii. Otto Wacker nigdy nie zajmował się malarstwem i najpewniej nawet się na nim nie znał. Do tysiąc dziewięćset dwudziestego piątego roku był współwłaścicielem przedsiębiorstwa taksówkowego Wacker-Kratkowski Berlin Nord, a to był interes zupełnie inny niż ten obecny. Firma dość szybko splajtowała, partnerzy rozstali się, a o Ottonie słuch zaginął. Po dwóch latach zaś wystąpił już w roli marszanda i w dodatku zaserwował potencjalnym klientom prawdziwą petardę. Rudolf nie sprawdzał, czym parał się Wacker wcześniej, bo w końcu nie prowadził żadnego śledztwa, a jedynie zainteresował się tym człowiekiem z czysto prywatnych pobudek, bowiem malarstwo van Gogha było mu szczególnie bliskie.

Kiedy znakomici goście galerii nasycili już swój wzrok świeżo odnalezionymi dziełami coraz bardziej docenianego malarza, przyszła kolej na Rudolfa. Podszedł najbliżej, jak to było możliwe i wpatrywał się w obrazy jak zaczarowany. Jednak już od pierwszej chwili miał poważne wątpliwości co do autentyczności płócien, bowiem zwrócił uwagę na żółte barwy. Van Gogh swoim obrazom dodawał blasku żółcią, nie mając pojęcia, że ten imponujący skądinąd kolor po czasie straci swoją moc. Na płótnach, którym przyglądał się Rudolf, żółty nie był może zbyt jaskrawy, ale nie przypominał także zbrązowiałej barwy, jaką można było zauważyć na innych obrazach van Gogha.

O swoim odkryciu poinformował kompanów, ale ci jedynie wyśmiali jego wątpliwości, najpierw mówiąc, że chce zabłysnąć swoją wiedzą, a potem wytknęli mu zbytnią podejrzliwość z uwagi na jego zawód. Machnął na to ręką, bo nawet gdyby miał przed oczami obrazy naprawdę namalowane ręką mistrza i tak nie mógłby sobie pozwolić na ich nabycie. Praca w policji kryminalnej nie była zbyt dochodowa, zwłaszcza że nie zdążył jeszcze dochrapać się żadnego awansu.

— To dokąd idziemy? — zapytał, gdy opuścili gmach galerii przy Viktoriastrasse.

— Masz ochotę na panienki? — odpowiedział pytaniem Max.

— Mam ochotę się dzisiaj napić. Tak ostro, że pewnie na dziewczynki nie wystarczy mi siły. — Roześmiał się.

— To chodźmy do takiego miejsca, gdzie nie ma kobiet — odparł Max tajemniczo. — Klaus zna taki jeden lokal. Tam żadna dziewczyna nie będzie rozpraszała twojej uwagi i skupisz się jedynie na piciu. Po tych słowach Rudolf nagle doznał olśnienia. Kolega Maxa, Klaus Fisher, nigdy nie chciał chodzić z nimi na panienki, wymawiając się brakiem czasu, bólem głowy czy chorobą babki. Rudolf sądził wówczas, że mężczyzna jest po prostu nieśmiały i obawia się, iż nie podoła zadaniu, gdy poderwie jakąś pannę, a ta zechce zaciągnąć go do łóżka. Teraz jednak stało się jasne, że Klaus po prostu woli chłopców.

— Ty też jesteś... No, wiesz? — szepnął Maxowi do ucha.

— Nie — odpowiedział mu cicho Geyer. — Ale lubię Klausa.

Nie rozmawiali już więcej na ten temat, tylko złapali dorożkę. Klaus nakazał woźnicy, by zawiózł ich na Motzstrasse, do najmodniejszego klubu dla homoseksualistów, o nazwie „Eldorado", słynącego z pokazów tanecznych transwestytów. Rudolf pomyślał, że nigdy nie był w podobnym przybytku, mimo iż w okolicach Nollendorfplatz było ich pełno, i był bardzo ciekawy, jak tam jest. Potem zastanawiał się, czy jego przyjaciel nie stał się przypadkiem „ciepły", jak określano homoseksualistów. Potem zganił siebie za podobne podejrzenia, bo przecież nie raz i nie dwa podrywali razem panienki, a Max był nawet wierny jednej takiej przez całe osiem miesięcy.

Rudolf doskonale zdawał sobie sprawę z istnienia w Kodeksie karnym paragrafu sto siedemdziesiątego piątego, który zakazywał i penalizował homoseksualistów, ale każdy wiedział, że ów przepis jest równie martwy, co pociąg Klausa Fishera do kobiet. Poczuł się trochę nieswojo, gdy znaleźli się w środku. Roznegliżowani faceci, dumnie wypinający nagie torsy i całujący się w lożach, wyglądali nieco dziwnie, ale za to występy transwestytów rozbawiły go, bo w niektórych przebierańcach nigdy nie rozpoznałby mężczyzny.

Po jakichś dwóch godzinach Klaus zniknął im z pola widzenia, a on z Maxem raczyli się doskonałą wódką. Rudolf od razu poczuł się lepiej, bo Klaus irytował go, mimo że starał się być dla niego bardzo miły.

— Ty, Max, a nie obawiasz się, że twój kolega pewnego dnia poczuje do ciebie coś więcej niż sympatię? — zapytał prosto z mostu Rudolf, gdy zostali sami.

— Przestań, on wie, że nie lubię chłopców. Po prostu mamy wspólne zainteresowania. I nie dotyczą one sfery intymnej. Potrafimy rozmawiać godzinami...

— Od tego zaczyna się droga do małżeństwa. — Rudolf zarechotał.

— Nie chcę stracić Klausa, ale za cholerę nie czuję pociągu do męskich tyłków. — Max poklepał przyjaciela po ramieniu.

— To postaraj się bardziej dobitnie dać mu do zrozumienia, że nie interesuje cię nic poza przyjaźnią. Widzę, jak on na ciebie patrzy. Jakby chciał cię pożreć na surowo. A na mnie, jakbym był twoim kochankiem.

— Przestań, uprzedziłeś się do Klausa, zupełnie niesłusznie — mruknął Max.

— Mam taką nadzieję, przyjacielu, bo inaczej wpakujesz się w kłopoty — westchnął Rudolf i nie powiedział nic więcej.

Jeśli jego przyjaciel uważał, że sprawa pomiędzy nim a Klausem jest jasna, to nie powinien się wtrącać w ich znajomość.

3.

*M*ax Geyer także zastanawiał się czasami, czy znajomość z Klausem nie budzi podejrzeń co do jego seksualnych upodobań, jednak postanowił nie przejmować się tym zanadto. Fisher był dla niego niekwestionowanym autorytetem, jeśli chodzi o badanie historii Świętego Graala. Nie bardzo wierzył w to, aby ów kielich czy — jak niektórzy twierdzili — kamień miał jakieś wyjątkowe właściwości uzdrawiające czy nawet wskrzeszające zmarłych. Dla niego była to jedynie cenna relikwia, która może uczynić znalazcę sławnym, a na innych zrobić wrażenie tak potężne, że zapomną o przyziemnych sprawach i zajmą się swoim duchowym życiem. Podobnie jak działała na wyobraźnię włócznia Longinusa czy Całun Turyński, chociaż autentyczność tego ostatniego wciąż podważano.

Tymczasem po niedzieli gazeta wysłała go do niejakiego Hannsa Hörbigera, autora książki o *Welteislehre*. Tak zwana teoria lodowa, nazywana niekiedy kosmogonią lodowcową, nie interesowała Maxa, ale na rozmaite dziwaczne tezy można było natknąć się w każdym ezoterycznym piśmie. Jedyne, co wydawało się frapujące, to fakt, że Hörbiger zaprzągł do współpracy naukowca specjalizującego się w astronomii, Philippa Fautha. Sam autor teorii zresztą zdawał się pragmatycznym człowiekiem, bowiem z wykształcenia był inżynierem.

Hanns przypominał Maxowi, jak żywo, starego poczciwego profesora gimnazjum. Miał długą, gęstą brodę i podkręcony wąs. Kiedy Geyer przedstawił się, ten odrzekł:

— Nareszcie zaczynacie brać na poważnie moje tezy. A przecież to prawdziwy przełom.

— Czasami trudno doszukać się naukowych wyjaśnień pewnych teorii, ale mam nadzieję, że zdoła mnie pan przekonać, przedstawiając dowody na powstanie świata z bryły lodu — powiedział Geyer, chociaż jego gazeta nie zajmowała się sprawami, które miały naukowe podstawy. Wierzył jednak, że w ten sposób zapędzi swojego rozmówcę w kozi róg, bo kosmogonia glacjalna wydawała mu się nieco naciągana.

— Chłopcze, moją teorią da się wytłumaczyć wszystkie zjawiska na świecie, począwszy od trzęsienia ziemi w Mesynie, a na religii Inków kończąc. Nasze pochodzenie, tak jak i całego wszechświata, zaczęło się od lodu. Zderzenie gwiazd spowodowało, że wielkie kawały lodu rozpierzchły się w kosmosie, budując własne systemy solarne. Popatrz na historię naszej planety, ją także kiedyś pokrywał lód...

Max starał się notować wszystko, co mówił ów inżynier, ale w pewnym momencie zgubił się kompletnie.

— Słynny astronom, Edmund Weiss, powiedział o tej teorii, że na podstawie pańskich konkluzji można także stwierdzić, iż kosmos powstał z oliwy z oliwek. Dokładnie takiego określenia użył — wypalił nagle Max, kiedy Hanns przekonywał, że właśnie obwieścił światu „nową ewangelię" i „światopogląd niosący zbawienie".

— Tacy ludzie, jak ten kmiot, są osobami o ciasnych umysłach — mruknął mężczyzna i machnął od niechcenia ręką.

Max zauważył, że Hörbiger się zdenerwował, bo jego siwa broda zaczęła lekko drżeć, podobnie jak dłonie. Geyer pokiwał jedynie głową. Nie mógł zlekceważyć człowieka, który głosił swoje poglądy na licznych wykładach i zrównywał ezoteryczne teorie z naukową wiedzą. Poza tym nie pisał dla naukowego czasopisma, ale ezoterycznego, a tam wszystko wykraczało poza sferę empiryczną.

Byli jednak tacy, którzy naprawdę wierzyli Hörbigerowi, bo jego teoria pasowała do starogermańskiej mitologii o nadludziach zamieszkujących niegdyś najzimniejsze obszary ziemskiego globu, ale Max nie potrafił takich powiązań odnaleźć. Autor szalonej teorii z pewnością nie polubił Maxa, bo oznajmił w pewnym momencie, że nie będzie udzielał wywiadów ludziom o wąskich horyzontach myślowych. Zapewne nie mógł darować Geyerowi, że ten wyciągnął opinię jego oponenta. Max nie przejął się jednak naburmuszoną miną rozmówcy. Miał jedynie nadzieję, że ów mężczyzna nie napisze na niego skargi tylko dlatego, iż ośmielił się wspomnieć o Weissie, który praktycznie wyśmiał teorię Hörbigera.

∞

Mimo że Max miał lekkie pióro i pisał świetnie, wciąż nie czuł się w redakcji swojej gazety zbyt pewnie. Zwłaszcza iż niekiedy traktowano go jak człowieka, który idee wspaniałych ezoteryków musi jedynie przekuć na przystępnie napisany artykuł, nie należy zaś do tajemnego kręgu okultystów i chiromantów. Postanowił wyprzedzić ewentualny ruch Hörbigera i sam udał się do szefa. Ten zapytał od progu:

— Jak poszło z Hörbigerem? Podobno to trudny człowiek.

— No, właśnie z tym przychodzę. Oczywiście otrzymałem wszystkie informacje, jakie pragnąłem uzyskać, jednak mój rozmówca bardzo się zdenerwował, gdy wspomniałem o artykule Weissa. A ja jedynie chciałem wejść z nim w polemikę na temat matematycznych i fizycznych podstaw jego teorii. Żeby było ciekawiej… — zaczął się tłumaczyć Max.

— Mogłem cię ostrzec, że on ciężko znosi krytykę. — Hans Waltz, szef redakcji i współwłaściciel czasopisma, zarechotał.

— Czasami należy zadawać pytania, które mogą nie podobać się naszym rozmówcom — westchnął Geyer.

— Posłuchaj, Max... Oni wszyscy chodzą wokół niego na palcach, bo jego teoria jest bardziej aryjska, a mniej żydowska. W końcu w dwudziestym drugim Nobla dostał niemiecki Żyd, a nie każdemu się to podoba.

— Prawdę powiedziawszy, mnie też to się nie podoba, ale przecież nauka powinna być bezstronna i pochodzenie nie powinno mieć wpływu na ocenę dokonań — powiedział Geyer ze śmiechem.

Odetchnął z ulgą, gdy dotarło do niego, że jego szef także uważa Hörbigera za dziwaka. Jednak Geyer również nie był szczęśliwy, gdy Nagrodę Nobla otrzymał niemiecki Żyd, bo on wierzył, że to rasa aryjska powinna wieść prym we wszystkich dziedzinach życia. Może właśnie z tego powodu żywił wiele ciepłych uczuć do NSDAP, które faworyzowało ich rasę, niezbyt pochlebnie wyrażając się o Żydach. Jego znajomy z „Münchener Beobachter", którą to gazetę zamieniono ze sportowej na zdecydowanie radykalną w negatywnym osądzie Żydów, powiedział mu, że szefostwo nie boi się, iż uznają ich za ekstremistów. Żaden bowiem Żyd po taki tytuł nie sięgnie, gdyż oni interesują się sportem tylko wówczas, gdy da się na nim zarobić. Coś w tym było, że Żydom robienie pieniędzy wychodziło najlepiej. Natomiast rasę aryjską interesowały nie tylko przyziemne sprawy, ale także duchowe. Muzyka, sztuka, poszukiwanie nadprzyrodzonych sił działających we wszechświecie było domeną białych Europejczyków i cywilizacji Wschodu. Stąd zapewne gazeta, w której pracował, cieszyła się sporą popularnością, podobnie jak inne tytuły zajmujące się taką tematyką, chociaż ich nakład nie mógł się równać z prasą codzienną.

Nawet Hitler, który uchodził za człowieka praktycznego i zajętego losami najbardziej pokrzywdzonych Niemców, używał w swoich przemówieniach i publikacjach terminów świadczących o duchowych i ezoterycznych podstawach ideologii NSDAP, takich jak „diabeł" czy „duchowa energia". Poza tym regularnie korzystał z usług astrologa i fascynował się teoriami Dietricha Eckarta. Geyer marzył o tym, żeby pewnego dnia przeprowadzić z nim wywiad i szerzej rozwinąć ten temat. Mieszanie polityki i kultury duchowej było nowością i przeciwwagą dla praktycznego bolszewizmu, który w ogóle nie zajmował się podobnymi kwestiami, ograniczając się jedynie do zaspokajania potrzeb ciała. Max uważał, że właśnie dlatego tak wielu Żydów do niego lgnęło. Max wierzył w sugestię i siłę symbolu. Tak jak wierzył, że odnalezienie Świętego Graala może wpłynąć na duchowość całej rzeszy ludzi, chociaż w jego fizyczne moce nie wierzył, a jedynie w działanie tej relikwii na zbiorową podświadomość. Szukał sposobności, by dostać się do Hitlera, bo wiele osób, z którymi rozmawiał, a które miały okazję spotkać osobiście tego człowieka, mówiły o jego nadprzyrodzonych mocach i polu energetycznym tak silnym, że byłoby w stanie wciągnąć w swój zasięg nawet najbardziej pragmatycznego człowieka. Zresztą słynny Dietrich Eckart tuż przed swoją śmiercią wyznał: „Hitler zatańczy, ale to ja stworzyłem dla niego muzykę". Człowiek ten potrafił idealnie połączyć politykę z nordyckim folklorem i mistycyzmem germańskiej religii, jednocześnie obarczając Żydów winą za — jak to nazwał — „wysysanie krwi" prawdziwym Aryjczykom.

Niestety, wszelkie próby przeprowadzenia rozmowy z Hitlerem kończyły się fiaskiem, mimo iż notowania NSDAP od tysiąc dziewięćset dwudziestego piątego roku leciały na łeb na szyję i teoretycznie przywódcy partii powinno zależeć na medialnym rozgłosie. Nawet jeśli wzmianka o nim miałaby się ukazać w ezoterycznym piśmie. Max postanowił nie przejmować się tym faktem szczególnie mocno, wierzył bowiem, że pewnego dnia osiągnie swój cel. A w końcu poza jego pracą istniało coś więcej, a przede wszystkim całe morze chętnych i ślicznych dziewcząt. Jemu marzyła się prawdziwa miłość. Taka, o jakiej pisali poeci romantyczni. Miał nadzieję, że dziewczyna, z którą umówił się tego wieczoru, okaże się „tą jedyną". Była piękna. Miała miedziane włosy, zielone oczy i figurę modelki.

ɞ

Umówili się w kawiarni niedaleko Alexanderplatz. Max przyszedł trochę wcześniej, zajął stolik, a potem nerwowo stukał palcami o jego blat. Chyba pierwszy raz czuł lęk, że dziewczyna nie przyjdzie na randkę. Zwykle nawet się nad tym nie zastanawiał, uznając, że jeśli nawet panna nie zjawi się w umówionym miejscu, po prostu poderwie inną. Tym razem jednak zależało mu, by lepiej poznać Angelę Richter. Wierzył, że oprócz urody dziewczyna będzie miała także sympatyczne usposobienie i coś więcej do powiedzenia aniżeli stwierdzenie, że wiosna tego roku jest wyjątkowo ładna.

Angela spóźniła się dziesięć minut, podczas których zdążył już obgryźć wszystkie paznokcie. Podeszła do stolika i uśmiechnęła się przepraszająco. Pod pachą ściskała gruby skrypt.

— Przepraszam za spóźnienie, mój profesor od filozofii znowu przedłużył wykład. Nigdy nie nosi zegarka, a żaden student nie ma śmiałości, by zwrócić mu uwagę, że zajęcia już powinny się skończyć — powiedziała.

Uśmiechnięta wyglądała jeszcze piękniej. Zauważył także, że ma na nosie kilka piegów, ale to tylko dodawało jej uroku. Pomógł zdjąć jej letni płaszcz, a potem szarmancko odsunął krzesło, by mogła na nim usiąść. Zamówiła kawę i kawałek czekoladowego tortu. Nie zapanowała między nimi niezręczna cisza, jak to często bywało na pierwszych randkach, tylko od razu rozpoczęli konwersację o Freudzie, Jungu, a potem malarstwie. Dziękował w duchu swojemu przyjacielowi, Rudolfowi Dorstowi, który hobbystycznie zajmował się studiowaniem obrazów wielkich mistrzów i perorował o tym bez przerwy, więc co nieco pozostało mu w głowie i mógł zaimponować dziewczynie znajomością tematu.

Max Geyer nie mógł wyjść z zachwytu nad nową znajomą, więc gdy nadszedł czas pożegnania, bez wahania zaproponował:

— Angelo, czy miałabyś ochotę potańczyć? W najbliższą sobotę?

Pokręciła przecząco głową.

— Nie mogę w sobotę, Max. Jest szabas, a na kolacji będzie ciotka Ruth. Przyjeżdża aż z Magdeburga, zresztą rodzice bardzo kręcą nosem, kiedy wychodzę w szabas.

Maxa Geyera ścięło z nóg. Angela Richter była Żydówką. Doznałby mniejszego szoku, gdyby oznajmiła mu, że jest mężatką albo zakonnicą. A nawet gdyby oświadczyła, że nocą przeistacza się w wampira i żywi się ludzką krwią.

Pokiwał głową jak automat i chyba nawet zrobił zawiedzioną minę. Potem jednak nie powiedział już ani słowa, ani też nie zaproponował kolejnej randki. Kiedy opuścili lokal, złapał dorożkę i jak na dżentelmena przystało, odwiózł dziewczynę do domu.

Jak większość Żydów Angela mieszkała w Charlottenburgu, a jej ojciec miał przy Kurfürstendamm sklep jubilerski i kantor pożyczkowy. Jakże to idealnie wpisywało się w jego teorię, że Żydzi interesują się jedynie zarabianiem pieniędzy.

— To dlatego, że jestem Żydówką? — zapytała, marszcząc brwi, gdy żegnali się przed okazałą kamienicą, w której mieszkała Angela.

— Nie wiem, o czym mówisz… — burknął, chociaż panna Richter miała rację. Nie miał najmniejszej ochoty umawiać się z Żydówką, nawet jeśli była tak piękna i pociągająca, jak Angela.

— Po prostu nie zaproponowałeś następnego spotkania. Przecież nie musielibyśmy wyjść na tańce w sobotę, prawda? — warknęła i zniknęła w bramie.

Ucieszył się, że nie nagabuje go ani nie roni łez. A przede wszystkim z tego, iż nie musiał się przed nią tłumaczyć i wymyślać dziesiątek wymówek, dlaczego nie chce się już z nią spotykać.

4.

To, co radowało wszystkich dookoła, z niezrozumiałych względów martwiło ojca Herberta von Reussa. Oto Republika Weimarska w końcu zaczęła się rozwijać, bezrobocie spadło, wprowadzono nową markę i zapanowano nad szalejącą jeszcze trzy lata wcześniej inflacją. Nie było żadną tajemnicą, że owo ożywienie gospodarcze jest zasługą ogromnych kredytów, jakich udzielili Niemcom Amerykanie. Nawet ich rodzina na tym zyskała, a von Reussowie stali się jeszcze bogatsi niż przed wojną. Przede wszystkim mieszkania w ich berlińskich kamienicach zaczęli wynajmować zamożniejsi lokatorzy, a w każdym razie wypłacalni. Poza tym Wilhelm von Reuss mimo swoich dziwactw dotyczących sfery duchowej potrafił od czasu do czasu zejść na ziemię i zrobić coś praktycznego, co też uczynił, gdy tylko nadeszły lepsze czasy. Widząc, jak zwiększa się koniunktura na wszelkiego rodzaju inwestycje budowlane, postanowił założyć przedsiębiorstwo wznoszące okazałe domy, począwszy od wykopania dołu pod fundamenty, a na odpowiednich klamkach w drzwiach skończywszy. W roli zarządzającego dekoracją wnętrz widział swojego jedynego syna, Herberta. Chłopak co prawda studiował prawo na Uniwersytecie Fryderyka Wilhelma, ale propozycję ojca uznał za interesującą i wartą zaangażowania. Tym bardziej że interes dopiero się rozkręcał i powierzone mu zadanie nie zajmowało zbyt wiele czasu. Zarabiali jednak na tym nieźle, a Herbert uwielbiał pieniądze. Marzył o własnej fortunie i wierzył, że pewnego dnia połowa imperium von Reussów, łącznie z ową rozkwitającą firmą, będzie należała do niego. Kompletnie nie rozumiał więc postawy ojca.

— Czym się martwisz, tato? — zapytał niepewnie.

— Uważasz, że Niemcy za bardzo się zadłużają i pewnego dnia uzależnią się od Stanów Zjednoczonych?

Wilhelm pokręcił głową.

— Wiesz, że startuję w wyborach z ramienia NSDAP. A poparcie dla naszej partii gwałtownie zmalało. Największe zdobywaliśmy w czasach kryzysu. Nie samymi pieniędzmi żyje człowiek — burknął.

To prawda, takie partie jak NSDAP, głoszące populistyczne hasła o pracy i chlebie, mogły się sprawdzić w czasach kryzysu, gorzej było, gdy nadeszło prosperity. Głównym motorem działania nazistowskiej partii był sprzeciw wobec reparacji wojennych, jakie Niemcy musieli zapłacić po wielkiej wojnie, a które zepchnęły naród niemiecki na skraj nędzy.

Społeczeństwo wówczas także łatwiej wierzyło, że wszystkiemu winni są Żydzi i gdyby nie oni, kryzys nie dotknąłby ich kraju. Teraz jednak ludziom żyło się zdecydowanie lepiej i nie buntowali się przeciwko ustaleniom traktatu wersalskiego. Herbert uważał jednak, że dążenie do zdobycia władzy kosztem obniżenia poziomu życia społeczeństwa jest co najmniej niemoralne. A zdawało mu się, że jego ojciec właśnie tego by sobie życzył. Byle tylko ziściło się jego marzenie o zdobyciu władzy.

— Może partia powinna nieco zmodyfikować swój program — powiedział Herbert.

Wilhelm złapał się za głowę.

— Idea, synu. Ona jest najważniejsza.

— Tato, łatwo mówić o idei, gdy ma się kieszenie pełne pieniędzy. Ale na ludzi nie działają już hasła o wyższości aryjskiej rasy nad żydowską, bo kupują w żydowskich sklepach i robią z Żydami interesy. Kiedyś łatwiej było wmówić Niemcom, że Żydzi ich okradają i na nich żerują, ale teraz... A ty wolałbyś, żeby nasz naród żył w nędzy, bo wtedy łatwiej byłoby sięgnąć po władzę?

— Ależ my chcemy, żeby wszystkim żyło się dostatnio. Każdemu Niemcowi. Ale Niemcowi, a nie Żydowi. To oni przywlekli do Niemiec bolszewizm, najgorszą zarazę ludzkości. Internacjonalizm, równość ras... Przecież to horror straszniejszy niż *Nosferatu — symfonia grozy*.

— Doskonale wiesz, że zawsze Aryjczycy będą górą, a cała reszta może im jedynie służyć. — Herbert uśmiechnął się.

Naprawdę wierzył w to, co mówił. Jakby uważał, że sam fakt urodzenia determinuje przyszłość jednostki. Oto aryjska rasa plasuje się na szczycie, jako ta najbardziej inteligentna i uduchowiona, reszta zaś nie liczy się wcale albo bardzo mało. Mniejszą wagę przywiązywał do legend z tym związanych i pochodzenia Aryjczyków, jednak sugerował się ostatnimi badaniami naukowymi, a te dowodziły, że jedynie biali ludzie byli zdolni stworzyć cywilizację na miarę obecnej. Zaś Żydzi i Murzyni stanowili przykład gorszego rodzaju ludzi. Ci pierwsi myśleli jedynie o pieniądzach, drudzy zaś tylko o napełnieniu żołądka i wypróżnieniu jąder. Na tych poglądach jednak nie można było już budować kapitału politycznego. Dla zwykłych ludzi owe antropologiczne nauki albo mityczne opowieści były po prostu niezrozumiałe. Oni chcieli mieć pracę, pełne brzuchy i tanie rozrywki.

Ojciec postanowił chyba zmienić temat, bo zdawał sobie sprawę, że nie przekona syna, a on także nie był skłonny przychylić się do tez Herberta.

— Posłuchasz mojego przemówienia? — zapytał.

— Zawsze słucham — odparł trochę poirytowany Herbert. — Ale kiedy mam jakieś uwagi, ignorujesz je, twierdząc, że jestem jeszcze młody i głupi. Dopiero gdy podobne zgłosi twój mentor, Goebbels, wówczas przyznajesz mi rację.

— Goebbels jest fachowcem — powiedział z godnością Wilhelm.

— To może od razu idź do fachowca. — Herbert był coraz bardziej zły, bo ojciec kazał marnować mu czas nie wiadomo po co.

— Może masz rację. W rzeczy samej — zmieszał się Wilhelm von Reuss.

Herbert wstał z fotela i wyszedł z gabinetu ojca. Chciał jak najszybciej opuścić to miejsce, zanim Wilhelm zmieni zdanie i zechce katować go kolejnymi swoimi przemówieniami. Kiedy stary von Reuss je wygłaszał, starał się naśladować swojego guru i największy autorytet, Adolfa Hitlera. Jednak mimo że bardzo się wysilał, nie miał w głosie takiej pasji jak Hitler.

Ojciec miał swoją teorię dotyczącą niezwykłej charyzmy przywódcy NSDAP, a ten podobno posiadał ją dzięki sztukom magicznym, które Wilhelm próbował zgłębić od lat. Do tej wersji akurat Herbert podchodził z dużą dozą ostrożności, bowiem nie wierzył ani w duchy, ani różdżki, ani też magiczne zaklęcia, które wciąż stanowiły w ich domu chleb powszedni.

Wykąpał się i włożył wyjściowe ubranie, a potem nakazał zawieźć się na Friedrichstrasse, gdzie umówił się z kumplami na popijawę w jednym z berlińskich kabaretów. Tutaj zaczynało się nocne życie Berlina. Liczne kina, teatry i kawiarnie pozwalały mieszkańcom miasta w końcu posmakować prawdziwej zabawy. On nie odczuł ani trochę złych czasów, podobnie jak inni jego kompani z bogatych rodzin, ale był wówczas zbyt młody, by pohulać. Jeszcze w dwudziestym trzecim roku mawiano, że lokali nocnych w Berlinie jest tyle samo, co przytułków dla bezdomnych, teraz jednak sytuacja się zmieniła i coraz więcej berlińczyków mogło pozwolić sobie na hulankę.

Być może to wpływ marksistów sprawił, że Berlin stał się najbardziej rozwiązłym miastem w Europie, a może ludzie pragnęli zaznać swobody w każdej sferze życia. Kobiety przestały zważać na konwenanse i stały się wyzwolone seksualnie na równi z mężczyznami. Poderwanie jakiejś dziewczyny było prostsze niż pstryknięcie palcami, a co ciekawsze, często to one same inicjowały podobne kontakty. Poza tym zarabiały na siebie, studiowały na uniwersytetach i zostawały rzeźnikami czy kowalami. Podobne zachowania budziły w starym Wilhelmie von Reussie niesmak, ale Herbert nie narzekał. Lubił się zabawiać z dziewczętami. Pod jednym wszakże warunkiem — żadnej z nich nie wziąłby sobie za małżonkę, bo zapewne zostałby rogaczem szybciej niż duch Bismarcka porusza wskaźnikiem na ouiji.

— Herbercie, cóż za spotkanie! — Usłyszał za plecami kobiecy głos, gdy oddawał swój płaszcz do szatni.

Herbert odwrócił się do kobiety i uśmiechnął szeroko.

— Daisy? Ty w Berlinie? Co ty tutaj robisz?

Naprawdę ucieszył go widok tej dziewczyny, bo znali się, lubili, a wreszcie Daisy bardzo mu się podobała. Tak bardzo, że nie byłby w stanie potraktować jej jak kochanki na jedną noc.

— No, przecież zaczynam studia w Berlinie. Mama chyba pisała do szacownej Agnes von Reuss. Będę mieszkała u ciotki Helgi, przy Salzburger Strasse. Całkiem niedaleko was.

— Matka nic nie mówiła. To w Breslau nie ma uniwersytetu? — zażartował.

Był to dowcip niezbyt elegancki, bowiem Daisy mogła pomyśleć, że nie jest zadowolony z jej przybycia do Berlina. Daisy zarumieniła się i spuściła głowę. Pomyślał, że chyba uraził tę piękną dziewczynę, więc odparł:

— Cieszę się jednak, że wybrałaś Berlin. Będziemy mogli częściej się widywać.

— Tak... Może — wymamrotała zmieszana.

— Przepraszam cię, Herbercie, ale przyszłam tu z Alexandrem i Brigitte Gening. Poza tym gdzieś tu kręci się także mój ukochany braciszek, Manfred.

— Manfred także przeniósł się do Berlina? — zapytał Herbert, marszcząc czoło, bo, prawdę mówiąc, niezbyt lubił brata Daisy.

— Wstąpił do Sturmabteilung, awansował i przenieśli go służbowo do Berlina. Cudownie, prawda? — zapytała, zupełnie szczerze, zapewne nie mając pojęcia o niechęci, jaką Herbert żywił do Manfreda von Sebottendorfa.

— Ja nie należę ani do Sturmabteilung, ani do Schutzstaffel, bo do tych pierwszych nie mam ochoty wstąpić, zaś dla tych drugich jestem zbyt młody. — Machnął ręką od niechcenia.

— Jesteś tu z jakąś damą? — zapytała cicho.

Miał ochotę wybuchnąć śmiechem. Damy nigdy nie zabrałby w podobne miejsce i dziwił się nawet, że Daisy ma zamiar spędzić tu wieczór.

— Jestem z kolegami... — mruknął.

— W takim razie może później poprosisz mnie do tańca?

— Może — odparł. — Jednak moi kompani przebąkują, że niebawem przeniesiemy się gdzieś indziej. Nie mam pojęcia gdzie. Oni tam już mają takie swoje tajemne miejsca.

To nie była cała prawda. Sam pomyślał o zmianie lokalu w chwili, gdy uświadomił sobie, że na sali będzie Daisy. A on nie chciał, by widziała, iż za chwilę do jego stolika przysiądzie się kilka frywolnych panienek.

— Trudno — wybełkotała Daisy i zaczęła szukać wzrokiem swojego towarzystwa, jakby nie chciała, by rozpoznał, jak bardzo rozczarowały ją słowa Herberta.

— Pięknie wyglądasz — powiedział, żeby nie zrażać do siebie Daisy. Zresztą naprawdę wyglądała zjawiskowo.

— Dziękuję — szepnęła i po chwili zniknęła mu z oczu.

Nie przejmował się jednak zbyt długo niefortunnym spotkaniem z Daisy, bo tej nocy miał zamiar dobrze się zabawić, o poranku zaś obudzić się przy boku jakiegoś seksownego kociaka.

1928

1.

— *Co* robisz? — Judith zachichotała, widząc brata pochylającego się nad dziurką od klucza w drzwiach wiodących do pracowni ojca. Serafin momentalnie wyprostował się jak struna i zrobił czerwony jak burak.

— Patrzyłem tylko, czy ojciec jest sam — bąknął.

Judith nie uwierzyła mu i zajrzała do pracowni tym samym sposobem, co brat. I od razu zrozumiała, dlaczego Serafin tak bardzo się zawstydził. Ojciec malował właśnie akt żony bankiera, pani Blum. Kobieta leżała na kanapie okrytej wymyślnie udrapowanym aksamitem i była kompletnie naga. Jej ogromne, lekko obwisłe piersi zakończone były ciemnymi sutkami, a między nogami pysznił się czarny trójkąt kędzierzawych włosów.

— Przecież ona ma ze czterdzieści lat. — Judith znowu zaczęła się śmiać.

— Ty też kiedyś będziesz tyle miała. A ona całkiem dobrze wygląda. — Obrażony Serafin udał się do swojego pokoju.

— Rozumiem, że mogła spodobać ci się dojrzała kobieta. — Próbowała udobruchać brata.

— Nie gadaj głupstw, po prostu nigdy nie widziałem gołej baby. To znaczy na obrazku, to owszem. No i ciebie, jak byłaś mała, ale to się nie liczy. — Prychnął i, zerkając na zegarek, dodał: — Muszę lecieć, mamy zebranie w komitecie partii.

— Myślisz, że socjaliści albo komuniści wygrają? — zapytała, trochę zatrwożona.

Najbardziej przerażała ją partia NSDAP, która bez ogródek wyklinała Żydów, a jej Sturmabteilungen dokonywały niekiedy nawet brutalnych ataków na osoby z ich społeczności. Na komunistów zresztą też się zasadzały, i to nawet częściej. Bojówki NSDAP, które miały utrzymywać porządek podczas zebrań tej partii, w istocie były chuligańskimi bandami, które atakowały swoich przeciwników politycznych albo po prostu ludzi, którzy im z niezrozumiałych względów nie odpowiadali. Często zakradali się w miejsca, gdzie urządzano spotkania młodzieżówek komunistycznych, i wszczynali burdy. Serafin i Johann Ebeling, jego przyjaciel, nieraz wracali z takich spotkań poturbowani. Johann nie był Żydem, ale on nie miał takich uprzedzeń jak członkowie NSDAP. I bardzo podobał się Judith. Miał ciemne włosy i oczy i choć był rodowitym Niemcem z dziada pradziada, w niczym nie przypominał aryjskiego typu, jakim zwykli się chwalić naziści. Zresztą wystarczyło popatrzeć na Hitlera, który ani nie był blondynem, ani też nie posiadał słusznej postury.

Judith miała nadzieję, że i ona trochę podoba się Johannowi, i nawet podpytywała ojca, czy pozwoliłby jej kiedyś wyjść za goja.

— Jeśli byłby dobry dla ciebie i kochał cię całym sercem, dlaczego nie? Nie jesteśmy zbyt ortodoksyjni. — Ojciec uśmiechnął się wówczas.

Odetchnęła z ulgą i poczuła, jakby właśnie Ismael Kellerman pobłogosławił jej związek z Johannem, chociaż ten nawet nie zaprosił jej nigdy na prawdziwą randkę. Raz tylko zabrał ją do kina na jakiś okropny film o wampirach, a potem śmiał się z niej, gdy zamykała oczy podczas drastycznych scen.

Kiedy Serafin, ubrany w surdut i czapkę z daszkiem, był już przy drzwiach, zapytała nieśmiało:

— Przyjdziecie na kolację po zebraniu?

— Ja na pewno. — Zarechotał. — W końcu tu mieszkam.

— No, wiem przecież, ale pytam o Johanna. Bo gdyby miał przyjść do nas, to musiałabym usmażyć więcej naleśników — wydukała.

— Jak powiem mu o naleśnikach, to przyleci jak na skrzydłach. — Roześmiał się.

Wolałaby, żeby Johann przyszedł z jej powodu, a nie naleśników, ale cieszyła się, że chociaż będzie mogła na niego popatrzeć.

* * *

W istocie pod wieczór zjawili się obaj. Na kolacji jednak nie był obecny ojciec, bo wciąż w jego pracowni przebywała Deborah Blum.

— A twój ojciec, jak tak siedzi tyle czasu z nagą kobietką, to nie ma ochoty na amory z nią? W końcu wasza matka zmarła już kilka lat temu — zapytał cicho Johann.

— Kto wie, co oni tam wyprawiają. — Serafin puścił oczko do kolegi.

— Ty wiesz to najlepiej, braciszku, bo przed wyjściem na zebranie bacznie obserwowałeś panią Blum. — Judith chciała trochę podroczyć się z bratem.

— Ja tylko tak zerknąłem, ale wtedy pani Blum leżała na kanapie, a ojciec siedział przy sztalugach. A potem to już wcale nie podglądałem — powiedział Serafin, lekko się jąkając, jakby nie chciał przyznać się przed kumplem, że podpatrywał przez dziurkę od klucza nagą, obcą kobietę.

Brat Judith nie miał dziewczyny i bardzo go to martwiło. Może był zbyt nieśmiały, a może zbyt zajęty działalnością polityczną.

— Ja tego nie rozumiem. Po co ludzie malują sobie portrety i płacą za to krocie, jeśli wynaleziono kolorową fotografię? — westchnął Johann.

— Pewnie dlatego, że zdjęcia bezlitośnie odsłaniają niedostatki urody, a malarz zawsze może trochę upiększyć swój model — odparł Serafin.

— Patrząc na stare portrety i widząc niektóre mało urodziwe arystokratki, zastanawiam się, jak szpetne musiały być w rzeczywistości, jeśli podobno zostały nieco upiększone przez malarzy, a wciąż wyglądają okropnie. — Johann roześmiał się.

— Nie mówcie bzdur — obruszyła się Judith, która, podobnie jak jej ojciec, malowała i ceniła sobie bardzo ten rodzaj sztuki. — Chodzi o piękno i głębię obrazu. Zdjęcie nie jest w stanie ukazać duszy, a malarz, owszem, może tego dokonać.

— To namaluj mój portret — powiedział zupełnie poważnie Johann. — Może odkryję w sobie duszę, bo, prawdę mówiąc, nie bardzo wierzę w jej istnienie. Ale może dzięki tobie dowiem się czegoś o sobie i ujrzę coś, co w tej chwili wydaje mi się kompletną abstrakcją.

Judith wiedziała, że Johann jest biedny jak mysz kościelna i nie zapłaci jej ani marki za wykonanie portretu, ale pomyślała, że dzięki temu będzie mogła spędzić z nim więcej czasu i lepiej go poznać.

— Chętnie poćwiczę — zadeklarowała. — Jak tylko tato skończy malować panią Blum, zapraszam.

— Ja tam mogę siedzieć obok nagiej pani Blum — zażartował.

Od razu poczuła zazdrość i odparła z godnością:

— Mnie to by nie przeszkadzało i mam własne sztalugi, ale obawiam się, że twoje towarzystwo mogłoby wadzić pani Blum.

— Przecież żartowałem. Już wolałbym, żebyś ty była na miejscu tej kobiety, a ja bym malował twój akt.

Zarumieniła się.

— Przecież ty nie wiesz, którym końcem pędzla się maluje — wtrącił Serafin, a potem jakby się zreflektował, że jego kolega po prostu chciał powiedzieć Judith komplement, więc zamilkł.

* * *

Johann nie był zbyt cierpliwym modelem. Bezustannie wiercił się i gadał jak najęty, a jednak Judith czuła się w jego towarzystwie doskonale. Postanowiła, że namaluje najpiękniejszy portret w swoim dotychczasowym życiu. Jednak gdy ojciec od czasu do czasu wchodził do pracowni, przyglądał się krytycznie jej dziełu, a potem ją strofował.

— Johann wygląda tutaj, jakby umierał na suchoty. Dodaj mu nieco więcej światła albo rumieńców. I wyeksponuj mu twarz. Pamiętasz, jak to robił Rembrandt? Tło malował dłuższymi pociągnięciami pędzla, jakby od niechcenia, natomiast skupiał się na twarzy i precyzji jej wykonania. Dlatego tło jego obrazów wygląda, jakby było odrobinę zamazane.

Kiwała jedynie głową, trochę niezręcznie się czując, gdy ojciec dawał jej reprymendę w obecności Johanna, ale była wdzięczna za wskazówki, których jej udzielał. W końcu obraz miał być doskonały.

Tego wieczoru, gdy Johann opuścił ich mieszkanie, a ona myła pędzle i chowała farby, jej ojciec powiedział cicho:

— Chyba czas, żebym odkrył przed tobą pewną tajemnicę.

— Warsztatową? — zapytała z westchnieniem, bo tego dnia miała już dosyć i malowania, i słuchania porad ojca.

— Nie. — Pokręcił głową. — Pokażę ci mój skarbiec.

Owo określenie kojarzyło się Judith z miejscem, gdzie przechowuje się złoto oraz klejnoty i aby się do niego dostać, należy użyć jakiegoś magicznego zaklęcia. Tymczasem ojciec podszedł do ściany, wsunął rękę za regał i nagle jeden z nich zaczął się powoli przesuwać, aż w końcu ujrzała przejście do niewielkiego pomieszczenia, o istnieniu którego nie miała pojęcia.

— Chodź — powiedział.

Niepewnie weszła do środka, jakby miała zobaczyć w sekretnym pokoju skrzynie z precjozami, ale niczego takiego tam nie było. Jednak w istocie to, co zgromadził ojciec, można było nazwać prawdziwym skarbem.

2.

To była bomba informacyjna. A Rudolf Dorst był dumny z siebie bardziej niż kiedykolwiek. Otóż słynny znawca dzieł van Gogha, doktor Baart de la Faille, wydał jesienią dzieło *L'Œuvre de Vincent van Gogh*, będące katalogiem dzieł wielkiego malarza. Umieścił w nim także owe trzydzieści prac, które wystawiała galeria Wackera, a które rozeszły się jak świeże bułeczki wśród kolekcjonerów i galerii. Przy każdym obrazie dokładnie opisał rodowód dzieł, jednak przy tych, wystawionych rok wcześniej w Berlinie, kończył się on na osobie Ottona Wackera, co dla każdego kolekcjonera powinno być podejrzane. Na tym jednak cała sprawa się nie zakończyła, bowiem kilka dni później opublikował w branżowej prasie oświadczenie, że jego praca będzie zawierała aneks, ponieważ dzieła van Gogha tak chętnie nabywane w galerii przy Viktoriastrasse są falsyfikatami. Wyznał swoją pomyłkę i w zasadzie ograniczył się jedynie do tego.

Rudolf chwycił gazetę, w której de la Faille zamieścił swoje sprostowanie do długo wyczekiwanego przez znawców katalogu, i udał się do komisarza Thomasa z prezydium przy Alexanderplatz. Komisarz, człowiek o sumiastych wąsach i przysadzistej sylwetce, najpierw milczał, a potem pogłaskał swoje siwe wąsy i zapytał:

— Czy jakiś poszkodowany zgłosił się do nas?

Rudolf pokręcił przecząco głową.

— Nie, panie komisarzu. I to jest bardzo dziwne, bowiem nabywcy co prawda zapłacili okazyjną cenę, ale jednak za oryginał, a nie za falsyfikat.

— To co chcesz z tym zrobić? — zapytał zdziwiony Thomas.

— Właśnie nie wiem, dlatego przychodzę z tym do pana. Przecież Wacker oszukał tych ludzi — jęknął Rudolf.

— Musimy pójść do Uelzena — zarządził Thomas.

Uelzen także należał do prezydium i był radcą sądu karnego. Zastanawiał się równie długo, co Thomas, by wreszcie oświadczyć z westchnieniem:

— Nie możemy interweniować oficjalnie, bo nie ma poszkodowanych, więc nie ma sprawy, ale musimy być przygotowani na to, że jeśli ten skandal wypłynie, opiszą go gazety na całym świecie. Przecież to niewyobrażalne, aby światowej sławy specjalista uznał autentyczność obrazów, a potem, po zaledwie kilku miesiącach, diametralnie zmienił o nich zdanie.

— Mnie te obrazy od razu wydawały się dziwne. Poza tym cztery autoportrety na jednej wystawie i jeden człowiek posiadający ponad trzydzieści dzieł to nietypowa sytuacja.

— A skąd wiesz, że były aż cztery autoportrety? Gazety pisały, że Wacker wystawiał tylko kilka obrazów i dopiero gdy je sprzedał, w galerii pojawiały się następne?

— Interesuję się malarstwem. W zasadzie od dzieciństwa. Dlatego śledziłem losy tej nieznanej galerii, bo wystawione obrazy nie podobały mi się od początku. I tak trafiłem na amsterdamski „Telegraaf", w którym de la Faille opublikował listę wszystkich trzydziestu czterech dzieł.

Mężczyźni popatrzyli najpierw na siebie, a potem na Rudolfa. W końcu radca sądowy odezwał się:

— Dobrze, powęsz. Ale śledztwo jest nieoficjalne. Komisarz Thomas da ci stosowne prerogatywy, ale pamiętaj: ma być po cichu.

— Oczywiście. A jeśli zgłoszą się jacyś poszkodowani?

— Wówczas to, co nieoficjalne, stanie się jak najbardziej oficjalne — westchnął Thomas i dodał:

— Rudolfie, to twoja wielka szansa. Jeśli jednak rozbijesz sobie o tę sprawę głowę, pożegnaj się z awansem na długi czas.

— Tak jest, komisarzu. — Rudolf odmeldował się niczym szeregowy przyjmujący rozkaz od generała.

Szli z Thomasem długim korytarzem gmachu policji przy Alexanderplatz, zwanym także Czerwonym Pałacem, gdy komisarz powiedział:

— Zacznij od tego ptaszka, Wackera. Człowiek pojawił się znikąd. Ale nie rób szumu, najpewniej on sam nie malował tych obrazów. A ja bardzo chciałbym dorwać tego mistrza, który to zrobił.

— Oczywiście, zacznę od niego. Ale myślałem, aby najpierw porozmawiać z de la Faille'em.

— On mieszka w Holandii, na pewno nie możesz pojechać do niego i powiedzieć, że jesteś policjantem prowadzącym śledztwo. Zresztą lepiej by było, żebyś w Berlinie też nie musiał tego mówić. Poza tym nawet jeśli zgłoszą się poszkodowani i wszystko stanie się oficjalne, de la Faille i tak nie będzie musiał z tobą rozmawiać.

— Dziękuję, komisarzu. Postaram się dowiedzieć czegoś tutaj, w Berlinie — odparł Rudolf.

— Za co mi dziękujesz, chłopcze? — prychnął Thomas. — To gówniana robota. A wbrew pozorom świat marszandów i kolekcjonerów sztuki jest mroczny, pełen tajemnic i bardzo hermetyczny.

— Za zaufanie — oznajmił Rudolf.

Mimo że czekało go dużo trudnej pracy, poczuł się wyróżniony. Wierzył także, że poradzi sobie z tą sprawą i w końcu otrzyma awans.

* * *

Najpierw udał się do galerii Ottona Wackera. Przedstawił się jako dziennikarz wpływowego periodyku z Frankfurtu i zapytał z udawaną troską w głosie:

— Nie ma pan problemów z powodu oświadczenia doktora de la Faille'a?

— Jest pan kolejnym sępem goniącym za sensacją? — żachnął się Wacker. — To są sprawy między mną a doktorem. Nie mam pojęcia, co mu strzeliło do głowy, żeby kwestionować autentyczność obrazów, które wystawiałem.

— Powiedzmy, że milczenie panu nie służy. Powinien się pan do tego jakoś odnieść, w końcu taka informacja godzi w pana dobre imię — odparł niewinnie Rudolf.

— Może ma pan rację, wypadałoby ukrócać tego typu praktyki. Przecież ten człowiek nie tylko zniszczył mi reputację, ale bez mała całe życie. Panie...

— Dorst — dokończył za niego Rudolf, bo Wacker najwyraźniej nie zapamiętał jego nazwiska.

— Panie Dorst, doktor nie był jedynym, który potwierdził autentyczność tych obrazów. To samo oświadczyli Meier-Graefe, Rosenhagen czy Bremmer. Zresztą samo nazwisko Meier-Graefe'a wystarczy. Przecież jego rubrykę w „Frankfurter Zeitung" czyta każdy szanujący się kolekcjoner.

— W rzeczy samej. — Rudolf uśmiechnął się przymilnie. — Sam go czytam. A właściwie w jaki sposób te obrazy znalazły się w pana posiadaniu? Oczywiście nie musi pan odpowiadać, jednak, jak pan wie, obrazy van Gogha znajdowały się głównie w rękach jego rodziny, więc ich nietypowe pochodzenie mogłoby rzucić pewne światło na całą sprawę.

— Sprzedający zobligował mnie do zachowania jego nazwiska w tajemnicy, a ja... Jako człowiek honoru...

— Rozumiem — przerwał mu Dorst i zadał kolejne pytanie: — I co pan zamierza?

Otto Wacker sprawiał wrażenie człowieka, któremu nagle spadł na barki wielki ciężar. Naprawdę był przybity. Nie wiadomo, czy bardziej faktem, że sprawa się wydała, czy też sam był ofiarą jakiegoś ogromnego oszustwa.

— Pojadę do niego. Do Baarta. I zapytam, kto mu zapłacił, żeby mnie zniszczyć. — Głos mężczyzny zaczął drżeć. — I proszę już iść, nie mam panu już nic więcej do powiedzenia.

Rudolf nie dyskutował. Wyszedł z galerii i udał się do dawnego wspólnika Wackera, niejakiego Kratkowskiego, z którym Otto prowadził do roku tysiąc dziewięćset dwudziestego piątego przedsiębiorstwo taksówkowe. Tutaj już nie udawał dziennikarza, ale powiedział wprost, że jest policjantem.

Wspólnik Ottona był człowiekiem słusznego wzrostu i miał spojrzenie cwaniaka. Pod nosem pyszniły się bujne wąsy zakręcone na końcach jak u prezydenta Hindenburga, na głowie zaś można było dostrzec początki łysienia. Rudolf stwierdził, że wąsy Kratkowskiego stanowiły swoistego rodzaju wykrywacz kłamstw, bo za każdym razem, gdy mężczyzna nie chciał powiedzieć prawdy, zaczynał je nerwowo skubać. Dotyczyło to jednak tylko historii z jego życia, ale ono interesowało Rudolfa znacznie mniej. Jeśli chodzi o wspólnika, Kratkowski był zdecydowanie bardziej wylewny, aczkolwiek niewiele wiedział o tym, co działo się z Wackerem, gdy ich drogi się rozeszły.

— Wiem tylko tyle, co z gazet. Że galerię otworzył i handluje jakimiś ekstraordynaryjnymi dziełami sztuki — powiedział Kratkowski z dającą się wyczuć ironią w głosie.

— Widzę, że zdziwiło to pana trochę — zagadnął Rudolf.

— Powiedzmy, że trochę zdziwiło. Co prawda potrafił malować, podobnie jak jego siostra, a ich ojciec jest wybitnym konserwatorem zabytków w Düsseldorfie, ale marszand to zupełnie coś innego. A teraz czytam, że sprzedawał falsyfikaty. To do niego podobne — prychnął Kratkowski.

— Co jest do niego podobne? — drążył temat Rudolf.

— Szanowny panie, Otto nie lubił się przemęczać. Dlatego rozstaliśmy się i zamknęliśmy firmę. Można to tłumaczyć czasami kryzysu i panującej dookoła biedy, ale przy odrobinie wysiłku i w ciężkich czasach człowiek potrafi sobie poradzić, poza tym marka się uspokoiła i kraj powoli wychodził na prostą. Interesy można robić nawet w kryzysie, pod warunkiem, że człowiek stara się trzy razy bardziej niż w czasach prosperity. A on starać się nie lubił. Zresztą… — Kratkowski przygryzł wargę.

— Zresztą? — Rudolf wciąż ciągnął mężczyznę za język.

Ten milczał przez chwilę, jakby zastanawiał się, czy powiedzieć coś więcej.

— Zanim założyliśmy firmę, Otto nazywał się Olindo Lovaël i był tak zwanym... tancerzem ekspresyjnym. Jednak na tańcu nie poprzestawał, bo po występach lądował w ciasnych pokoikach z żądnymi wrażeń podstarzałymi kobietkami. Albo mężczyznami, bo Ottonowi było wszystko jedno. Potem przyszła nowa marka i ci, którzy wynajmowali mu za bezcen pokoje, postarali się o lepszych lokatorów. Każdy starał się wyjść na prostą, ja także. I miałem nadzieję, że po chudych latach i do mnie uśmiechnie się szczęście.

— A jak się panu wiedzie obecnie? — zapytał Rudolf. Chciał sprawdzić, czy przez Kratkowskiego nie przemawia gorycz porażki.

— Mam warsztat, w którym naprawiam powozy. Automobil to wciąż luksus. Firma prosperuje nieźle i jednego się nauczyłem: spółka z kimś zawsze oznacza problemy. — Uśmiechnął się smutno.

— Może po prostu pan źle trafił. — Rudolf odwzajemnił uśmiech i pożegnał się z mężczyzną, bo o życiu Wackera od chwili rozstania aż do momentu, kiedy to Otto stał się znanym w Berlinie handlarzem obrazami van Gogha, Kratkowski nic nie wiedział.

Jednak wzmianka o tym, czym parał się przystojny i seksowny Otto, zanim otworzył swoją galerię przy Viktoriastrasse, była dość interesująca. Nie mógł jednak zbyt mocno nagabywać Wackera, bo na razie występował jedynie w charakterze wścibskiego dziennikarza. Wierzył jednak, że burza w prasie sprawi, iż nabywcy zaczną się zgłaszać do galerii, by zażądać zwrotu pieniędzy, bo nie chodziło przecież o małe kwoty. Cena tych płócien dochodziła do stu pięćdziesięciu tysięcy marek, z czego sześćdziesiąt procent trafiło do kieszeni podejrzanego marszanda.

Rudolf postanowił zatem porozmawiać z osobami, które widziały i oceniały obrazy van Gogha, a potem w ramach współpracy z zagraniczną policją udać się do Holandii i spotkać się z doktorem de la Faille'em.

ॐ

Obecni właściciele galerii Cassirera, usytuowanej nieopodal tej należącej do Wackera, nie byli jednak zbyt rozmowni, mimo że to właśnie oni jako pierwsi odkryli fałszerstwo. Nie chcieli przyjąć obrazów van Gogha do swojej galerii, niejako zmuszając Ottona do otwarcia własnej. Doktor Grete Ring, zarządzająca galerią Cassirera, była wręcz zniesmaczona wizytą policjanta, a raczej pytaniem, jakie zadał.

— Dlaczego nie zgłosili państwo tego na policję? Albo nie ogłosili publicznie, iż galeria, która stworzyła wam pod nosem konkurencję, sprzedaje falsyfikaty jako oryginały?

— Szanowny panie, doskonale pan zdaje sobie sprawę, w końcu to pana fach, że potrzebne są dowody. A my nie chcieliśmy się w to bawić, bo koszt prześwietleń rentgenowskich jest ogromny. Gdybyśmy zaś zgłosili to na policję, co byście zrobili, skoro ci, którzy nabyli płótna, nie przyznają się do tego, że w zasadzie kupili nic niewarte śmieci? — ostrym tonem odpowiedziała Grete.

Była postawną kobietą z długim ptasim nosem, a jej blisko osadzone oczy wysyłały w stronę Rudolfa złowrogie spojrzenia.

— Proszę się nie denerwować, po prostu takie sprawy nie przysparzają splendoru nie tylko oszustowi, ale także całej branży.

— W rzeczy samej. Tylko potem nikt nie będzie patrzył, czy jesteśmy winni, czy wręcz przeciwnie. Wie pan, jak to jest. Ukradł, nie ukradł, ale zamieszany był.

— Rozumiem — mruknął Rudolf.

Ale, prawdę mówiąc, nie rozumiał. Władze galerii Cassirera miały doskonałą okazję, by wyeliminować nieuczciwą konkurencję, a tymczasem nie zrobiły kompletnie nic w tej sprawie. Być może takie nazwiska, jak de la Faille czy Meier-Graefe stopowały ich przed podjęciem jakichś radykalnych kroków.

 howdy

Sławny dziennikarz i wyrocznia w kwestii dzieł sztuki, Julius Meier-Graefe, który zajmował luksusową willę zaprojektowaną przez słynnego Hermanna Muthesiusa, potraktował Rudolfa jeszcze chłodniej niż zarządcy galerii Cassirera, przy czym on prezentował zgoła odmienne od nich stanowisko. Orzekł kategorycznie, że ponad wszelką wątpliwość obrazy z galerii Wackera są oryginałami, zaś doktorowi de la Faille'owi coś pomieszało się w głowie. Ewentualnie otrzymał sowite wynagrodzenie za wygłoszenie swoich śmiałych tez od kogoś, kto chciał zdyskredytować Ottona Wackera.

Rudolf Dorst, który tak bardzo cieszył się z otrzymania tej sprawy, wyszedł od Meier-Graefe'a w podłym nastroju. Oto po kilku dniach śledztwa nagle znalazł się w punkcie wyjścia i wiedział niewiele więcej niż to, co ukazywało się na bieżąco w berlińskiej prasie.

3.

*M*ax wciąż marzył o spotkaniu z Adolfem Hitlerem. Nie tylko z uwagi na fakt, że pragnął zdobyć ciekawy materiał, ale też dlatego, że ten człowiek go fascynował. Postanowił nawet udać się do Monachium, by dostać się na jeden z wieców, na których przemawiał Hitler. Geyer uważał, iż ów niepozorny mężczyzna ma charyzmę, która musi wynikać z jakichś nadprzyrodzonych zdolności. A jako że fascynował go Lucyfer, jako zbuntowany anioł, niesłusznie wyklęty przez Kościół, doszedł do wniosku, iż to właśnie on musiał natchnąć wodza NSDAP swoją niezwykłą mocą.

Klaus Fisher zaproponował mu swoje towarzystwo i Max nawet ucieszył się z tej opcji. Każdemu zgromadzeniu partyjnemu NSDAP towarzyszyły rozmaite zgrzyty wywoływane najczęściej przez zwolenników materializmu dialektycznego, którzy za wszelką cenę pragnęli wyeliminować prawicową i nacjonalistyczną partię z życia politycznego, chociażby za to, że ta sprzeciwiała się dość ostro Krajowi Rad i rewolucji komunistycznej w Bawarii. Dlatego zebrania były chronione przez liczną grupę zmilitaryzowanych oddziałów NSDAP, co budziło w Geyerze lekką grozę. Z Klausem poczuł się po prostu raźniej.

Siedzieli w pociągu do Monachium, gdy Max zauważył w swoim dobrym znajomym dziwną zmianę. Fisher przyglądał mu się inaczej niż zwykle — z zachwytem i czułością — i Geyer od razu przypomniał sobie słowa Rudolfa. Może w istocie Klaus zapałał do niego uczuciem, którego on, ze zrozumiałych względów, nie będzie mógł odwzajemnić. Postanowił więc wyjaśnić sprawę raz na zawsze. Lubił Fishera i imponowała mu wiedza, jaką dysponował ten młody naukowiec, ale nie chciał, by mężczyzna karmił się złudzeniami, że między nimi może istnieć inny rodzaj uczucia. W tej kwestii Max był bezradny. Podobały mu się kobiety i czuł do nich pociąg, czego nie można było powiedzieć o mężczyznach, chociaż to właśnie z nimi miał częstszy kontakt. Zwłaszcza ostatnio, kiedy tak bardzo sparzył się na pięknej Angeli. Cieszył się, że w końcu będzie miał dziewczynę. Piękną i inteligentną, jakiej będą mu wszyscy zazdrościli, gdy tymczasem okazała się brudną Żydówką. Był zadeklarowanym antysemitą i najchętniej pozbyłby się wszystkich Żydów z Europy, gdyby tylko posiadał taką moc. Może również z tego powodu tak bardzo wielbił Hitlera, który otwarcie i bez ogródek mówił o żydowskiej zarazie, niszczącej wielkie Niemcy.

— Dziwnie mi się przyglądasz, Klaus — zagadnął w końcu. — Jakby wyrosła mi druga głowa.

— Po prostu ci zazdroszczę — westchnął Fisher.

Max się roześmiał.

— Ty? Mnie? A czegóż ty możesz mi zazdrościć?

— Urody. Jesteś taki przystojny... Po prostu piękny z ciebie mężczyzna. — Klaus uśmiechnął się czule.

Geyer poczuł się niezręcznie i postanowił obrócić wszystko w żart. Fisher taki był. Często prawił mu komplementy, ale nigdy nie powiedział wprost, co do niego czuje i czy to coś jest zwykłą sympatią, czy też patrzy na niego jak na potencjalnego kochanka.

— Powiedz to tym dziewczynom, które notorycznie dają mi kosza. — Roześmiał się.

— Kobiety się nie znają — mruknął Klaus.

— A jednak to im chcę się podobać — wycedził Max.

— A ta Angela? Byłeś nią zauroczony jak sztubak.

— Nic z tego nie będzie. To Żydówka. — Wzruszył ramionami.

— Aż tak bardzo nie lubisz Żydów? Na uniwersytecie jest ich wielu, są błyskotliwi, ciężko pracują i nie żywią niechęci do innych — powiedział Fisher, który nie zważał na podobne sprawy.

— Nie jest to kwestia sympatii. Ja się ich brzydzę. Tak jak surowego mięsa. — Max zmarszczył czoło.

— Ale dopóki nie wiedziałeś, że Angela jest Żydówką, to byłeś gotów wykręcić piruet na Alexanderplatz, byle tylko się z tobą umówiła — zdziwił się Klaus.

— Wiesz, to tak jak z dobrym jedzeniem, którego pochodzenia nie znasz. Możesz się nim zachwycać, dopóki nie powiedzą ci, że właśnie wcinasz szarańczę.

— A może ty w ogóle nie jesteś stworzony do tego, by związać się z kobietą? — zadał pytanie Klaus i zaczął przewiercać wzrokiem Maxa.

— Posłuchaj, przyjacielu... — westchnął Geyer i postanowił wyrazić się jaśniej, niż miało to miejsce do tej pory. — Cokolwiek roisz sobie w głowie, nic z tego nie będzie. Lubię cię, szanuję, ale pociągają mnie jedynie kobiety.

— Byleby nie były Żydówkami. — Klaus zaczynał być kąśliwy.

— Albo Negrami. — Max wyszczerzył zęby.

Fisher spoważniał i w końcu powiedział cicho:

— Ja jednak wciąż żyję złudzeniami, że pewnego dnia obudzisz się i stwierdzisz, iż między nami może coś być. Coś pięknego i wyjątkowego.

— Między nami jest coś pięknego i wyjątkowego. Łączy nas przyjaźń.

— Kompletnie pozbawiona erotyzmu — mruknął Fisher.

— Klaus, a gdybym teraz zaczął cię namawiać na cielesne igraszki z kobietą, to co byś zrobił?

Max zaczynał się złościć, bo do Klausa nie docierało, że preferencje seksualne nie zależą od woli człowieka. On był w stanie zrozumieć, że Fishera pociągają mężczyźni, gdy tymczasem jego przyjaciel w jakimś oślim uporze chciał przerobić go na sodomitę.

— Próbowałem, bo niezbyt dobrze czuję się we własnej skórze. Widzisz, ja muszę się z tym ukrywać w pracy, przed rodziną, bo to nie jest mile widziane w pewnych kręgach. Ale, niestety, pozostanę pedałem do końca życia. — Max miał wrażenie, że Klaus zaraz się rozpłacze.

— Więc powinieneś zrozumieć mnie — zakończył dość ostrym tonem Geyer.

— Rozumiem. — Pokiwał głową i dodał: — A wiesz, za co polubiłem cię najbardziej? Za to, że nie oceniasz mnie i nie wykrzywiasz w niesmaku twarzy, gdy mnie widzisz. No, wiesz, nie traktujesz mnie jak Żydów.

— Posłuchaj, w więzieniach często mężczyźni robią to ze sobą. Po prostu zaspokajają w ten sposób swoje potrzeby. Ale nie przenoszą złej krwi na innych i nie wykańczają wszystkich dookoła, jak Żydzi. Gdyby nie oni, świat byłby inaczej poukładany. Nie bez kozery podobają im się komuniści. Dla nich nie liczy się to, co duchowe, ale ważna jest tylko władza i pieniądze. Albo w odwrotnej kolejności.

— Po prostu mają smykałkę do interesów.

Max nie wiedział, czy Klaus chce mu dopiec, czy naprawdę uważał antysemityzm za negatywne zjawisko.

— Bo kantują i nie liczą się z nikim. Poza tym powinni siedzieć w Palestynie, a nie w białej Europie. Ale przywlekli się tutaj, bo widzą w tym interes.

— Przecież starają się o utworzenie własnego państwa. Funkcjonuje dość znaczna grupa syjonistów i jestem pewny, że kiedyś im się uda dopiąć swego. A wówczas wyjadą — zakończył rozmowę Fisher, najwyraźniej nie chcąc bardziej rozdrażniać przyjaciela.

— I oby tak się stało! — warknął Geyer.

— Słuchaj, Max... To jeśli ty nie lubisz Żydów, ja też nie będę ich lubił — wypalił Klaus.

Geyer przewrócił oczami. Jego kolega wciąż miał złudzenia i zachowywał się jak panienka, która chce się przypodobać swojemu narzeczonemu.

සා

Późnym popołudniem dotarli do Isartor i słynnej już piwiarni Torbräu. W istocie wokół niej kręciła się cała masa młodych mężczyzn w białych albo brunatnych koszulach, którzy podejrzliwie spoglądali na każdego, kto chciał wejść do środka. Na szczęście legitymacja prasowa Geyera sprawiła, że wpuszczono ich bez protestu, zapewne nawet nie zwracając uwagi na to, z jakiej gazety jest Max.

Zanim pojawił się Hitler, wewnątrz panowała dość luźna atmosfera. Ludzie tworzyli grupki, głośno się śmiali albo zażarcie dyskutowali o sromotnie przegranych wyborach. Ktoś jednak zauważył, że powinni się cieszyć, iż Göring, jedna z najbliższych Hitlerowi osób, zasiada w Reichstagu i być może utoruje partii drogę do władzy w najbliższych wyborach. Obecnie niemiecki parlament wciąż przypominał targ, na którym wszyscy się kłócą i trudno dojść do jakiegokolwiek porozumienia.

Max i Klaus usiedli przy jednym ze stolików i ostentacyjnie wyciągnęli notesy, dając tym samym do zrozumienia, kim są, bo obawiali się, że i wewnątrz piwiarni wzbudzą niezdrowe zainteresowanie, tak jak przed wejściem do niej. Zanim przemówił Hitler, jakiś człowiek zaczął opowiadać o roli SS w życiu partii i wodza NSDAP. Geyerowi bardzo podobało się to, co mówił o mężczyznach należących do tejże formacji. Żadnych Żydów, pijaków i dziwkarzy. Prawdziwa elita odważnych bojowników. Max od razu zamarzył, by do niej dołączyć i martwiło go jedynie, że brakuje mu jeszcze dwóch lat, by mógł się starać o wejście do tej organizacji. Skojarzyła mu się z zakonem templariuszy, gdzie łączono rycerskość z rytuałami. Nieważne, że chrześcijańskimi, ale chodziło o twarde zasady, które robiły z chłopców prawdziwych mężczyzn. A on uważał, że na potrzeby starogermańskiej religii można utworzyć taki zakon właśnie z „arystokracji NSDAP", jak niekiedy pogardliwie nazywali ich koledzy z SA.

I wtedy wszedł on. Rozmowy i śmiechy zakończyły się w jednej chwili. Tak jakby sama postać Hitlera potrafiła zahipnotyzować przybyłych członków partii. Wódz NSDAP chrząknął, a potem rozpoczął przemówienie. Trwało ono bardzo długo, ale Max tego nie odczuł. Nie potrafiłby nawet powiedzieć, co też takiego ciekawego mówił ów człowiek. Po prostu, jak cała reszta, dał się wprowadzić w jakiś nieokreślony trans. I był gotów zagłosować na jego partię w nadchodzących wyborach. Żywił także przekonanie, że gdy tylko Hitler zdoła dotrzeć do większej części niemieckiego społeczeństwa, ci pójdą za nim nawet na rzeź.

Rudolf Dorst niekiedy śmiał się, iż byłby w stanie powalić Hitlera jedną ręką, bo takie z niego chucherko, ale siła przywódcy partyjnego nie wynikała z jego postury, ale głosu. Przemawiał bowiem tak, że nawet największy sceptyk byłby gotów uwierzyć w każde jego słowo. Gdzieś między poszczególnymi frazami docierały do Maxa słowa o brudnych Żydach, okrutnych politykach francuskich, a wreszcie o powstaniu z kolan. I Geyer wierzył, że właśnie temu człowiekowi może się to udać i może on sprawić, by Niemcy mogli być znowu silnym i dumnym narodem.

Wyszli z piwiarni prawie o północy i udali się do hotelu. Na wszelki wypadek Max zarezerwował dwa osobne pokoje. Fisher nie był z tego zadowolony, co widać było po jego skwaszonej minie, ale nie ośmielił się czynić wyrzutów swojemu kompanowi. Na odchodne powiedział jedynie:

— Pociąga cię władza, Max? Byłeś zachwycony Hitlerem...

— Każdego pociąga władza. — Roześmiał się.

— Mnie nie, ja wolę swoje badania. Uzbierałem trochę pieniędzy i chciałbym odwiedzić kilka miejsc, gdzie być może odnajdę ślady Graala — westchnął Fisher.

— Nic nie mówiłeś... — zdziwił się Max, bo kiedyś planowali, że pojadą razem w podobną podróż.

— Bo wciąż miałem nadzieję, że pojedziesz ze mną. I będziesz relacjonował dla swojej gazety postępy z prac, ale w tej sytuacji to byłby bardzo zły pomysł.

— To znaczy, że jeśli nie zostanę twoim kochankiem, nie mogę liczyć na wspólną wyprawę? — warknął Max.

Fisher pokręcił przecząco głową.

— Nie o to chodzi, Max. Ja muszę o tobie zapomnieć. A jeśli będziesz przy mnie, to mi się na pewno nie uda. Rozumiesz?

Max potaknął, ale nie rozumiał. Było mu przykro, że tę przygodę jego kumpel chce odbyć sam, a nawet czuł złość na Klausa. Kiedyś coś sobie obiecali, a teraz wszystko szlag trafił.

༄

Po powrocie do Berlina, gdy siedział z Rudolfem w knajpie i raczył się piwem, powiedział:

— Miałeś rację, przyjacielu. Miałeś cholerną rację, dlatego dzisiaj ja stawiam.

— Lubię jak ktoś funduje mi piwo, ale w jakiej kwestii miałem rację? Rzadko kiedy się mylę, więc nie wiem, co masz na myśli.

— Skromność to twoja największa zaleta. — Geyer zarechotał. — Chodzi o Klausa. On naprawdę się we mnie zakochał. Trochę dziwnie się z tym czuję. Tylko błagam, bez „a nie mówiłem".

— A nie mówiłem. — Dorst się roześmiał, ale chwilę potem spoważniał i zapytał: — I co teraz?

Masz zamiar dalej się z nim przyjaźnić? Ja przynajmniej wolę kobietki i na pewno nie będę cię podrywał.

— Kamień z serca, Rudolf. Klaus wyjechał. Szuka Świętego Graala — prychnął.

— A tobie już przeszła ochota na eksplorację jaskiń i zwiedzanie średniowiecznych kościołów? — zakpił Rudolf.

— Nie, ale widzisz, jak to jest, gdy liczy się na kogoś. Fisher powtarzał, że załatwi mi tę podróż. Rozumiesz, przyjemne z pożytecznym. Z jednej strony wyprawa, która nader mnie interesuje, z drugiej pisałbym relacje z poszukiwań. A jeśli udałoby się nam znaleźć ten kielich, bylibyśmy sławni na całym świecie — westchnął Max.

Naprawdę starał się zrozumieć decyzję Fishera, ale gdzieś głęboko w duszy miał do niego ogromny żal. Jedynym pocieszeniem było to, że Klaus nie wyjechał z żadnym dziennikarzem i oznajmił, że po powrocie sam napisze serię artykułów, a kto wie, może i książkę.

— Ciesz się, że z nim nie wyjechałeś. Nie wiadomo, przed jakim wyborem by cię postawił, gdybyście znaleźli się na miejscu. — Rudolf próbował pocieszać przyjaciela.

Max zacisnął zęby.

— Wszystko zdobędę sam. Choćby po trupach. I nie będę się na nikogo oglądał. Tak jak nikt nie ogląda się na mnie. Masz rację, jeszcze tak nisko nie upadłem, żeby dawać dupy za sławę i splendor. A jeśli już, to na pewno nie mężczyźnie.

— Daj spokój. Pomyśl, że naprawdę mu na tobie zależało, jeśli zrezygnował z waszej wspólnej podróży. Wiesz, że go nie lubię, bo jest nudny jak flaki z olejem, ale w tym przypadku postąpił słusznie. Nie martw się, na ciebie też przyjdzie pora.

— Wiem o tym, czuję to. Ale mam świadomość, że muszę zapomnieć, kim byłem i jak zachowywałem się w stosunku do innych. Muszę zacząć myśleć o sobie i pokazać, na co mnie stać. I będę miał w nosie ludzi, którzy mnie otaczają. Od teraz przestaną mnie obchodzić.

— Mnie też będziesz tak traktował? — zapytał Rudolf, unosząc brwi.

— Nie. — Uśmiechnął się. — W życiu trzeba mieć chociaż jednego przyjaciela.

4.

Herbert von Reuss uważał, że pieniądze są po to, aby je wydawać. Jego rodzina była na tyle bogata, że nie musiałby pracować do końca swoich dni. Nie marzył o błogim lenistwie, ale o wolności finansowej, która pozwoli mu robić w życiu to, co chce. Tymczasem jego ojciec dawkował mu pieniądze, sam zaś wydawał je na sprawy tak przedziwne, że Herbertowi chwilami zdawało się, iż ojciec postradał zmysły. Zrozumiałby powściągliwość w przekazywaniu mu funduszy, a nawet oszczęd-

ność graniczącą ze skąpstwem, gdyby nie fakt, że ojciec chytry wcale nie był. Trwonił wręcz pieniądze,
ale na wróżbitów, astrologów i antyki, a wreszcie na
swoją kampanię wyborczą.

Niestety, w wyborach w tysiąc dziewięćset dwudziestym siódmym NSDAP zdobyło zaledwie dwanaście mandatów, a w czasie kampanii prezydenckiej,
w dwudziestym piątym, partie prawicowe poparły
Paula von Hindenburga, a nie Adolfa Hitlera, który
także ubiegał się o prezydenturę. Ojciec jednak wierzył w zwycięstwo swojej partii i w to, że pewnego
dnia z jej ramienia zasiądzie w parlamencie. Miało
to swoje konsekwencje. Nie tylko szastał fundusza-
mi na cele partyjne i propagandowe, ale stary von
Reuss bardzo mocno do serca wziął sobie ideologię
nazistowską. „Czysta krew", „aryjska rasa" to były
hasła, które nie schodziły mu z ust. Był tak przejęty ową czystością krwi swojego rodu, że próbował
odtworzyć losy rodziny von Reuss aż od trzynaste-
go wieku. A kto wie, może nawet od zaginionej At-
lantydy, gdzie podobno mieszkali dzielni Germanie
o posągowych figurach i jasnych włosach, w których
płynęła nieskalana, czysta germańska krew.

Owszem, ich rodzina miała jakieś powiązania,
a nawet nazwisko wywodzące się od saksońskiego
księcia żyjącego w czternastym wieku, ale równie
dobrze można byłoby orzec, że każdy człowiek pochodzi od Adama i Ewy, jeśli ktoś był wierzący, albo
od małpy, jak sugerował to Darwin. Tymczasem ojciec fascynował się wszystkim, co mogło świadczyć
o długim rodowodzie ich znakomitego rodu, dlatego

nie omijał żadnych aukcji, na których mógł nabyć jakieś dzieła sztuki pochodzące z szesnastego czy siedemnastego wieku. Potem zaś chwalił się gościom, że oto dany obraz, rzeźba czy starodruk przechodził w jego rodzinie z pokolenia na pokolenie przez trzysta kolejnych lat. Zresztą nie tylko chęć przypodobania się kolegom partyjnym miała na to wpływ, ale także spotkania z astrologami i kabalarzami, którzy nie tylko przepowiadali przyszłość, ale także skrupulatnie odtwarzali przeszłość.

— Wejdę do Reichstagu w następnych wyborach. I będę zasiadał obok Göringa. Zostaniemy najlepszymi przyjaciółmi. Zresztą i sam Adolf Hitler mnie doceni — powiedział podekscytowany Wilhelm von Reuss, gdy zakończył spotkanie ze swoim astrologiem.

— Jestem o tym przekonany — odparł od niechcenia Herbert.

— Synu, moje dzieci świadczą o mnie. Więc kiedy tylko osiągniesz stosowny wiek, wstąpisz do Schutzstaffel. A potem ożenisz się z prawdziwą niemiecką dziewczyną.

— Kiedyś byłeś zafascynowany Röhmem i jego bojówkami Sturmabteilung... Może zanim wstąpię do Schutzstaffel, spodoba ci się inna formacja. Poza tym nie zamierzam się żenić z Negrem albo Żydówką, więc daruj... — odciął się Herbert.

— Röhm to zdrajca. Miał działać na rzecz partii, a w końcu utworzył własną, niezależną armię. I prycha pogardliwie, że nie będzie słuchał władz NSDAP.

— Tato, a jednak Schutzstaffel jest jedynie kwiatkiem do kożucha Sturmabteilung. To zaledwie niewielka garstka ludzi, którzy muszą być nieskazitelni, wyglądać doskonale i przestrzegać żelaznej dyscypliny. A jakie zadania im się wyznacza? Roznoszenie ulotek, werbowanie nowych członków partii i sprzedawanie „Völkischer Beobachter", „Der Stürmer" czy „Nazionalsocialist". Czyli ta elitarna jednostka to po prostu gazeciarze. Ani Berchtold, ani Pfeffer von Salomon czy Schreck nie mają wystarczającej siły przebicia, by zagrozić układom w Sturmabteilung. Myślę, ojcze, że stawiasz na niewłaściwego konia — stwierdził Herbert.

— Chłoptasie ze Sturmabteilung to zwykli bandyci. Każdy wie, skąd ich Röhm pozbierał. A Schutzstaffel to arystokracja młodych wojowników. Najlepsi z najlepszych. Wcale nie jestem pewien, czy do Sturmabteilung nie naprzyjmowali jakichś Żydów czy Cyganów, przecież tam liczy się tylko umiejętność stosowania siły — warknął Wilhelm.

— Jednostki Schutzstaffel także czasami uciekają się do przemocy. To nieuniknione, bolszewicy plenią się w Republice jak pluskwy w kamienicach na Kreuzbergu.

— Poza tym Röhm to sodomita — mruknął ojciec Herberta, bo zawsze lubił mieć ostatnie słowo.

— I boisz się, że za bardzo mu się spodobam? — Herbert się zaśmiał.

Miał chęć podroczyć się trochę z ojcem, ale ten najwyraźniej nie miał na to ochoty, bo nic nie odpowiedział. Wilhelm wciąż marzył o karierze politycznej i chociaż uważał Hermanna Göringa za przyjaciela, niekiedy sarkał pod nosem, że narkoman dostał mandat, a człowiek tak szacowny, jak Wilhelm von Reuss nie.

Po chwili do pokoju wszedł jak zwykle ponury Franz i oznajmił, że przybył właśnie Heinrich Stolzman z obrazem, który za ciężkie pieniądze miał nabyć nestor rodu von Reussów. Stolzman miał galerię sztuki w sercu dzielnicy Mitte i uchodził za znawcę siedemnastowiecznych płócien. Nie korzystał jedynie ze swojego wprawnego oka, ale także z cudu techniki, jakim był rentgen, i to bardzo ułatwiało mu wykrywanie falsyfikatów. Herbert nie miał pojęcia, co dawało takie prześwietlanie obrazu, ale ufał, że przybyły marszand wyjawi tę tajemnicę.

— Obraz jest jak najbardziej prawdziwy. Pochodzi z siedemnastego wieku, najpewniej z drugiej połowy, i z dużą dozą prawdopodobieństwa został namalowany przez jednego z uczniów Rembrandta. Gdyby nie fakt, że dzieła tego malarza zostały skatalogowane, mógłbym nawet pomyśleć, iż wyszły spod pędzla samego Rembrandta. Jednak ani w katalogu Brediusa, ani też Valentinera nie ma takiego obrazu. Prześledziłem także transakcje, jakie przeprowadził Rembrandt z niejakim Antonio Ruffo, sycylijskim handlarzem sztuki, który był głównym odbiorcą dzieł van Rijna. Jest za to z tyłu pieczęć amsterdamskiego cechu. Tego samego, do którego należał Rembrandt. A niedługo będę miał prawdziwą gratkę: obraz namalowany najpewniej przy sporym udziale samego Rubensa. Za bardzo atrakcyjną cenę.

— A co świadczy o tym, że to oryginał? Pieczęć, nawet bardzo stara, jest łatwa do podrobienia przy dzisiejszym stanie techniki drukarskiej — zapytał ciekawie Herbert. — Wkładacie obraz do rentgena i wychodzi metryczka obrazu czy jak?

— Ależ oczywiście, że nie — obruszył się marszand, którego najwyraźniej ani trochę nie rozbawił żart młodego von Reussa.

— Proszę nam więc objaśnić, jak wysnuł pan podobne wnioski. Pan wybaczy, jestem laikiem w tych sprawach, ale to, co pan mówi, jest niezwykle interesujące. — Herbert zmienił ton na mniej napastliwy, bo ojciec zmroził go spojrzeniem.

— Oczywiście, łaskawy panie. Otóż obrazy sprzed wieków kopiowane są na deskach lub płótnach z właściwego okresu. Usuwa się stare malowidło, najczęściej jakiś mało znaczący bohomaz, i maluje się na tym podkładzie nowy obraz. I podczas badania rentgenowskiego można ujrzeć, co na podobraziu znajdowało się wcześniej. Tutaj jednak nie dostrzegłem niczego, co mogłoby świadczyć, że kiedyś na tej desce istniało jakieś inne malowidło. Zresztą takie zabiegi usuwania starej farby zapewne wymagają dużo pracy, zatem po co fałszować coś, czego nie można przypisać żadnemu z wielkich mistrzów? — zakończył Stolzman pytaniem, które nawet takiemu laikowi jak Herbert wydało się retoryczne.

— Zawsze może być to pastisz i uchodzić za nieznane dotąd dzieło jakiegoś mistrza, chociażby Rubensa czy Tycjana. Przecież niedawno Wacker wszedł w posiadanie trzydziestu nieznanych dzieł van Gogha, więc takie rzeczy się zdarzają. — Herbert chciał zabłysnąć.

— Panie Herbercie, z całym szacunkiem dla autorytetu doktora de la Faille'a, ale te obrazy nie zostały namalowane przez van Gogha. I jestem w stanie położyć na szali swoje dobre imię, by obwieścić to światu. Jednak obawiam się, że oprócz dobrego imienia mógłbym stracić także mnóstwo pieniędzy, gdyby Wacker zechciał podać mnie do sądu — odparł Stolzman, a potem ściszył głos. — Czy pan wie, że Wacker najpierw poszedł z czterema swoimi obrazami do galerii Cassirera, ale doktor Feilchenfeldt i doktor Ring odmówili ich wystawienia? Jak pan myśli dlaczego?

— Zapewne rozpoznali, że nie są to dzieła van Gogha.

— Właśnie. Nie chcieli jednak stawiać doktora de la Faille'a w niezręcznej sytuacji i dlatego nie rozgłaszali tego na prawo i lewo — oznajmił Stolzman.

— A jednak zachęcał pan ojca, by tam poszedł i nabył któryś z tych obrazów, chociażby traktując go jako lokatę kapitału — wytknął mu Herbert.

— Niezwłocznie jednak powiadomiłem szanownego Wilhelma von Reussa, że to podróbki, i powiem uczciwie, kamień spadł mi z serca, gdy dowiedziałem się, iż mój najlepszy klient nie skusił się na ich zakup.

— Rozumiem, a teraz chętnie posłucham dalszej części wykładu. — Herbert się uśmiechnął.

— Dajże spokój, synu. Pan Stolzman jest zapewne zmęczony, a ty zadręczasz go pytaniami. Jeśli twierdzi, że jest to siedemnastowieczny obraz, ja mu wierzę. I od razu po wizycie u Wackera zadzwonił do mnie, więc nie ma o czym mówić. Niech się teraz martwią tym ci, którzy połaszczyli się na te... kicze — burknął Wilhelm.

— W takim razie najmocniej pana przepraszam — wycedził Herbert i opuścił salon, w którym jego ojciec dobijał targu ze Stolzmanem.

Nie rozumiał ojca, bo jeśli autor dzieła nie był nikim znanym, to taki zakup nie mógł stanowić lokaty kapitału, a jedynie cieszyć oczy mieszkańców ich wspaniałego berlińskiego mieszkania czy osiemnastowiecznego pałacyku, znajdującego się niedaleko Breslau.

Po wyjściu marszanda ojciec wyjaśnił mu swój zakup nader jasno. Otóż kolekcja, jaką chciał zgromadzić, miała należeć do zbiorów rodzinnych, a więc im obraz był starszy, tym głębiej sięgały korzenie ich rodu. Zatem kolejne wielkie pieniądze ojciec wydał właśnie na coś, czym będzie mógł się jedynie pochwalić przed znajomymi. Mimo że partia miała w swojej nazwie i programie słowo „socjalistyczna", dla Wilhelma von Reussa było to jedynie pustym słowem. Pragnął posiadać ogromny majątek, władzę i uchodzić za kogoś wyjątkowego. Za człowieka, który może być wzorcem prawdziwie czystej krwi germańskiej.

1929

1.

omieszczenie, do którego rok wcześniej zaprowadził Judith ojciec, przypominało pracownię
średniowiecznego alchemika. Na długich półkach,
zrobionych z surowego drewna, stały słoiki, fiolki i butelki wypełnione olejami, sproszkowanymi
pigmentami i innymi preparatami, których nazwy
i pochodzenie znał jedynie ojciec. Po drugiej stronie
znajdowała się skrzynia, a w niej kilkanaście ram,
desek z jakimiś starymi malowidłami, głównie częściowo zniszczonymi i nadgryzionymi zębem czasu.
Kawałek dalej, w narożniku, została umieszczona
przedziwna konstrukcja i Judith zajęło chwilę, by
odgadnąć, że jest to piec. Miał kształt prostopadło-
ścianu, długie i wąskie drzwiczki, a zakończony był
prymitywną rurą ginącą w ścianie, która najpewniej odprowadzała dym do przewodu kominowego.
Tuż pod dużym oknem, teraz zasłoniętym ciężkimi
okiennicami, stały sztalugi i miękki taboret, a obok,
na wielkim stole, paleta z farbami.

Rozglądała się zdziwiona po wnętrzu, a może jedynie nieco zszokowana, bo niemal od razu domy-

śliła się, po cóż ojcu takie tajemne pomieszczenie. Właściwie wiedziała to już od chwili, gdy ujrzała słoiczki z pigmentami, które następnie należało zmieszać z odpowiednimi preparatami, a czego w dwudziestym wieku już się nie robiło, bowiem każdy malarz korzystał z gotowych farb olejnych, sprzedawanych w tubach. Jedne były droższe i lepszej jakości, inne tańsze i mniej trwałe, ale mało kto przygotowywał samodzielnie farby. No, chyba że był fałszerzem i próbował odtwarzać dzieła sprzed wieków.

Milczała. Uważała ojca za swojego mistrza, człowieka o niesamowitym talencie malarskim, a teraz musiała zmierzyć się z faktem, że Ismael Kellerman był także przestępcą. Od razu zrozumiała, jak to się stało, że w ciągu dość krótkiego czasu wykaraskali się ze skrajnej biedy, gdy innym zajmowało to całe lata, a niektórzy nigdy nie zdołali odbić się od dna. Tymczasem, gdy nastała hiperinflacja, a matka dogorywała w swojej sypialni, najpierw musieli sprzedać wszystko, co posiadali, by kupić lekarstwa, a potem nagle stać ich było i na najlepszych lekarzy, i na zakup nowych sprzętów. Sądziła przez ten cały czas, że ojciec po prostu zapożyczył się, i w pełni to rozumiała, ale nie spodziewała się, iż łamie prawo. A nawet jeśli w owym czasie wszedł na drogę występku, mogła to zaakceptować. Jednak od śmierci matki minęło kilka lat, a w tym sekretnym pomieszczeniu wciąż pachniało olejami, leżały jajka, które ojciec kazał kupować jej na targu, zastrzegając, aby koniecznie pochodziły od miejskich kur. Nie rozumiała tego dziwactwa, bo jaja wiejskie były zdecydowanie smaczniejsze, ale teraz pojęła, że ojciec potrzebował żółtka, które nie miało zbyt intensywnego pomarańczowego koloru. Doskonale wiedziała, że niegdyś, bardzo dawno temu, używano jajek do mieszania pigmentów, zresztą podobną metodę stosowano i dzisiaj, gdy dokonywano konserwacji dzieł sztuki malarskiej.

Zakryła dłońmi usta, a w końcu podeszła do skrzyni z podobraziami i starymi deskami i zaczęła wyciągać wszystkie po kolei. Nagle trafiła na nieco nowsze płótno i zaczęła mu się przyglądać, by w końcu wymamrotać:

— Przecież to van Gogh. A raczej jego falsyfikat.

— Nieudany. Bardzo. Dlatego został — westchnął ojciec.

— Tato... — jęknęła. — To ty sfałszowałeś te trzydzieści obrazów z galerii Wackera? A więc ten młody policjant miał rację? To nie były oryginały?

W jej pytaniach właściwie zawierała się odpowiedź.

— Gówniana robota. I dość prosta. Ale to nie do końca jest tak, jak myślisz.

— A jak? — wycedziła przez zaciśnięte zęby Judith.

— Gdybym ja to zrobił od początku do końca, żaden domorosły znawca nie rozpoznałby w tych obrazach falsyfikatów. Niestety, ja je tylko poprawiałem. Że tak powiem, podrasowałem je. Ktoś, kto je malował, podrobił Vincenta dość nieudolnie. Weźmy ten żółty kolor. Gdybyś zobaczyła, jak to wyglądało na początku, złapałabyś się za głowę. Dostałem całą górę pieniędzy za te poprawki, chociaż i tak byłem zdania, że średnio wykształcony w swoim fachu znawca rozpozna, iż nie są to oryginalne dzieła van Gogha. Ale udało się — odparł.

— Wcale się nie udało. Przecież de la Faille wycofał się ze swojej opinii...

— A inni nadal podtrzymują swoje zdanie — zakończył z westchnieniem.

— Tato, wcześniej czy później ktoś zażąda zwrotu pieniędzy. Albo zgłosi sprawę na policję. A gdy zacznie się śledztwo, to... — Nie dokończyła, bo ojciec przerwał jej.

— Nikt do mnie nie dotrze. Mam kontakt tylko z jednym człowiekiem, ale uwierz, on zrobi wszystko, by nie być zamieszanym w tę sprawę. Nie tylko poszedłby do więzienia, ale w swoim fachu byłby skończony. — Głos ojca brzmiał pewnie i spokojnie.

— Tato, rozumiem, że to zrobiłeś, by ratować mamę i abyśmy nie poumierali z głodu, ale dlaczego wciąż się tym zajmujesz? — Judith miała żal do ojca, że swój talent wykorzystuje do takich rzeczy.

— Posłuchaj, córeczko. Niedługo rozpoczniesz studia na Akademii Sztuk Pięknych, a na to potrzebne są pieniądze. Rzadko który malarz osiąga sukces za swojego życia, a ty nie możesz tak długo czekać. Ile mogę dostać za swoje obrazy? Za taki akt żony bankiera Bluma? Pięć tysięcy marek? A obrazy od Wackera sprzedano za sto pięćdziesiąt tysięcy każdy. Ja za same poprawki dostałem dziesięć. Za siedemnastowieczne falsyfikaty płacą mi dwadzieścia. I to nie są żadne wybitne dzieła Rubensa czy Rembrandta, ale pastisze, sugerujące, iż wyszły co najwyżej spod pędzla jego uczniów.

— Tatusiu, ale to jest przestępstwo...

— Nie myślę o tym w taki sposób. Dostaję zlecenie i wykonuję je. Obraz ma wyglądać na siedemnastowieczny i wygląda. — Wzruszył ramionami i dodał: — Judith, ty nie musisz tego robić, ale dobrze, żebyś potrafiła, bo to może kiedyś uratować ci życie.

Nie słuchała. Wyszła z tajemnego pomieszczenia i poszła do swojego pokoju. Nagle zrozumiała te wszystkie nauki ojca, chociaż wcześniej nie miała pojęcia, dlaczego powinna wiedzieć, jakiego oleju używał Tycjan i z jakiego drewna robili podobrazia mistrzowie holenderscy. Teraz wszystko stało się jasne, nawet to, że ojciec utyskiwał na malarstwo średniowieczne, kiedy to używano farb temperowych, które po latach robiły z obrazów czarne plamy. To również z tego powodu studiowali w galeriach pociągnięcia pędzlem Rubensa, próbując odgadnąć, co malował on sam, a co jego uczniowie.

Dziwnie się czuła po wizycie w samotni ojca. Była to mieszanina żalu i jednocześnie niezdrowego podziwu. Jakkolwiek van Gogh w istocie był dość prosty do podrobienia, tak Rembrandt, Rubens czy Canaletto już nie. A jeśli ojciec wciąż cieszył się wolnością, zaś w gazetach nie pisano o fałszerstwach siedemnastowiecznych dzieł malarskich, oznaczało to, że musiał być w swoim fachu niezrównany. Nie wiedziała, jak to robił, że rentgen nie był w stanie odkryć oszustwa, i jak sprawiał, żeby krakelura wyglądała na naturalną, jak przybrudzona sadzą i kurzem, który osiadał w pęknięciach. Zapewne służył mu do tego piec, ale sztuczne przyśpieszanie suszenia zazwyczaj kończyło się fatalnie. Jej ojciec musiał znać sposoby odtwarzania składu starych farb i nie tylko w teorii, bo chociaż ona sama zaczytywała się traktatem Cenniniego, który na niemiecki przetłumaczył Willibrord Verkade, nie byłaby w stanie odtworzyć tych wszystkich formuł w praktyce. Zresztą nawet ojciec nie porywał się na fałszowanie bizantyjskich dzieł, bo już stosowanie werniksów olejowych skracało bezlitośnie żywot takich obrazów. Poza tym w tamtych czasach sporządzano farby z preparatów, które w dwudziestym wieku były już nieosiągalne. Tak, ojciec miał rację, obrazy malowane temperą podczas tworzenia falsyfikatów wymagały nadludzkiego wysiłku, a nawet te, które potem wykańczano olejem. Dopiero w siedemnastym wieku zrezygnowano z tempery na rzecz farb olejnych i zapewne dlatego ojciec upodobał sobie właśnie obrazy z tego okresu. Tylko po co było mu żółtko, które stosowano głównie jako spoiwo w farbach temperowych, a potem rozcieńczano olejem, na przykład z pędów figowych, i wodą?

Po dwóch godzinach ojciec wszedł do pokoju i usiadł na jej łóżku. Leżała z podkulonymi nogami i głową nakrytą poduszką, z przedziwnymi myślami w głowie i duszą rozdartą pomiędzy tym, co prawe i uczciwe a ciekawe i dające pewien rodzaj ekscytacji. Z jednej strony człowiek ma świadomość, że stąpa po cienkim lodzie, z drugiej wciąż chce zrobić następny krok, by przekonać się, czy uda mu się przejść suchą nogą na drugi brzeg.

Ismael Kellerman położył dłoń na jej głowie i pogłaskał czule.

— Kochanie, wiem, co myślisz. A ja nie mam pojęcia, czy robię słusznie, przyznając się do tego, czym się zajmuję. Jednak tylko ty byłabyś w stanie dorównać mi w tym rzemiośle. Ta umiejętność zaś pewnego dnia może bardzo ci pomóc. Nie zmuszam cię, byś robiła coś wbrew swoim zasadom, ale chcę, abyś posiadła wiedzę na ten temat. Wiem, zastanawiasz się, czy to właściwe. Córeczko, powiem szczerze. To nie jest ani moralne, ani uczciwe. Ale czy życie traktuje nas zawsze sprawiedliwie? — perorował Ismael.

— Wiesz, tato, muszę się nad tym zastanowić — odparła zimno.

— Mam sobie pójść?

— Tak, wolałabym zostać sama — szepnęła.

Naprawdę chciała przeanalizować całą sytuację. Pragnęła zostać malarką. Sławną i podziwianą na całym świecie. Każdy artysta o tym marzył i nie było niczego złego w podobnych pragnieniach, ale doskonale wiedziała, jak niewielu ludzi zyskiwało sławę za swojego życia. Poza tym był inny problem — teraz modni byli artyści, których nie rozumiała. A raczej tego, co tworzyli. Ją pasjonowało malarstwo z dawnych wieków i obrazy w takim stylu chciała malować. Tylko cóż z tego, jeśli nie cieszyły się one popytem. Miała więc żyć nadzieją, że za trzysta lat ktoś doceni jej kunszt i doskonałe pociągnięcia pędzlem? Kiedy jednak ten sam obraz nosiłby znamiona starego malowidła, od razu wszyscy pialiby z zachwytu. Może działała zasada, że to wszystko, co tworzyła, już było? W końcu wzorowała się na Rembrandcie, Rubensie czy innych siedemnastowiecznych mistrzach.

A gdyby tak namalowała coś na starej desce, posłużyła się farbami, jakich niegdyś używano, a następnie nauczyła się robić krakelurę, to jej obrazy mogłyby wisieć w najlepszych galeriach świata. Tylko nikt nie wiedziałby, kto jest autorem tych dzieł, a ona pozostawałaby w cieniu. Nikomu nieznana i przez nikogo niedoceniona. Ojciec zapewnił im godne życie nie swoimi autorskimi dziełami, ale fałszowaniem tego, co już kiedyś zostało namalowane, ewentualnie tworzył pastisze sugerujące, iż wyszły one spod pędzla uczniów wielkich mistrzów, a może nawet samego ich mentora i nauczyciela. To także była sztuka. A może raczej rzemiosło najwyższej próby. Pozwalało zarobić pieniądze i osiągnąć spokój. Potem zaś mogłaby tworzyć, co tylko wpadnie jej do głowy i nie musiałaby wystawać ze swoimi dziełami na rynku w nadziei, że ktoś zechce nabyć jakiś obraz, by ozdobić ścianę w salonie.

Wstała z łóżka, gdy zmierzchało. Wyszła ze swojego pokoju i poszła do pracowni ojca. Siedział przy sztalugach i poprawiał portret pani Blum.

— Tato... — powiedziała cicho. — Naucz mnie wszystkiego. Może naprawdę pewnego dnia ta wiedza mi się bardzo przyda.

2.

$\mathcal{K}$iedy pierwsze osoby poszkodowane przez Wackera zgłosiły się do berlińskiej galerii Matthiesena oraz marszanda Thannhausera z Monachium i zażądały zwrotu pieniędzy, Rudolf Dorst sądził, że teraz śledztwo w sprawie fałszywych obrazów van Gogha ruszy z kopyta. W istocie Związek Niemieckiego Handlu Dziełami Sztuki i Antykami wniósł o postawienie w stan oskarżenia Ottona Wackera, a wówczas berlińska policja mogła już wszcząć oficjalne dochodzenie. Jakkolwiek po tym zdarzeniu nie musiał się już kryć ani ze swoją profesją, ani też z intencjami, z jakimi wypytuje o Wackera marszandów i kolekcjonerów, to odniósł wrażenie, że kręci się w kółko, a sprawa zamiast się wyjaśniać, coraz bardziej się zaciemnia.

Jednak mógł zwrócić się oficjalnie o pomoc do policji holenderskiej i pewnego słonecznego dnia stanął przed domem doktora Baarta de la Faille'a. Mężczyzna wpuścił go do środka i nawet nie dopytywał, czy Rudolf ma prawo w ogóle z nim rozmawiać, jeśli przybył do niego z Berlina, on sam zaś podlegał holenderskiej jurysdykcji.

De la Faille wyglądał na przybitego. Najpewniej nie golił się od dłuższego czasu, bo jego zarost przypominał zmierzwione wiatrem siano. Głębokie cienie pod oczami zdradzały brak snu i zmęczenie. Zapewne doktor był bardziej wyczerpany psychicznie niż fizycznie.

Rudolf zapytał prosto z mostu:

— Dlaczego pan to zrobił? Orzekł, że obrazy są prawdziwe i pochodzą z okresu pobytu van Gogha w Arles, a przecież średniej klasy marszand rozpoznałby w nich falsyfikaty?

— Napije się pan herbaty? — odpowiedział pytaniem doktor, ale Rudolf odmówił.

De la Faille wciąż milczał. W końcu wydukał:

— Do tej pory wielu znawców tematu uparcie twierdzi, że obrazy są prawdziwe. Jak chociażby Bremmer. A ja jestem zdruzgotany ich nieprzejednaną postawą, bo ten kmiot przyjeżdża tutaj, wymachuje mi przed nosem ekspertyzami podpisanymi kilkoma sławnymi nazwiskami i straszy mnie sądem.

— Dla Wackera to być albo nie być... — mruknął Rudolf. — Jak pan myśli, dlaczego oni nie chcą się wycofać i trwają przy swoim zdaniu, chociaż badania rentgenowskie zapewne wykażą, że obrazy zostały sfałszowane?

— Szanowny panie, aby zrobić zdjęcia rentgenowskie i dokonać analizy porównawczej, należałoby odzyskać wszystkie te dzieła. I zdobyć kilka oryginalnych płócien. A to może zająć wiele lat i nie wiadomo, czy się uda. Taki ekspert zawsze może powiedzieć, że wyraził swoją opinię w oparciu o obraz, którego akurat nie odzyskano, bo jego nabywca siedzi cicho albo puścił go w dalszy obieg. Pyta pan, dlaczego na przykład Bremmer trwa przy swoim. To oczywiste. Ja jestem skończony w swoim środowisku, on chce za wszelką cenę się w nim utrzymać. Dlatego usiłuje zrobić ze mnie wariata.

Doktorowi zdecydowanie łatwiej wychodziło mówienie o innych, ale wciąż milczał w kwestii tego, że pierwotnie on także uznał obrazy za oryginały i nawet podał rok, w którym zostały namalowane. Potem zaś wycofał się ze swojej opinii i zszokował nie tylko całe środowisko swoim oświadczeniem, ale także nabywców tych wątpliwych dzieł. Rudolf powrócił więc do swojego pierwotnego pytania. Gdyby zaproponowano de la Faille'owi dużo pieniędzy za taką opinię, sprawa byłaby jasna, ale pojawiłoby się wówczas kolejne pytanie, dlaczego zatem wycofał się z niej, narażając się na śmieszność.

— Co mam panu powiedzieć? Że od początku wiedziałem, iż mam do czynienia z fałszerstwem? A potem ruszyło mnie sumienie i przyznałem się do błędu? Pan wie, co za to grozi. I nie tylko utrata autorytetu, bo tego już nie mam od wielu miesięcy, ale mogę pójść do więzienia — prychnął de la Faille.

— Zależy nam najbardziej na ustaleniu, skąd Wacker miał te obrazy, kto je namalował i kto ewentualnie namówił go na ich wystawienie. Tymczasem Wacker idzie w zaparte, powołując się na innych rzeczoznawców i twierdzi, że działał sam. Niektóre galerie odmawiają zwrotu pieniędzy i właściwie zrobił się straszny bałagan. Bo jakże sąd będzie mógł wydać właściwy werdykt, jeśli pana środowisko prezentuje tak różne stanowiska? — jęknął Rudolf, bo nie zależało mu tak bardzo na ukaraniu de la Faille'a, jak na dorwaniu Wackera i jego wspólników, jeśli takowych miał.

— Kiedy Wacker zjawił się u mnie po raz pierwszy, pokazał mi list. List miał zamazane nazwisko nadawcy, pochodził ze Szwajcarii, a jego autorem był podobno jakiś rosyjski arystokrata, który uciekł ze swojego kraju przed rewolucją, zabierając ze sobą owe dzieła. Pragnął jednak nade wszystko pozostać anonimowy, bo uparcie twierdził, że bolszewicki rząd wszędzie ma swoich szpiegów i jeśli jego nazwisko zostanie upublicznione, może on paść ofiarą morderstwa — odrzekł de la Faille.

W istocie taką wersję prezentował Wacker, także śledczym.

— Wierzy pan w to? — zadrwił Rudolf.

— Teraz już nie, ale wówczas… Zachłysnąłem się informacją o cudem odnalezionych nowych pracach van Gogha. To była prawdziwa niespodzianka…

Rudolf nic nie powiedział. On, laik i samouk, dostrzegł, że obrazy są kiepskimi podróbkami, a de la Faille nie? Pozostali zaś poszli za ciosem, bo jakże mogli kwestionować opinię najlepszego specjalisty od dzieł van Gogha. Teraz zaś siedzieli cicho, chociaż dziennikarze nie zostawili suchej nitki na tak zwanych ekspertach. Nie tylko na tych od obrazów Wackera, ale podawali w wątpliwość wiedzę wszystkich znawców malarstwa. Rzucali także podejrzenia, że w wielu galeriach świata zapewne wiszą obrazy wielkich malarzy szkoły włoskiej i niderlandzkiej, które niewiele wspólnego mają z epoką, do której je przypisano.

— Myśli pan, że to Wacker malował te obrazy?

De la Faille wzruszył ramionami.

— Możliwe. W końcu pochodzi z rodziny o takich tradycjach, ale...

— Ale był tancerzem erotycznym i męską dziwką — dokończył za niego Rudolf.

Doktor pokręcił przecząco głową.

— Nie w tym rzecz, jego prywatne życie nie ma z tym związku, ale jest coś na tych obrazach, dzięki czemu odkryłem, że są fałszywe.

— Co to takiego?

— Tych obrazów nie namalowała ta sama ręka. Niech mnie pan dobrze zrozumie, nie chodzi o to, że jeden namalował na przykład Wacker, a drugi jego siostra. Różnice występują na jednym obrazie. Tak jakby ktoś chciał poprawiać te malowidła? Jedne ruchy pędzla są krótsze, bardziej wprawne, pozostałe pociągnięcia są zupełnie inne.

— A zatem Wacker musiał mieć wspólnika?

Mężczyzna potaknął.

— Panie doktorze... — Rudolf postanowił jeszcze raz spróbować. — Czy Wacker czymś pana zaszantażował?

— Proszę nie ciągnąć mnie za język, *Herr Leutnant*. Pomyliłem się. Bardzo się pomyliłem i przyznałem się do tego. Proszę więc nie naciskać, bo nie usłyszy pan ode mnie nic nowego — dość ostro zareagował de la Faille.

Rudolf pożegnał doktora i wyszedł na ulicę. Był zmęczony i zawiedziony, bo sądził, że de la Faille dostarczy mu nieco więcej szczegółów. Jednak wiadomość, że Wacker nie działał sam, była kluczowa i potwierdziła jego przypuszczenia.

* * *

Wrócił do Berlina i powlókł się do swojego mieszkania przy Taubenstrasse. Na szczęście nie mieszkał już z rodzicami i mimo że był środek dnia, marzył jedynie o tym, żeby rzucić się na łóżko i spać przez następną dobę. Zdążył przyłożyć głowę do poduszki, gdy usłyszał głośne pukanie do drzwi. Przeklął siarczyście i poszedł otworzyć. W progu stał *Unterwachmeister* z ich komendy i trzymał w dłoni kopertę. Przekazał ją Rudolfowi, odmeldował się i odszedł. Dorst ziewnął i rozerwał kopertę, a potem zaczął przeklinać jeszcze bardziej niż w chwili, gdy postawiono go na nogi natarczywym pukaniem do drzwi. W środku znajdowała się informacja od jednego ze śledczych, że pozostałe obrazy rzekomo autorstwa van Gogha, które wisiały w galerii przy Viktoriastrasse, zniknęły, podobnie jak sam Otto Wacker.

Od razu otrzeźwiał, a myśl o powrocie do łóżka minęła. Był wściekły, najbardziej na siebie, bo nie wpadł na pomysł, by przy domu Wackera postawić stójkowych. Potem uspokoił się trochę i stwierdził, że Otto nie miał powodów, by uciekać na zawsze i ukrywać się przez następne kilkanaście lat, bowiem dowody jego winy były cienkie jak zupa wydawana bezdomnym. Udowodnienie, że obrazy z galerii przy Viktoriastrasse są fałszywe, wymagałoby potwierdzenia tego przez ekspertów, gdy tymczasem każdy z nich mówił coś innego. Ci najznamienitsi zaś wciąż uparcie twierdzili, że mieli do czynienia z oryginałami. Zdobycie obrazów, które zostały już zakupione, także nastręczało problemów, a przecież musieli zbadać wszystkie, by orzec, które są falsyfikatami, bo być może wśród nich znajdowały się także autentyki. Oczywiście wystosował listy do kilku nabywców, których zdołał zlokalizować, z prośbą o dostarczenie płócien, ale w większości przypadków otrzymywał kopię poświadczeń eksperckich, że oto nabyli oryginalne dzieła van Gogha, zatem problem nie dotyczy ich obrazów. A teraz doszła do tego wszystkiego ucieczka podejrzanego wraz z nędzną resztką materiału dowodowego.

Rudolf umył się i przebrał, a potem pojechał na Alexanderplatz, by dowiedzieć się, czy znaleziono coś ciekawego w dokumentach księgowych galerii Ottona Wackera. Najbardziej liczył na rachunki, które wystawił Wackerowi pierwotny właściciel obrazów. Wówczas mogliby dotrzeć do głównego sprawcy i człowieka, który namalował falsyfikaty. A gdyby ten się przyznał, nie musieliby powoływać na świadków tych, pożal się Boże, ekspertów.

— Znaleźliście coś? — zapytał od progu, nawet nie witając się z mężczyznami pochylonymi nad stertami kwitów.

— Człowiek, który prowadził księgi Wackerowi, to jakiś cholerny bałaganiarz. Wszystkie rachunki pomieszane w kartonach, żadnej chronologii. Trochę to poukładaliśmy, ale brakuje kwitów kasowych. Rachunki za sprzedane ostatnio obrazy są, ale nie mamy gwarancji, że wpisane kwoty są prawdziwe, bo nie podłączono pod nie żadnych bankowych rozliczeń.

— Da się odczytać wszystkie nazwiska z tych kwitów? — zapytał niepewnie Rudolf.

— Tak. Tutaj sporządziłem listę wraz z adresami i numerami telefonów, jeśli nabywca takowy posiadał. — Mężczyzna w okularach pince-nez podał mu kartkę z danymi.

Rudolf powrócił do swojego pokoju i od razu chwycił za słuchawkę nowiutkiego bauhausa. I kolejny raz napotkał mur milczenia. Ci, którzy posiadali pozostałe obrazy z galerii Wackera, byli zniesmaczeni telefonem Rudolfa, powoływali się na kolejne ekspertyzy i ostrym tonem mówili, że nie życzą sobie, by mieszano ich w podobne historie. Pośrednicy zaś twierdzili, iż nie znają nabywców dzieł, a o pochodzeniu płócien wiedzą jedynie tyle, że należały niegdyś do rosyjskiego arystokraty, mieszkającego obecnie w Szwajcarii, który uciekł ze swojego kraju przed bolszewicką nawałnicą.

Pod koniec dnia Rudolf wiedział równie mało, co do tej pory. Zaczęło się ściemniać, a on nie miał już żadnego pomysłu, co robić dalej. Niedługo sprawa powinna trafić na wokandę, a on nie posiadał niczego konkretnego. Nawet podejrzanego.

Poskładał notatki, gdy do pokoju weszła jedna z sekretarek i powiedziała:

— Grass znalazł w papierach Wackera listę gości będących na otwarciu galerii i pomyślał, że może się przydać.

Rudolf sam był na otwarciu, ale ze zrozumiałych względów nie zapamiętał nikogo, oprócz jednej dziewczyny, która popatrzyła na niego zniesmaczona, gdy na cały głos zakwestionował autentyczność obrazów.

Wziął od sekretarki listę, ale zdawał sobie sprawę, że osoba, która namalowała te obrazy, zapewne nie pojawiła się wówczas w galerii. Jednak był jak tonący, który chwyta się brzytwy, bo sprawa, która miała dać mu awans i chwałę, wyglądała na beznadziejną.

3.

*M*ax Geyer odłożył na bok najnowszy numer „Vossische Zeitung" i zamyślił się. Przeczytał właśnie wywiad z jedną z najpopularniejszych dziennikarek, Bellą Fromm, która zrewolucjonizowała przekazywanie informacji na temat towarzyskiej i dyplomatycznej śmietanki Berlina. Pracowała dla wydawnictwa Ullstein i zaczęła prowadzić swoją rubrykę na wzór amerykański. Mnóstwo zdjęć, żywy język i plotki. Okazało się, że był to strzał w dziesiątkę, bowiem ludzie uwielbiali tak przekazywane informacje, a znane osoby zaczęły bardzo dbać o pannę Fromm, by przedstawiała ich w jak najlepszym świetle. Max trochę zazdrościł jej sukcesów, bo on wciąż należał do dziennikarzy piszących dla wąskiej grupy odbiorców, jednak najbardziej tego, że znała wszystkie liczące się w Berlinie osobistości. I dzięki nim mogła dotrzeć do każdej persony w tym kraju.

Nawet fakt, że Bella Fromm była Żydówką, nie stanowił dla niego przeszkody, by pewnego dnia ogrzać się w cieple jej sławy. Był gotów poświęcić swoje ideały, byle tylko zbliżyć się do tej kobiety. Oczywiście, nie zamierzał i nie chciał jej uwodzić, zwłaszcza że nie była już pierwszej młodości, ale pragnął obracać się w kręgach, do których teraz nie miał dostępu, zaś Bella jak najbardziej.

Max Geyer był coraz silniej zafascynowany nazistami i ich podejściem do rasy aryjskiej. Żywił nadzieję, że pewnego dnia zacznie propagować antysemickie nastawienie NSDAP i wychwalać germańską rasę, mniej zaś okultyzm, astrologię czy chiromancję. Poza tym był zdeterminowany, by pokazać Klausowi i wszystkim dookoła, że stać go na to, by osiągnąć sukces. I już nie interesowało go, jakim to się odbędzie kosztem. Był gotów na wiele poświęceń. Nawet na to, by zaprzyjaźnić się z Żydówką i udawać, że wcale mu to nie przeszkadza.

Szczęście mu dopisało, bo znajomy załatwił mu wejściówkę na mecz o Puchar Davisa, który odbywał się w dzielnicy Grunewald. Był pewny, że na takim wydarzeniu nie może zabraknąć Belli Fromm i w lipcowy poranek podążył przez bujny lasek Grunewaldu, by dotrzeć na rozgrywkę, którą mieli rozegrać: Brytyjczyk — Bunny Austin i niemiecki Żyd — Daniel Prenn. Cieszyłby się znacznie bardziej, gdyby po niemieckiej stronie grał prawdziwy Niemiec, ale przecież nie jechał na mecz jako kibic.

Bella Fromm oczywiście się zjawiła i zanim zaczęła się rozgrywka, biegała z notatnikiem od jednej ważnej osobistości do drugiej. Max wyciągnął ołówek i swój notes, po czym podszedł do dziennikarki i zagadnął:

— Dzikie tłumy dzisiaj zawitały do Grunewaldu.

— To wydarzenie sezonu. W końcu Niemiec walczy o bardzo wysoką stawkę. — Uśmiechnęła się do niego.

Max chciał powiedzieć coś złośliwego pod adresem niemieckiego zawodnika, ale ugryzł się w język, bo nie chciał zrażać do siebie Belli.

— Idę do loży dla specjalnych gości — zablefował. Nie miał przepustki, by się dostać w to miejsce, liczył jednak, że przyklejając się do osoby tak znanej, jak Bella Fromm, uda mu się tam wejść. A wówczas potraktują go jak kogoś równie ważnego, jak ta dziennikarka.

— Ja też. — Zmierzyła go od stóp do głów. Musiał zrobić na niej dobre wrażenie, bo dodała: — Zatem chodźmy razem.

Max Geyer nie był już tak przeraźliwie chudy, jak kiedyś. Przestał rosnąć w szalonym tempie, zatrzymując się na stu osiemdziesięciu siedmiu centymetrach, zaczął normalnie jadać i dbał o tężyznę, by pewnego dnia przejść pozytywnie test na esesmana. Zebrał nawet dokumentację dotyczącą jego rodziny, która wykluczała istnienie Żydów w jego familii do trzech pokoleń wstecz.

Przez moment miał nawet chęć podać ramię Belli, by jeszcze bardziej ją zauroczyć, ale wydawało mu się, że nie byłby w stanie znieść dotyku Żyda. Wskazał więc jedynie dłonią bramkę, by przepuścić ją pierwszą do sektora zajmowanego przez berlińską śmietankę towarzyską. W istocie obecność panny Fromm sprawiła, że nikt nie zainteresował się, czy jej towarzysz ma prawo przebywać w takim miejscu. Stanęli tuż obok Billa Tildena, amerykańskiego tenisisty, który przybył kibicować Prennowi i za każdym razem, gdy ten zdobywał punkt, klaskał jak oszalały. Tuż obok Tildena stał hrabia von der Schulenburg, członek związku tenisa, i miał posępną minę.

Co zrozumiałe, ani Bella, ani Max nie ośmielili się przerywać oglądania meczu nikomu z gości, obserwowali więc, tak jak inni, kort. W końcu batalię wygrał Prenn, co wprawiło większość zebranych w euforię, bo oto Niemiec w końcu wygrał z wielkim Austinem.

— Że też musiał wygrać Żyd — parsknął hrabia i skubnął okazałego wąsa.

Owo stwierdzenie wypowiedziane po cichu, niemal pod nosem, dotarło jednak do uszu Belli, która momentalnie podchwyciła temat.

— Panie hrabio, nie jest pan zadowolony? Przecież wygrał Niemiec.

— Wygrał Żyd — warknął von der Schulenburg.

— Wolałby pan, żebyśmy przegrali, a puchar zdobył Anglik? — ciągnęła niezrażona Bella.

— Nie to miałem na myśli — wymamrotał hrabia i dodał: — Pani wybaczy, muszę zająć się zagranicznymi gośćmi.

Bella nie naciskała dalej. Stała z zaciśniętymi ustami i zmrużonymi oczami, jakby miała ochotę udu-

sić przedstawiciela Niemieckiego Związku Teniso-
wego.

— Następny cholerny żydożerca — syknęła. — Jest
taki sam jak Hitler, Himmler i Goebbels. Wszyscy
trzej mają obsesję na punkcie Żydów, jakby nie było
ważniejszych spraw w tym kraju.

Geyer nie chciał wyrażać zbyt natarczywie swoich
poglądów, by nie zrażać do siebie panny Fromm, ale
nigdy nie potrafił trzymać języka za zębami, gdy coś
go nurtowało.

— Ale sama pani przyzna, że Niemcy powinny
być niemieckie.

— Prenn jest Niemcem — odrzekła.

— I Żydem...

— Jedno drugiego nie wyklucza. A ci panowie,
których wymieniłam, tak bardzo zakochani w czystej aryjskiej rasie, są przeciwieństwem ideałów,
które tak bardzo wielbią. Mali, niewydarzeni i nie-
obdarzeni blond włosami. — Prychnęła.

— Tu bardziej chodzi o pochodzenie, a nie o sam
wygląd.

— Czyżby pan także nienawidził Żydów? — warknęła, rozzłoszczona.

— Ależ skąd. — Max machnął ręką, chociaż miał
ochotę krzyknąć, że owszem.

Tak bardzo, iż z całego serca kibicował Brytyjczy-
kowi, „Wielkiemu Bunny'emu". Obawiał się jednak,
że gdy dobitnie powie Belli Fromm, co myśli o Żydach, ta odwróci się na pięcie i odejdzie.

— A mówisz pan tak, jakbyś popierał poglądy nazistów w tej materii.

— Próbuję jedynie ich zrozumieć — wymamrotał.

— Proszę pana, miałam możliwość, by rozmawiać z każdym z nich. Ale nie chciałam, bo nie zamierzałam patrzyć, jak wgapiają się we mnie z obrzydzeniem. Nie będę więc zabiegała o wywiad z nimi, mimo że stają się coraz bardziej popularni. I nie chcę przykładać ręki do ich promowania. Mam nadzieję, że w kolejnych wyborach pójdzie im jeszcze marniej i zginą w tłumie innych ekstremistycznych polityków.

— Ja nie jestem zbyt doświadczonym dziennikarzem — powiedział Max, chociaż jego staż w tym fachu był dłuższy niż Belli Fromm, która rozpoczęła swoją dziennikarską przygodę zaledwie rok wcześniej. — Taki wywiad, na przykład z Hitlerem albo Himmlerem, bardzo podniósłby moje notowania.

— Rozumiem. — Pokiwała głową i w końcu się uśmiechnęła. — Jeśli zaprosi mnie pan na dobrą kolację, podam panu numer telefonu do pewnej zacnej damy, która ułatwi panu stosunki z nimi. Rzecz jasna, będzie się pan mógł na mnie powołać. Mam jedynie nadzieję, że nie pracuje pan dla jakiegoś poczytnego dziennika. Nie chciałabym przyłożyć się do zwiększania ich popularności.

— Chyba powinienem się na panią obrazić. — Uśmiechnął się nieszczerze.

— Miły panie, jak powiedziałam, nie chcę, by ci dranie zdobywali popularność, a co za tym idzie, poparcie społeczne. Ludzie uwielbiają, jak im się dużo obiecuje. Zwłaszcza że można mieć coś, zabierając innym. A oni świetnie potrafią obiecywać.

— No cóż, pracuję w „Zentralblatt für Okkultismus"...

— Więc po cóż panu politycy? — Roześmiała się.

— Winien pan raczej szukać magików, wróżek i chiromantów.

— Zajmuję się różnymi tematami. Między innymi starogermańskimi wierzeniami, a to jest ściśle powiązane z ideologią partii nazistowskiej. Zresztą... Powiem pani w sekrecie. Chciałbym już wyrwać się z „Zentralblatt für Okkultismus" i pisać dla jakiegoś ważniejszego tytułu. Dzięki takim wywiadom zwrócę uwagę innych, większych wydawców.

— Ma pan rację, Himmler przez większość czasu bredzi w wywiadach o powrocie do korzeni, spokojnego, idyllicznego i prostego życia na roli. Dziwi mnie tylko, dlaczego nie kupił sobie kawałka ziemi, nie przebrał się w płócienne gacie i nie orze pola. O, przepraszam, coś tam działał w tym kierunku, ale zdaje się, nie bardzo mu to wyszło.

Bella była bardzo złośliwa i nie ukrywała tego przed Geyerem, chociaż dopiero co się poznali i powinna być nieco bardziej powściągliwa. A może gdzieś w duchu Max po prostu denerwował się, że ta żydowska plotkara tak lekceważąco wypowiadała się o czymś, co dla niego było ważne. Jednak jej kontakty były nieocenione, więc pozwalał jej wylewać pomyje na NSDAP i już nie komentował jej wypowiedzi. Do tego stopnia zależało mu na znajomościach panny Fromm, że postanowił zaprosić ją na kolację i obiecał sobie, że zniesie każde plugawe słowo, jakie kierowała pod adresem nazistów.

છ

Max Geyer ani przez chwilę nie żałował swojej znajomości z Bellą Fromm i nawet chwilami zapominał, że jest Żydówką. Znała wszystkich dyplomatów, ministrów i każdego, kto się liczył w Berlinie. Któregoś dnia zapoznała go nawet z amerykańskim dziennikarzem „New York World", Karlem Henrym von Wiegandem, który właśnie wybierał się do Monachium, by przeprowadzić wywiad z Hitlerem. Max zazdrościł mu tego z całego serca, mimo iż ten wybitny dziennikarz uważał przywódcę NSDAP za postać dość marginalną na niemieckiej scenie politycznej.

Z otwartymi ustami słuchał opowieści swojej nowej znajomej o locie Grafem Zeppelinem z Friedrichshafen do New Jersey.

— Ta maszyna powietrzna to nie tylko płótno i aluminium — perorowała podekscytowana Bella.

— Ten stwór ma duszę. Sto dwadzieścia godzin lotu, a ja nie miałam ochoty z niego wysiadać.

— Wiegand, oczywiście, też tam był — bardziej stwierdził, niż zapytał Max.

— Oczywiście, on reprezentował koncern medialny Hearsta. Ale była także kobieta, która po raz pierwszy jako pasażerka pokonała samolotem Atlantyk — wzdychała Bella, wciąż podekscytowana podróżą, mimo że ta odbyła się rok wcześniej.

Nie lubił tylko, gdy zajmowała się tropieniem antysemitów. Z pogardą wyrażała się o amerykańskim producencie samochodów, Henrym Fordzie, który pałał wyjątkową niechęcią do Żydów i podejrzewano nawet, że to on stoi za rozpropagowaniem słynnych już *Protokołów mędrców Syjonu*. Geyer także interesował się tym dokumentem i uważał go za jak najbardziej prawdziwy, a Ford stanowił dla niego autorytet.

Mimo że ich znajomość mocno się zacieśniła, Bella wciąż chroniła osoby, które mogłyby mu pomóc. Nęciła go eleganckimi wizytówkami wpływowych ludzi, jednak zapoznawała głównie z innymi dziennikarzami, tak jakby chciała pokazać mu, jak daleko można zajść w tym fachu. Tak daleko, iż nawet Hitler nie śmie odmówić takim osobom udzielenia wywiadu.

Któregoś dnia zaprosiła go do siebie. Chciał wykręcić się od tej wizyty, bo wyczuwał, że Bella ma na niego ochotę. On udawał, że nie zauważa jej powłóczystych spojrzeń i aluzji, jakie czyniła, by w końcu skonsumowali tę sympatyczną znajomość.

— Zostawiłam notes z telefonami i wizytówkami w domu. Jeśli chcesz jakieś kontakty, po prostu musisz do mnie przyjechać. — Westchnęła, wznosząc oczy do nieba.

Nie był idiotą. Między wierszami panna Fromm dała mu do zrozumienia, czego oczekuje w zamian za listę jej kontaktów. Całe popołudnie zastanawiał się, czy gra jest warta świeczki i czy uda mu się przezwyciężyć niechęć do Belli. Próbował sobie wmawiać, że jego nowa znajoma wcale nie jest Żydówką, bo podobnie jak piękna Angela, w ogóle jej nie przypominała. A zapewne gdy zgaśnie światło, będzie jeszcze łatwiej mu zapomnieć, kim jest. Zdawał sobie także sprawę, że kluczem do jego sukcesu jest właśnie Bella. Wypili butelkę wina, potem kolejną, aż w końcu Maxowi było już wszystko jedno.

Kiedy obudził się rano w jej łóżku, ze zdziwieniem stwierdził, że panna Fromm, mimo iż jest Żydówką, nie różni się niczym od innych kobiet, z którymi od czasu do czasu sypiał. Co prawda osoba, do której kontakt otrzymał, nie załatwiła mu spotkania ani z Hitlerem, ani z Himmlerem, ale poznał wiele innych wpływowych osób. Bella zabierała go na różne imprezy z ich udziałem i wierzył, że pewnego dnia natknie się na kogoś, kto mu w tym pomoże.

Ich sielankę, kiedy to bawili na berlińskich salonach, przerwała druzgocąca informacja o krachu na Wall Street. Mimo że Ameryka była daleko, jednak każdy, nawet tylko trochę zorientowany w sprawach gospodarczych Niemiec, wiedział, że to wydarzenie odbije się głośnym echem w ich kraju, a ambitny i świetnie skonstruowany plan Dawesa, runie jak domek z kart. Transze pożyczek, jakie spływały do Niemiec, by uratować kraj przed ruiną, z dnia na dzień zostały zamrożone, a widmo kryzysu z początku lat dwudziestych objawiło się w pełnej krasie.

4.

— Wiedziałem, że tak to się skończy — sarkał Wilhelm podczas kolacji, na którą von Reussowie zaprosili kilkanaście osób. — Przysłowie mówi: „Umiesz liczyć, licz na siebie". My sądziliśmy, że Amerykanie są dla nas jedyną deską ratunku i uczepiliśmy się jej, jak uboga panna bogatego fatyganta. A tu, proszę. Krach na giełdzie, bankructwa banków i Ameryka zakręciła kurek z pieniędzmi.

— Dziwię się, że twój astrolog tego nie przewidział — kąśliwie powiedział Herbert.

— Mówił, mówił, że stanie się coś złego — warknął Wilhelm i na powrót zaczął rozprawiać o polityce, której wszyscy goście siedzący przy stole mieli chyba już dosyć.

— Błagam, Daisy, ratuj — szepnął Herbert do ucha siedzącej obok niego dziewczyny.

Ta zachichotała cicho, a potem oznajmiła, że właśnie zrobiło się jej słabo i musi odetchnąć świeżym powietrzem. Herbert w mig pojął, w czym rzecz i zerwał się na równe nogi, by zająć się swoją towarzyszką i wyjść z nią na spacer.

Kiedy znaleźli się na ulicy, Daisy zapytała ze śmiechem:

— I co zrobimy z tym pięknie rozpoczętym wieczorem? Może pojedziemy na Potsdamer Platz? Wieczorami jest tak cudownie oświetlony, że mogłabym tam spędzić całą noc.

— Obawiam się, że mogłabyś zamarznąć — powiedział Herbert.

Po chwili zatrzymał się i poprawił szal, którym niezbyt dokładnie owinęła się Daisy.

— Jesteś taki opiekuńczy, Herbercie — westchnęła.

— Nie dla każdej, Daisy. A właściwie jestem taki tylko dla ciebie.

— Uwodzisz mnie, Herbercie? — zapytała zalotnie.

— Robię to od kilku miesięcy, a ty nawet tego nie zauważyłaś. Naprawdę muszę fatalnie się spisywać.

— Roześmiał się.

Wsiedli do dorożki, gdy Daisy powiedziała niepewnie:

— Wiesz, Herbercie, musisz coś o mnie wiedzieć.

— Chcę wiedzieć o tobie wszystko.

— To zaczęło się jeszcze w dzieciństwie... — powiedziała, a po chwili przygryzła wargę i zamilkła.

— Daisy, jeśli kiedyś wrzuciłaś do pieca żywego królika, poradzę sobie z tym. — Ujął jej dłoń i ścisnął.

— Ach, nie... — jęknęła. — Wiesz, moja mama kiedyś chciała popełnić samobójstwo. Z powodu ojca. A może raczej z powodu jego kochanki. Pamiętam doskonale tę awanturę. Tata twierdził, że ta kobieta jest miłością jego życia i nigdy nie czuł niczego podobnego. Ojciec po prostu chciał odejść od nas i związać się z tamtą kobietą. Wtedy mama powiedziała, że się zabije. Tata machnął ręką, coś prychnął pod nosem i wyszedł z domu, trzaskając drzwiami.

Tej nocy moja matka próbowała się powiesić, ale znalazłam ją w porę, zaczęłam krzyczeć i przybiegł Manfred, który odciął sznur. Ojciec został z nami, ale matka cierpiała tak bardzo, że chwilami nawet sądziłam, iż źle postąpiłam, udaremniając popełnienie przez nią samobójstwa. Kilka lat później rozmawiałam z nią na ten temat. I ona powiedziała mi, że najgorzej jest kogoś kochać tak mocno, jak ona ojca, a potem patrzeć, jak inna kobieta go zabiera. I tak sobie niekiedy myślę, że i ja bym czegoś takiego nie przeżyła.

Herbert na początku nie bardzo wiedział, dlaczego Daisy mu to opowiada, ale po chwili doszedł do wniosku, że próbuje go wybadać, jaki on ma stosunek do wierności małżeńskiej.

— Daisy, ożenię się z kobietą, którą pokocham całym sercem i na zawsze. Nie chcę mieć przy boku żony, która nic dla mnie nie znaczy. Nie zamierzam być jednym z tych mężczyzn, którzy po kilku latach małżeństwa szukają sobie kolejnej miłości — powiedział spokojnie i naprawdę wierzył w to, co mówi.

Może został tak wychowany, bo dla jego ojca rodzina była świętością. Wilhelm uważał, że młody mężczyzna może wyszumieć się przed ślubem, potem zaś dogadzać sobie jedynie z małżonką.

— A jakie mam szanse, żeby stać się tą kobietą? — zapytała cicho.

Zdziwiło go to pytanie, bo jak dotychczas Daisy zachowywała się dość powściągliwie, gdy on dwoił się i troił, by zwrócić jej uwagę. Nie potrafił jednak powiedzieć, czy Daisy jest tą jedyną i na wieki. Nie widywali się zbyt często, rozmawiali o mało ważnych sprawach i jedyne, do czego mógłby się przyznać, to do fascynacji jej osobą. Po prostu podobała mu się. Wydawała się taka krucha, delikatna i subtelna. Może nawet był w niej zakochany, ale wciąż nie stracił przez nią ani apetytu, ani snu. Zajmował się swoimi sprawami, których miał aż nadto w porównaniu z jego kolegami, i potrafił się na nich skupić, nie myśląc o Daisy. Wierzył jednak, że z czasem jego zauroczenie zamieni się w głębokie uczucie, bowiem wydawało mu się, że ze wszystkich znanych mu kobiet ona jest najbardziej tego warta. Jednak nie był jeszcze gotowy, by składać jednoznaczne deklaracje. Postanowił więc obrócić wszystko w żart i zapytał zawadiacko:

— A jesteś dziewicą?

Daisy milczała. Popatrzył na nią. Miała pąsowe policzki, ale nie wiedział, czy to sprawił chłodny wiatr, czy po prostu się zarumieniła. Pomyślał, że pytanie było wyjątkowo głupie, bo Daisy gotowa była pomyśleć, iż od jej cnoty będą zależały jego uczucia do niej.

— A jeśli jestem? — zapytała ze złością.

— To cudownie — wydukał, zmieszany.

— A jeśli nie jestem?

— Dam sobie z tym radę. Jestem nowoczesnym mężczyzną — odparł.

— Więc, po co, u licha, mnie o to pytasz? — warknęła.

— Nie złość się. Z czystej ciekawości. — Uśmiechnął się do niej.

Aż do samego Potsdamer Platz milczała. Próbował ją rozweselić, ale była nieprzejednana i nawet nie wiedział do końca, dlaczego się tak wzburzyła, jeśli sama postanowiła zwierzyć mu się z intymnych sekretów dotyczących jej rodziny oraz podejścia do kwestii małżeńskich, mimo że nawet nie byli parą.

Pomógł wysiąść Daisy z dorożki i podał jej ramię. Wsunęła rękę i powiedziała:

— Oddam się tylko człowiekowi, którego pokocham i który pokocha mnie.

— Doskonale, zatem wciąż mogę mieć nadzieję, że będę tym pierwszym. — Uśmiechnął się zadowolony, iż chwilowy kryzys został zażegnany.

Nie wiedział, co ma myśleć o Daisy. Postawiła sprawę jasno, jednak jej podejście do pewnych spraw nieco go przeraziło. A co jeśli pójdą do łóżka, potem zaś coś się między nimi popsuje? A może Daisy każe mu czekać, aż wsunie jej obrączkę na palec? To było takie staroświeckie i trochę niebezpieczne. W obydwu przypadkach. Jednego był jednak pewny — ojciec będzie zachwycony taką porządną kobietą. On chyba też, bo nie chciałby mieć rozwiązłej żony, ale Daisy stawiała mu zbyt twarde warunki. Nawet jak na niego.

Wrócili do Schönebergu późnym wieczorem. Nikt jednak, ani z domowników, ani też z przybyłych gości, nie zapytał o samopoczucie Daisy, jedynie wymieniali się pełnymi pobłażania spojrzeniami i uśmiechali pod nosem, jakby doskonale wiedzieli, że ta parka po prostu pragnęła spędzić ze sobą czas bez tłumu ludzi w pobliżu.

Herbert napił się wina, a potem podszedł do gramofonu i włączył Josephine Baker, ale gdy tylko rozległ się jej chrapliwy głos, ojciec posłał mu mordercze spojrzenie, a potem syknął przez zaciśnięte zęby, że nie ma zamiaru słuchać jakiejś „czarnej małpy". Herbert wzruszył ramionami i zmienił płytę. Sam był rasistą i ksenofobem, ale nie aż takim, by nie docenić talentu kogoś, kto miał nieszczęście urodzić się czarny.

Zaraz po zmianie muzyki na *Parsifala* Wagnera miał zamiar z powrotem zaszczycić swoim towarzystwem Daisy, gdy stanął obok niego trochę już podchmielony Manfred von Sebottendorf, jej starszy brat.

— Ty bardzo interesujesz się moją siostrą — zagadnął w tonie pretensji.

— Któż nie interesowałby się Daisy? Jest piękna, słodka i mądra — odparł.

— To posłuchaj mnie, Herbercie von Reuss. Wiem, że lubisz się zabawić, ale z moją siostrą zabawiać się nie będziesz — wybełkotał Manfred.

— Nawet nie mam zamiaru. Ona nie jest taką dziewczyną.

— Cieszę się, że tak uważasz, bo jeśli kiedyś ją skrzywdzisz, zabiję cię — wysyczał młody von Sebottendorf.

— Po pierwsze, nie mam takich planów, a po drugie, nie życzę sobie, byś mi groził w moim własnym domu. Ja i Daisy jesteśmy na tyle dorośli, byśmy mogli sami podejmować decyzje dotyczące naszej wspólnej przyszłości, jeśli w ogóle się na nią zdecydujemy.

— Ona się w tobie zakochała — powiedział stanowczo Manfred. — Zawróciłeś jej w głowie... To wrażliwa dziewczyna. Tak jak jej matka.

Po chwili mężczyzna chwiejnym krokiem oddalił się. Herbert przełknął ślinę. Naprawdę nie chciał skrzywdzić Daisy i bardzo mu się podobała, ale wolałby, aby nikt nie szantażował go samobójstwem, gdy tylko coś pójdzie nie tak. Choć naprawdę, myśląc o małżeństwie, nie rozważał ewentualnych zdrad czy rozwodu, ale w życiu bywało różnie i niekiedy związki rozpadały się wcale nie z powodu kochanki. Tymczasem on, wiążąc się z Daisy, wciąż miałby z tyłu głowy próbę samobójczą jej matki, traumę dziewczyny z tym związaną, a w dodatku popędliwego braciszka, który właśnie straszył go śmiercią. To zrozumiałe, że nie chciał ranić nikogo, kto jest mu bliski, ale nie mógł być pewny, iż kiedyś nie zrobi tego bezwiednie. I w sposób zupełnie niezamierzony.

Odwrócił głowę i popatrzył na pannę Sebottendorf. Mimo że bardzo ją lubił i podobała mu się, postanowił zachować bezpieczny dystans. Nie cierpiał, gdy ktoś wywierał na nim presję, a nawet buntował się, gdy ojciec próbował go zmuszać do pewnych rzeczy. Był przekonany, że nie tolerowałby tego również w przypadku Daisy i jej brata. Wolał sam podejmować decyzje i rozważać je we własnym sumieniu. On także nikogo do niczego nie zmuszał, nawet swojej młodszej siostry. Mógł udzielić jej rady, pomóc, gdyby tego oczekiwała od niego, ale nie przyszłoby mu do głowy, by straszyć jej potencjalnego fatyganta. Chyba że poprosiłaby go o to albo w istocie ten ktoś uczyniłby jej jakąś krzywdę. Tymczasem on nie zdążył nawet zadeklarować się Daisy, a już czuł, jakby ktoś zaciskał mu jakąś cholerną obręcz na szyi. Pogratulował sobie, że nie zrobił kolejnego kroku, by ją uwieść, bo gdyby tak się stało, zapewne tego dnia już planowano by ich ślub.

5.

Od chwili, gdy Judith dowiedziała się o fałszerskiej działalności ojca, nie ustawała w wysiłkach, by poznać ten fach jak najlepiej. Niestrudzenie słuchała ojca i sporządzała notatki, które stary Kellerman nakazywał jej zostawiać w tajnym pokoju i pod żadnym pozorem nie wynosić na zewnątrz. Było to dość zrozumiałe, bowiem na jej zeszyt mógł zupełnie przypadkowo natrafić Serafin, który nie miał pojęcia ani o ukrytym za regałem atelier, ani też o nadprogramowych zajęciach swojego ojca. Na szczęście jej brat bardzo często przebywał poza domem, a nawet gdy w nim był, rzadko kiedy zaglądał do pracowni.

Była tak podekscytowana nowym zajęciem, że nawet nie martwiły jej rzadkie spotkania z Johannem. Na początku złościła się, że odkąd skończyła malować jego portret, poświęca jej zbyt mało czasu, ale teraz odpuściła sobie. Johann pracował jako nauczyciel angielskiego, a potem zajmowały go sprawy Komunistycznej Partii Niemiec, gdzie pełnił rolę doradcy kandydatów do Reichstagu. Mimo iż z roku na rok ich ugrupowanie miało coraz więcej przedstawicieli w parlamencie, ani Serafin, ani też Johann nie myśleli o wzięciu udziału w wyborach. Woleli pozostać w cieniu lub — jak niekiedy mawiali żartobliwie — upodobali sobie rolę szarych eminencji.

— Gotowa? — Usłyszała głos ojca.

Pokiwała głową i przestała zastanawiać się nad swoim związkiem z Johannem. Ojciec podszedł do jednej ze skrzyń i wyciągnął z niej zawinięty w grube płótno obraz. Postawił go na sztalugach i zdjął przykrycie. Judith zakryła dłonią usta i wydukała.

— Przecież to Rembrandt... *Uczta Baltazara*...

— Kochanie, dobrze wiesz, że to nie Rembrandt, tylko Kellerman, i w dodatku nieudany. A teraz mi powiesz, dlaczego nieudany. Masz tu autochrom obrazu, przypomnij sobie również, co ci mówiłem i... do dzieła.

— E... — Judith zrobiła grymaśną minę. — Myślałam, że nauczysz mnie malować tak, aby nikt nie rozpoznał, że ma do czynienia z falsyfikatem.

— Kochanie, najpierw musisz wiedzieć, jakich błędów unikać, potem zaś poznać historię danego obrazu. Jeśli jakiś wisi w Luwrze, Rijksmuseum albo w Mauritshuis, to nie ma sensu robić jego kopii, chyba że będziesz planowała go podmienić. Inaczej nie znajdziesz nabywców. Jeśli jednak w katalogach ujrzysz napis „kolekcja prywatna" albo stworzysz

pastisz, który może zostać potraktowany jako nieodkryte wcześniej dzieło, masz szansę zarobić dużo
pieniędzy.

— Rozumiem, u ciebie teoria zawsze była równie ważna, co praktyka — westchnęła i podeszła do
obrazu.

Ojciec podał jej lupę. Nachyliła się nad obrazem
i zaczęła oglądać go przez szkło powiększające.
Po chwili odłożyła je, klasnęła i powiedziała:

— Krakelura jest trochę za duża i wydaje mi się,
że tworzy zbyt geometryczne wzory. W autentykach
ma bardziej nieregularne kształty.

— Brawo, w istocie chciałem go zbyt szybko wysuszyć i schrzaniłem sprawę. Dlatego leży u mnie,
a nie wisi w czyimś salonie. Jednak właściwe suszenie to nie tylko odpowiednia temperatura, ale także
dobór spoiwa. Dostałem zlecenie od pewnych ludzi,
którzy chcieli dokonać podmiany w pałacu Edwarda
Johna Stanleya, hrabiego Derby, ale w końcu wyco-
fali się, a ja i tak nie mógłbym im dać takiej marnej
podróbki. Jednak w tym, co mówisz, jest pewien
haczyk. Takie pęknięcia mogą pojawiać się także
w oryginale. Wystarczyło, że ktoś powiesił mokry
obraz nad kominkiem. Wtedy także suszenie mogło
przebiegać zbyt szybko, aczkolwiek w sposób niezamierzony przez właściciela obrazu. Więc niekoniecznie musi to świadczyć o fałszerstwie. No, ale
szukaj dalej.

Zdjęcie, chociaż kolorowe nie oddawało idealnie
barw obrazu, ale postanowiła, że nie podda się, dopóki nie znajdzie kolejnych błędów, jakie popełnił

jej ojciec podczas tworzenia falsyfikatu. Zdjęła obraz ze sztalugi i odwróciła. Zaczęła przyglądać się splotom płótna. Było szorstkie, o diagonalnym splocie i nieco rzadszym w porównaniu ze współczesnymi materiałami.

— Od razu ci mówię, że tam nie szukaj. Płótno pochodzi z tamtego okresu, po prostu wykorzystałem inny obraz. Kiedy ujrzysz to, co możesz zobaczyć gołym okiem, dowiesz się, jak oszukać rentgen. Ale na razie skup się na czymś innym. To naprawdę marna kopia, więc powinnaś sobie poradzić.

Judith pomyślała, że nie doceniła kompletnie swojego ojca i za chwilę zobaczy płótno, jakie można było nabyć obecnie w każdym sklepie malarskim.

— Jak mogłam... — Roześmiała się. — ...posądzać cię o taką fuszerkę.

— Nie, skarbie, bardzo dobrze zaczęłaś. Najpierw jest tytuł obrazu i jego historia, potem sprawdzane jest podobrazie, zaprawa, imprimitura, podmalowania, laserunki, impasty i pigmenty warstwy zewnętrznej, a potem inne drobiazgi.

— A więc dlatego tak mnie męczyłeś i kazałeś uczyć się tych wszystkich detali? Sądziłam nawet, że nie wierzysz w mój talent i szykujesz mnie do zawodu marszanda albo rzeczoznawcy — westchnęła.

— Judith... — odparł ojciec. — Wierzę w twój talent bardziej niż w swój własny. Wiem jednak, jak wygląda sytuacja na rynku dzieł sztuki... A teraz, po tym całym krachu, będzie jeszcze gorzej. Być może pewnego dnia mimo ogromnego talentu, jaki posiadasz, znajdziesz się na skraju nędzy, a wówczas...

Nieważne, już o tym rozmawialiśmy. Patrz i sprawdzaj dalej, dopóki Serafin nie wrócił z miasta.

— Już wiem, już wiem! — ucieszyła się, oglądając fragment zaprawy, jaką posługiwał się malarz, a której kawałek można było dostrzec na bokach podobrazia. — Biel ołowiowa jest zbyt drobna, a przecież Rembrandt używał tej gorszej jakościowo. I ona miała grubsze ziarno.

— Tak, moja droga. Jednak coś zapamiętałaś. Rembrandt posługiwał się lootwitem z dużą zawartością kredy. Stąd te grubsze ziarna. Inni w tym czasie stosowali już schulpwit, ale nie nasz mistrz. Niestety, miałem duży problem z jego dostaniem. Ale popełniłaś inny błąd. Zastosowałem biały grunt, a Rembrandt stosował głównie ciemny. Ochrę zmieszaną z żywicą i klejem zwierzęcym. W *Uczcie Baltazara* także — odparł Kellermann, ale widać było po jego minie, że jest bardzo dumny z córki, mimo popełnionej przez nią gafy.

— Punkt dla ciebie... Żółcień mi się nie podoba. — Wydęła wargi.

— Żółcień akurat zastosowałem prawidłowy, massikot, ale w istocie kiepsko wyszedł. Jednak do tej pory kombinuję dlaczego.

— Hm... charakterystyczne żłobienia trzonkiem pędzla są — mówiła jakby do siebie. — Podmalowania niezbyt wielkie. Krakelura przybrudzona prawidłowo. I otworki są za małe, co świadczy o zamalowaniu obficie bielą ołowiową, a w tym obrazie nie było takiej potrzeby, bo, jak wspomniałeś, Rembrandt stosował jako podkład ochrę.

— Tak, w rzeczy samej. Zrobiłem zły podkład i stąd to zamalowanie. I wiesz coś, o czym mało kto wie. Mądrale piszą o licznych podmalowaniach, wręcz kilku warstwach szpachli na obrazach Rembrandta, ale to nieprawda. Robił impasty w refleksach jednym pociągnięciem, ale nakładał na pędzel sporo farby, która potem rozchodziła się po jego śladach. Tak jak masz przy złotej klamrze.

— Co do sygnatury, to nie wiem, ale chyba nawet najwięksi specjaliści mają z tym problem. On lubił zmieniać swój charakter pisma i umieszczać sygnatury niekiedy pod werniksem. Na płaszczu pojedyncze pociągnięcia, gładki czarny laserunek sukni... Mankiet malowany naprzemiennie ciemną i jasną farbą. To jest zrobione po mistrzowsku — mówiła Judith.

— Tak, podpis Rembrandta najmniej zaprząta głowę jego badaczom, bo właściwie nie ma możliwości stwierdzenia ponad wszelką wątpliwość, czy podpis należy do niego, czy do fałszerza, a może nieudolnego konserwatora. Zresztą do tej pory nie wiadomo, ile z tych obrazów wiszących w słynnych galeriach świata w istocie malowane było ręką wielkich mistrzów, a ile z nich to świetne falsyfikaty. Nawet rentgen można oszukać, stosując sole metali, które rozpuszczają pozostałości po starym malowidle.

— A spoiwo? Obraz wygląda naprawdę, jakby miał ze trzysta lat i nie tylko dzięki przybrudzonej krakelurze — zapytała ciekawie.

— Ech, męczyłem się z tym strasznie i kombinowałem ze wszystkim, co się dało, nawet z żółtkiem.

Tak, wiem, że używano go głównie do temper, ale w pewnej chwili imałem się różnych dziwnych spoiw. I w końcu wpadłem na to, by wykorzystać bakelit. Przecież jego skład to nic innego, jak fenol, czyli kwas karbolowy i formaldehyd, którego używa się do balsamowania. Obydwa preparaty bez trudu nabyłem w aptece. Obawiałem się, że gdy po podgrzaniu otrzymam żywicę, ta będzie zbyt lepka, by idealnie połączyć się z pigmentem. W istocie kolor na początku wyszedł nieciekawy, a formaldehyd cuchnie paskudnie, ale okazało się, że przy zamalowywaniu małych fragmentów farba rozprowadza się zupełnie dobrze, a na końcu daje efekt starego werniksu. Jeśli jednak zechcesz malować w ten sposób większe partie, to cholerstwo będzie się kleiło i ciągnęło jak guma.

— I tylko tyle? — Judith uniosła brwi.

— Dodałem jeszcze nieco oleju bzowego. Tylko? — Ismael się roześmiał. — Nawet nie wiesz, ile nocy spędziłem, by dobrać właściwe proporcje tych składników, a potem odpowiednią temperaturę pieca.

— Rozumiem, że na dzisiaj koniec ze zgadywankami? — Judith ze świstem wypuściła powietrze.

— Prawdę mówiąc, nie mam więcej kopii, na których mogłabyś szlifować swoją wiedzę, bo, oczywiście, nie liczę tych spaskudzonych *Drzew oliwnych* van Gogha. Miałem ten obraz jedynie poprawić, ale był zrobiony tak nieudolnie, że nic mu nie pomogło, więc namalowałem go od początku.

Judith posmutniała. W sprawie fałszywych van Goghów toczyło się śledztwo i dziewczyna obawiała się, że jakimś cudem policja dotrze także do jej ojca.

On jednak pocieszał ją, iż sprawa jest na tyle zagmatwana, że zapewne umrze śmiercią naturalną, a pomysłodawca całego przedsięwzięcia uniknie odpowiedzialności karnej. Jak to powiadał ojciec, Wacker, milcząc, najbardziej pomagał sobie.

༄

Wieczorem Johann zabrał ją do kina na *Całuję twoją dłoń, madame*, pierwszy europejski film dźwiękowy, z Marleną Dietrich. Ona jednak nie mogła skupić się ani na fabule, ani też na ukochanym. Wciąż myślała o tych wszystkich detalach starych obrazów, o których wspominał jej ojciec.

— Coś się dzieje, moja droga? — zapytał Johann, gdy wyszli z kina. Nie umknęło jego uwagi, że zazwyczaj roześmiana i żywiołowa Judith tego wieczoru była milcząca i zamyślona.

Dziewczyna nie mogła, ze zrozumiałych względów, powiedzieć o tym, co kołatało jej w głowie. Postanowiła skłamać.

— Wiesz, martwię się tym całym krachem w Ameryce. Wszystkie gazety piszą, że to już koniec dobrobytu i więcej pieniędzy nie dostaniemy.

— Niemcom potrzebne są reformy. I to głębokie. A nie kredyty zza oceanu — odparł. — Gdy zdobędziemy władzę, zaprowadzimy poważne zmiany. I nie będzie lepszych i gorszych obywateli.

— Wszyscy będziemy mieli jednakowo źle. — Uśmiechnęła się smutno.

— Skarbie, jeśli bogaci podzielą się z biednymi, nikt nie będzie głodował. A nad całą gospodarką będzie czuwało państwo. Więc nie martw się. Jeśli znowu nadejdzie kryzys, ludzie zaczną wierzyć komunistom. Zawsze w takich sytuacjach dochodzi do zmiany władzy, a niekiedy także ustroju.

— Bardziej obawiam się nazistów, bo oni nienawidzą Żydów. Wy chcecie zabierać bogaczom, oni Żydom. Nie cierpię ich i czuję pogardę do każdego, kto ich popiera. Potrafię patrzeć na nich jedynie z obrzydzeniem.

— Nie dopuścimy do tego, by rządzili naszym krajem — powiedział hardo Johann. — Nie martw się na zapas.

— Wiesz, chciałam studiować na akademii, ale jeśli dotknie nas taka bieda jak w dwudziestym trzecim, to moje marzenia legną w gruzach, bo ojca po prostu nie będzie stać na to, bym studiowała.

— Jeśli zdobędziemy władzę, nauka będzie opłacana przez państwo w całości i każdy, kto zechce się uczyć, otrzyma taką możliwość, a rodzice nie będą musieli takiego młodego człowieka utrzymywać, bo wszystko zapewni rząd.

— Obawiam się, Johannie, że żyjesz mrzonkami. Nawet jeśli zabierzecie bogatym, to i tak nie wystarczy, by wszystkich, którzy chcą się uczyć, utrzymać. Każdy będzie wolał iść do szkoły niż do pracy w kopalni czy na polu.

— Nie każdy, moja droga. Niektórzy z trudem kończą kilka klas i oddychają z ulgą, gdy nie muszą kontynuować nauki.

— Pięknie to brzmi. Poopowiadaj jeszcze, jak to będzie cudownie, gdy zdobędziecie władzę, a wszystkich nazistów pozamykacie w więzieniach.

— Tak, chcemy, żeby wszyscy żyli w symbiozie. Niemcy, Żydzi, Cyganie. I żeby nie było na świecie kolonializmu, wyzysku i nierówności. Zobaczysz, będzie zupełnie inaczej, gdy wygramy. Sprawiedliwiej.

— To dlaczego jeszcze nie wygraliście? — Roześmiała się.

— Bo propaganda robi swoje. Straszą bolszewikami jak jakimiś potworami, a oni z pewnymi sprawami już się uporali i zbudowali nowe państwo od podstaw. My chcemy także zaprowadzić nowy ład i stworzyć zupełnie inny kraj. — Johann naprawdę wierzył w to, co mówił.

— Ta nazistowska armia bezrozumnych brutali nigdy do tego nie dopuści — mruknęła Judith.

— Tak, czasami mam wrażenie, że cała NSDAP razem z ich bojówkami to szaleńcy. Ich nie powinno się zamykać w więzieniach, tylko w szpitalach dla obłąkanych — zakpił Johann.

— A jednak są niebezpieczni. Za każdym razem, gdy masz zebranie komitetu partii, trzęsę się ze strachu, że znowu te oprychy na was napadną i zrobią wam krzywdę. Wydaje mi się, że oni w ogóle nie mają ani mózgów, ani serc, tylko chore instynkty. — Zmarszczyła czoło.

— Ale jeśli się poddamy, oni mogą stać się jeszcze bardziej pewni siebie. Jeśli zaś zostaną znaczną siłą polityczną, nawet nie chcę się zastanawiać, co zrobią z myślącymi inaczej.

— I z Żydami... — mruknęła.

— No, właśnie — odparł Johann, po czym dodał: — Wiesz, nie chcę już rozmawiać o polityce,
a tym bardziej o tych draniach z NSDAP.

— A co chciałbyś robić? — zagadnęła.

— Hm... Najbardziej chciałbym usiąść z tobą
w jakimś ciepłym miejscu i całować cię do utraty
tchu. A kto wie, może...

Judith przerwała mu:

— Johann, wiesz, że kocham cię bardzo, ale nie
jestem jeszcze gotowa na coś więcej niż pocałunki
i pieszczoty.

— Wiem, kochanie. Dlatego cierpliwie czekam,
aż do tego dojrzejesz. Zresztą nie tylko z tego powodu. Chcę się z tobą ożenić i dlatego marzę, chyba
jako jedyny mężczyzna na świecie, żebyś szybciej się
zestarzała.

— Może zrobiła się odrobinę starsza? — Roześmiała się. — Lepiej brzmi.

— Oczywiście, skarbie. Okropny ze mnie człowiek, nawet nie potrafię pięknie mówić do ukochanej kobiety. A uczę innych, by ładnie przemawiali —
odparł, trochę zmieszany.

— Masz wiele innych zalet.

— Na przykład jakich?

— Jesteś dla mnie bardzo dobry. I wyrozumiały,
gdy zamykam się w pracowni na wiele godzin —
westchnęła.

— Rozumiem twoją pasję i wolę, byś zamykała
się ze sztalugami, a nie z jakimś przystojniakiem.

— Pocałował ją w policzek.

— Niekiedy wydaje mi się, że w ogóle nie chciałabym stamtąd wychodzić. Czy to normalne? — mruknęła.

— Uważaj, o czym marzysz. — Zaśmiał się i dodał: — Ja też niekiedy spędzam całe popołudnia i wieczory w komitecie. A gdy nadejdą wybory, w ogóle się stamtąd nie ruszę. Jakaż kobieta by to zrozumiała, Judith? — powiedział zupełnie poważnie.

— Taka, która potrafi malować przez kilkanaście godzin bez przerwy. — Przytuliła się do niego.

W istocie nikt, kto nie angażował się w swoje zainteresowania tak mocno, jak ona, nie byłby w stanie pojąć, że tam, gdzie jest, czas płynie inaczej, a świat zewnętrzny znika. Na szczęście Johann miał swoją działalność partyjną i akceptował jej zachowanie. Tak jak ona jego. Była w nim zakochana po uszy. A im dłużej go znała, tym bardziej utwierdzała się w przekonaniu, że jest to mężczyzna idealny dla niej.

6.

ista gości obecnych na otwarciu galerii Wackera leżała na biurku Rudolfa Dorsta, a on wpatrywał się w nią jak pątnik w święty obraz. Nie mógł porozmawiać ze wszystkimi, zajęłoby mu to zbyt wiele cennego czasu, więc musiał wyłuskać z tej rzeszy ludzi tych, którzy mogli wydawać się podejrzani. Tylko problem polegał na tym, że nikt nie wydawał się podejrzany. A może wszyscy? Każdy mógł maczać palce w tym procederze, tylko czy w istocie ten ktoś był jak morderca powracający na miejsce zbrodni? A jeśli nawet, czy akurat tego dnia się pojawił w galerii? Rudolf miał także chęć poznać opinie gości. To nie byli ludzie z ulicy, ale wytrawni znawcy tematu i był ciekawy, czy któryś z nich, tak jak on, od razu spostrzegł, że z obrazami w galerii Wackera jest coś nie tak. I nie chodziło nawet o podejrzane pochodzenie dzieł ani też o oszałamiającą ich liczbę, ale o pociągnięcia pędzlem, charakterystyczne dla tego malarza, czy rodzaj farb użytych podczas tworzenia dzieła.

Udał się do komisarza Thomasa, nadzorującego śledztwo, i przedstawił listę. Ten popatrzył na niego zdziwiony i orzekł:

— Rudolfie, to ponad setka ludzi. Z całego kraju i nie tylko. To będzie ciągnęło się miesiącami, a ja i tak uważam, że fałszerz musiałby być idiotą, by przychodzić tego dnia do galerii. Po co miałby to robić?

Komisarz miał słuszność, jednak intuicja podpowiadała Rudolfowi, że osoba czy też osoby, które skopiowały van Gogha, przybyły na wernisaż. Może po to, by sprawdzić reakcję osób tam zgromadzonych.

— Mam przeczucie, że była tam osoba, która może coś wiedzieć albo o tych obrazach, albo o Wackerze — powiedział niepewnie.

Thomas pokręcił głową.

— Nawet jeśli masz rację, na pewno nie był to nikt z zagranicy. To musiał być ktoś stąd. Wacker większość swojego życia spędził w Berlinie, podróżować zaczął dopiero, gdy nieco się wzbogacił na tych falsyfikatach.

— Był w Holandii. U Baarta de la Faille'a i Bremmera. A odwiedził ich, zanim obrazy zostały wystawione w galerii.

— Z tej listy wynika, że jedynie de la Faille był na otwarciu, a z nim już rozmawiałeś dzięki uprzejmości policji holenderskiej, więc doskonale wiesz, co mogłeś z niego wyciągnąć. Właściwie nic. Zezwolę ci jedynie na przesłuchanie osób, które mieszkają w Berlinie. Ja też mam swoje przeczucia i one mi mówią, że to tutaj musimy poszukać fałszerza.

Rudolf pokiwał głową i zastanawiał się, kiedy i dlaczego Wacker wpadł na pomysł, by z tancerza erotycznego i współwłaściciela firmy taksówkowej przeistoczyć się w marszanda i handlarza dzieł sztuki. A raczej w oszusta, który postanowił dorobić się majątku na falsyfikatach.

Po powrocie do swojego pokoju wyłuskał z listy gości tych, którzy mieszkali w Berlinie. A była ich zatrważająca większość. Rozpoczął więc żmudne przesłuchania, jeżdżąc do domów zaproszonych wówczas osób. Nie chciał wzywać ich do komendy, bo po pierwsze wolał, by czuli się bezpiecznie i swobodnie, a po drugie zapewne posypałyby się na niego skargi, że nęka tak znakomite osobistości.

Późnym popołudniem dotarł do mieszkania von Reussów i najgrzeczniej, jak tylko potrafił, poprosił o rozmowę z Wilhelmem von Reussem, który zaszczycił swoją obecnością galerię Wackera w dniu jej otwarcia. Jednak zamiast niego w holu ujrzał wysokiego młodego mężczyznę.

— Ojca nie ma, jest w siedzibie partii, ale niebawem powinien zjawić się na obiad. Może pan poczekać, jeśli pan chce. Nazywam się Herbert i jestem synem Wilhelma.

Rudolf pokiwał głową i przeszedł z mężczyzną do salonu. Czuł się trochę niepewnie w tych przepastnych wnętrzach pełnych dzieł sztuki, głównie obrazów wyglądających na wiekowe i cenne. Herbert zaproponował mu herbatę i był bardzo uprzejmy. Kiedy już zasiedli w kwiecistych fotelach, mężczyzna zagadnął:

— Niezła heca z tymi van Goghami. Ojciec wcale nie miał ochoty iść na ten wernisaż, ale jego przyjaciel, a jednocześnie jeden z najlepszych berlińskich marszandów przekonał go, że obrazy van Gogha to niezła lokata kapitału.

— To raczej kompromitacja całego środowiska, no i, nie ukrywam, berlińskiej policji kryminalnej. — Rudolf uśmiechnął się sztucznie.

— Dlaczego policji? Wy nie musicie znać się na obrazach i pilnować każdego potencjalnego oszusta. — Herbert machnął ręką. — A ci wszyscy fachowcy od siedmiu boleści do tej pory trwają przy swoim zdaniu, choć nie wiadomo, czy naprawdę są przekonani co do autentyczności tychże dzieł, czy może obawiają się o swoją reputację.

— Pana ojciec jednak nie zakupił ani jednego z tych okazów...

Herbert upił łyk herbaty i uśmiechnął się.

— *Herr Leutnant*, mój ojciec należy do kolekcjonerów pasjonatów i nigdy nie traktował sztuki jako lokaty kapitału. On po prostu uwielbia otaczać się pięknymi, wiekowymi przedmiotami. Nie gustuje jednak w sztuce nowoczesnych malarzy, a do takich zalicza między innymi van Gogha. Po prostu nie ceni go zbyt wysoko. Uwielbia malarstwo siedemnastowieczne, ewentualnie wcześniejsze, więc te obrazy nie były w kręgu jego zainteresowań.

— Zatem dlaczego poszedł na otwarcie? — zdziwił się Rudolf.

Herbert von Reuss westchnął.

— Myślę, że zrobił to dla Heinricha Stolzmana. Przyjaźnią się, Stolzman zawsze pośredniczy w zakupie przez ojca dzieł sztuki i namówił go, by ten poszedł na otwarcie i coś sobie wybrał. Może chciał przekonać go do nieco późniejszego malarstwa? Istnieje także inne wytłumaczenie obecności mojego ojca na tym wernisażu. Chęć spotkania z bardzo ważnymi osobistościami świata sztuki. Rozumie pan? Taki snobizm, by bywać na podobnych imprezach. Ojciec, oczywiście, niczego nie kupił, nazywając obrazy bohomazami. Jestem także przekonany, że w towarzystwie zaproszonych gości nie wyraził swojej opinii, bo nie wypada mówić takich rzeczy.

Krótko mówiąc, poszedł tam, żeby się pokazać i pozachwycać czymś, co wcale mu się nie podoba.

— Stolzman także był na tej imprezie? — zdziwił się Rudolf, bo nie znalazł na liście tego szanowanego berlińskiego marszanda.

— Nie. Heinrich Stolzman miał wówczas jakieś arcyważne spotkanie w Paryżu. Jednak po powrocie najpewniej udał się do galerii Wackera, gdy wystawiono kolejne prace, rzekomo van Gogha. A może w ogóle nie dostał zaproszenia, bo van Gogh to nie jego działka i udał się tam później, jak zwykli zjadacze chleba?

— Skąd pewność, że Stolzman odwiedził galerię po swoim powrocie z Paryża? — zaciekawił się Rudolf. Doszedł do wniosku, że być może od syna Wilhelma von Reussa dowie się więcej niż od jego ojca.

— Stolzman zadzwonił do ojca od razu po wizycie w galerii. Przyjechał do nas kilka dni później. A może tydzień, miesiąc, wie pan, nie potrafię sobie tego dokładnie przypomnieć. Przywiózł ojcu siedemnastowieczny obraz namalowany najpewniej przez któregoś z uczniów Rembrandta i powtórzył mu to samo, co mówił przez telefon. Że obrazy z galerii Wackera, to marne podróbki. Przeprosił chyba nawet ojca, iż namawiał go na ich zakup.

— I nie zgłosił tego? Nie obwieścił całemu światu, że oto ludzie wydają fortunę na falsyfikaty? — zapytał Rudolf z udawanym zdziwieniem.

Jednak wcale nie był zdumiony. Stolzman był kolejnym znawcą sztuki malarskiej, który nie puścił pary z gęby, podobnie jak marszandzi z galerii Cassirera.

— Wie pan, jak to jest. Podważanie opinii kolegów po fachu nie uchodzi w tym środowisku. Zresztą to miecz obosieczny. Stolzman zacznie głośno mówić, że to fałszywki, a potem ktoś orzeknie, iż on sam handluje podróbkami. Nawet jeśli nie byłaby to prawda, ziarno niepewności zostanie zasiane wśród klienteli.

— Niekiedy zastanawiam się, ile warta jest opinia takich ekspertów — westchnął Rudolf.

Im bardziej zagłębiał się w to środowisko, tym więcej widział w nim obłudy i oszustwa. Co gorsza, trudno było pociągnąć do odpowiedzialności tych ludzi, bowiem taki ekspert, nawet jeśli jego opinia była nie do obrony, zawsze mógł powiedzieć, że po prostu się pomylił, i nic mu za to nie groziło. Przynajmniej jeśli chodzi o aspekty prawne. Udowodnienie premedytacji w takich wypadkach było niemożliwe. De la Faille skompromitował się i być może od samego początku doskonale zdawał sobie sprawę z fałszerstwa, ale obwieścił to światu, gdy już większość obrazów znalazła nabywców. Ludzie stracili ogromne pieniądze, a de la Faille'owi włos z głowy nie spadł i zapewne nie spadnie.

— Czasami sobie myślę, że niekiedy chodzi o rozgrywki pomiędzy tymi rzeczoznawcami. Rozumie pan? Kogoś nie lubię, ktoś podebrał mi dobrego klienta, więc kombinuję, jak wyeliminować go z rynku. I wtedy ogłaszam wszem i wobec, że jakiś obraz, który uchodził za oryginał, jest falsyfikatem, i cały autorytet mojego konkurenta leci na łeb, na szyję.

— Ciekawe spostrzeżenie. — Rudolf się uśmiechnął.

Był podobnego zdania, chociaż nie stawiał aż tak śmiałych tez. Jednak podobnie jak Reuss uważał, że środowisko znawców dzieł sztuki jest mocno zepsute. Technika rozwijała się coraz bardziej i mimo że trudniej było owym ekspertom pleść androny, nadal to oni mieli ostatnie słowo. Badania rentgenowskie także należało interpretować i można to było zrobić na wiele sposobów, zaś dendrochronologia wciąż nie należała do powszechnych metod badawczych, zaś analiza chemiczna na niewiele się zdawała, jeśli fałszerz sam przygotowywał farby i używał dawnych receptur. Poza tym fach fałszerzy był równie stary, co obrazy malowane rękami wielkich mistrzów, więc badanie podobrazia, krakelury czy pigmentów nie miało sensu w takich przypadkach, bo ówcześni rzemieślnicy używali dokładnie takich samych materiałów. Współcześnie sprawa była nieco bardziej skomplikowana, ale możliwa. Jeśli więc porywano się na podrabianie siedemnastowiecznych i wcześniejszych malarzy, sfałszowanie van Gogha było dla takich magików dziecinnie proste.

Przybyły do domu Wilhelm von Reuss nie powiedział mu niczego nowego, a nawet był bardziej powściągliwy niż jego syn. Najczęściej używał stwierdzenia, że nie pamięta, by na końcu wyrazić się niepochlebnie o całej twórczości van Gogha. Rudolf nie polubił go, bo on szanował tego malarza i uważal za wybitnego, poza tym stary von Reuss sprawiał wrażenie człowieka, który takich jak Rudolf uważa za ludzi gorszych od siebie. Jego syn zrobił na nim zdecydowanie lepsze wrażenie, a przede wszystkim zwrócił jego uwagę na Heinricha Stolzmana, który jak dotychczas ani razu nie przewinął się w jego śledztwie.

* * *

Pod wieczór zmęczony jak nieszczęście Rudolf Dorst trafił na Bregenzer Strasse, do pracowni żydowskiego malarza, Ismaela Kellermana. Zamierzał odwiedzić go nazajutrz, ale w galerii Stolzmana zastał tylko jego córkę, która wyniosłym tonem oświadczyła, że jej ojciec bawi obecnie w Amsterdamie, bowiem poproszono go o opinię w sprawie obrazów van Dycka. Kobieta miała niewiele ponad dwadzieścia lat, ale zachowywała się jak stara matrona. I potraktowała go równie nonszalancko, co stary von Reuss.

W domu przy Bregenzer drzwi otworzyła mu roześmiana piękna dziewczyna i mina zrzedła jej dopiero wówczas, gdy powiedział jej, kim jest i w jakiej sprawie przychodzi. Nadal jednak była bardzo uprzejma i życzliwa, co było miłą odmianą po Wilhelmie von Reussie i córce Stolzmana.

— Zaraz poproszę tatkę. Teraz ma gościa, więc będzie musiał pan trochę poczekać. Może napije się pan herbaty? Jestem Judith, córka Ismaela Kellermana.

— Oczywiście, poczekam. A za herbatę dziękuję, wypiłem jej dzisiaj bardzo dużo — odparł. Potem zaczął przyglądać się intensywnie dziewczynie, bo był przekonany, że już kiedyś ją widział. Nie potrafił jednak przypomnieć sobie ani kiedy, ani gdzie. Zapytał więc wprost:

— Czy może pani mi powiedzieć, gdzie ja panią spotkałem? Bo jestem pewny, że widziałem panią już kiedyś.

— Na otwarciu galerii Wackera. — Uśmiechnęła się. — Zwróciłam na pana uwagę, bo jako jedyny na tej imprezie stwierdził pan, iż owe dzieła van Gogha są falsyfikatami. Nie spodobał się panu żółty kolor. Muszę się przyznać, że po pana wyznaniu bardzo długo przyglądałam się tym obrazom, ale miałam wówczas piętnaście lat. Tata nie rozwiał moich wątpliwości, a pana nazwał ignorantem, więc chyba uznał obrazy za autentyczne. Prawdę mówiąc, cały czas zachodził w głowę, dlaczego w ogóle go zaproszono, bo nie ceni malarstwa van Gogha zbyt...

Nie dokończyła zdania, bo w pokoju pojawił się Ismael Kellerman. I tu nastąpił pewien zgrzyt, bo malarz stwierdził, iż to zupełnie zrozumiałe, że otrzymał zaproszenie. Nie zawsze bowiem trafia się taka gratka, by można podziwiać oryginalne obrazy wielkich mistrzów, a on jest znany w tym środowisku.

— A podobno nie lubi pan van Gogha? — zagadnął Rudolf.

— Niespecjalnie, ale wie pan... Czasami człowiek sądzi, że nagle dozna olśnienia... — wydukał Ismael.

— Ale pan nie doznał?

Kellerman pokręcił przecząco głową.

— Może dlatego, że trudno zachwycać się falsyfikatami — powiedział Rudolf.

— Właśnie... Nie znam się, co prawda, na van Goghu, ale te obrazy z daleka cuchnęły tanimi podróbkami — mruknął niezbyt przyjemnym tonem Ismael.

— Ale oczywiście nikomu pan o swoich spostrzeżeniach nie powiedział?

— Nie mieszam się do podobnych historii. Od tego są specjaliści. Podobno fachowcy wysokiej klasy — odrzekł Kellerman.

— Podobno... Celna uwaga — westchnął Rudolf.

W pewnej chwili jego córka podniosła się z krzesła i zapytała, czy będzie potrzebna, bo musi wyjść. Rudolf nie zatrzymywał jej, chociaż miał ochotę jeszcze z nią porozmawiać. I nie dlatego, że była śliczna, a jej ciemne włosy kontrastowały z tęczówkami w kolorze intensywnej ultramaryny, ale dlatego, iż podobnie jak syn von Reussa panna Kellerman była zdecydowanie bardziej rozmowna. Poza tym zasiała w nim ziarno niepewności, bowiem jej opowieść nieco różniła się od tego, co mówił jej ojciec. Nie wiedział już, czy stary Kellerman był zdziwiony zaproszeniem na otwarcie galerii, czy jak najbardziej się go spodziewał. Poza tym twierdziła, że jej ojciec uznał obrazy za autentyki, gdy tymczasem od Kellermana usłyszał zupełnie coś innego.

— Zatem przybył pan na wernisaż, ale nie zamierzał niczego kupić? — zapytał Rudolf.

— Obecnie malarze nie należą do krezusów — burknął Ismael.

Rudolf ostentacyjnie rozejrzał się po wnętrzu pokoju.

— No, nie powiedziałbym. — Uśmiechnął się kwaśno.

— Otrzymałem spory spadek. Dawno temu. Ma pan do mnie jeszcze jakieś pytania? — zapytał zimno Kellerman.

Nie miał. Podziękował za rozmowę i opuścił mieszkanie malarza.

Piękną Judith zobaczył zaraz po wyjściu z bramy kamienicy. Najpewniej wcale nie musiała pilnie opuścić domu, tylko zreflektowała się, iż to, co mu powiedziała, nieco odbiegało od informacji przekazanych Rudolfowi przez jej ojca.

Panna Kellerman przechadzała się po niewielkim skwerku, znajdującym się po przeciwnej stronie ulicy. Było zimno, wietrznie i ogólnie paskudnie, więc silna potrzeba spaceru mogła wydać się dziwna. Przeszedł na drugą stronę i podszedł do niej.

— Co pani przede mną ukrywa? — zapytał prosto z mostu.

Odwróciła się gwałtownie, a w mdłym świetle latarni ujrzał lęk wypisany na jej twarzy.

— Przestraszył mnie pan — warknęła.

— A pani uciekła — stwierdził.

— Proszę pana, powiem szczerze, to było dwa lata temu i pewnych rzeczy mogłam nie zapamiętać. Nie chciałam, żeby wyglądało to tak, jakby mój ojciec coś ukrywał — jęknęła.

— Ale mnie pani zapamiętała... — powiedział cicho.

— Tak, nie każdy ośmieliłby się stawiać tak odważne tezy. To niepodobne w tym środowisku. — Uśmiechnęła się sztucznie.

— Więc jest pani pewna, że nie ma mi nic więcej do powiedzenia? — Rudolf przeszywał ją wzrokiem. I nie dlatego, że mu się spodobała, ale robił to zawsze podczas przesłuchań podejrzanych i świadków.

— Och, nie mam. Poszliśmy, zobaczyliśmy i wróciliśmy do domu. Gdyby to były prace siedemnastowiecznych mistrzów, zapewne pamiętalibyśmy to wydarzenie do tej pory i zainteresowalibyśmy się, czy owe prace są oryginałami, ale naprawdę mój ojciec uważa van Gogha za miernego malarza. Ja zresztą również.

— Przecież to był człowiek wybitny. — Rudolf zaperzył się, bo ktoś ośmielił nazwać van Gogha miernym malarzem. Dobrze, że nie landszafciarzem albo pacykarzem.

— Proszę pana, o Picassie i Kandinskym też tak mówią, a my z tatą uważamy ich za dziwaków. Odbiór sztuki jest subiektywny. Odwróconym pisuarem Duchampa też się nie zachwycaliśmy — odparła.

Rudolf roześmiał się.

— Prawdę mówiąc, ja też nie. Uznałem wręcz, że świat schodzi na psy, jeśli podobną instalację, jak ta Duchampa, ktoś ośmiela się nazwać dziełem sztuki.

— Więc wybaczy mi pan stwierdzenie o van Goghu? — zapytała słodko.

— Postaram się. — Roześmiał się. — Ale będzie to bardzo trudne.

— Więc niechże pan popatrzy chociażby na Canaletta, a potem na swojego faworyta i porówna ich obrazy. Kunszt wykonania, precyzję, światłocienie... Naprawdę podrobić van Gogha to żadna sztuka. Canaletta — sprawa wręcz niemożliwa.

W Rudolfie od razu obudził się policjant.

— Potrafiłaby pani to zrobić? Albo pani ojciec? — zapytał podejrzliwie, marszcząc czoło.

— To byłoby poniżej naszej godności — prychnęła.

— Przepraszam — mruknął.

— Rozumiem, jest pan policjantem i szuka pan osoby, która mogła te obrazy namalować, bo pan już ma pewność, iż nie wyszły spod pędzla van Gogha. A ja panu usiłuję powiedzieć, że mógł to zrobić nawet mierny malarz. Tych wybitnych jest niewielu, tych przeciętnych — cała masa.

— Niektórzy twierdzą, że to oryginały — westchnął.

— No, właśnie. Bo i z van Gogha taki mistrz.

— Znowu się roześmiała.

— Przetrzepałbym pani skórę za takie osądy — odparł Rudolf z udawaną złością i nagle, jakby wbrew sobie, zapytał: — Czy wybierzemy się któregoś dnia do jakiejś galerii? Razem... Chętnie pospierałbym się z panią o trendy w malarstwie.

Zdawał sobie sprawę, że zachowuje się nieprofesjonalnie i nie powinien umawiać się ze świadkiem, a kto wie, może nawet z osobą podejrzaną. Poza tym Judith miała niespełna osiemnaście lat i czuł się przy niej cholernie staro.

— Bardzo pan miły, ale mój narzeczony nie byłby chyba zadowolony, gdybym chadzała po galeriach z kimś innym — powiedziała przepraszająco.

— Także jest malarzem? — zapytał z zazdrością w głosie.

— Nie. — Roześmiała się. — Mój Johann nie potrafiłby nawet namalować kółka.

— To chyba każdy potrafi.

— Wbrew pozorom nie jest tak prosto namalować idealne koło, które nie przypominałoby jajka.

— No cóż, jakoś to przeżyję — odparł, po czym zaproponował, że odprowadzi Judith do bramy kamienicy.

Wręczył jeszcze swoją wizytówkę i powiedział, by skontaktowała się z nim, jeśli coś sobie przypomni albo zmieni zdanie na temat ich wspólnego wypadu do galerii.

7.

Za każdym razem, gdy Max otrzymywał od Klausa Fishera list, przypominał sobie, czym obaj się tak bardzo fascynowali i jak daleko odszedł od tego tematu. Wsiąkł w świat przyziemny. Polityki, dyplomacji i rozrywek, które, jak okazało się, były mocno związane z dwiema pierwszymi. Kiedy więc wczytywał się w opowieści Klausa, najpierw był coraz bardziej przygnębiony, a potem wściekły. Najbardziej na przyjaciela, który znajdował się w miejscach, w których mieli być razem. Tęsknił za wielogodzinnymi rozmowami o Świętym Graalu, zakonie templariuszy i sekcie katarów. Fisher potrafił w naukowy sposób połączyć prawdziwą historię z legendami i w istocie Max gotów był uwierzyć, że wiele opowieści wcale legendami nie było. Tymczasem ten cholerny sodomita musiał zakochać się właśnie w nim. Owo niezbyt ładne określenie nie oznaczało jego niechęci do ludzi kochających inaczej, ale zżymał się na samą myśl, że utracił przyjaciela z powodu jego skłonności do mężczyzn. Kiedy się widywali, w ogóle o tym nie myślał. I niczego nie zauważał. Dopiero rozmowa z Rudolfem uświadomiła mu, że pewnego dnia to może stać się problemem.

Zapewne gdyby Klaus dowiedział się, że Geyer zaprzyjaźnił się z Żydówką, wypomniałby mu jego słowa na temat tej nacji, a kto wie, może stwierdziłby, że jeśli Max się złamał w przypadku Żydówki, może także nagiąć swoje zasady w stosunku do obcowania z mężczyzną. Tak czy owak, on nie zamierzał się chwalić znajomością z Bellą. Tak samo, jak tym, że coraz bardziej zajmował się polityką, a coraz mniej ezoteryką czy historią.

Któregoś dnia jednak doszedł do wniosku, że ma dosyć Belli Fromm. Może dlatego, iż w pewnym momencie przestała być mu już potrzebna. Wkręciła go bowiem do środowiska, w którym poczuł się jak ryba w wodzie i został przez nie zaakceptowany. Ta myśl, o zakończeniu tej męczącej znajomości, towarzyszyła mu nieustannie, zwłaszcza po tym, jak Bella zabrała go na przyjęcie do ambasady radzieckiej. Odbywało się ono z okazji rocznicy wybuchu rewolucji październikowej i zjawiło się tam mnóstwo ważnych osób. Oczywiście zabrakło nazistów, którzy nienawidzili bolszewików, ale pojawiły się postacie mocno związane z tym środowiskiem. Między innymi Agnes von Reuss. Była to niezwykle elegancka i dystyngowana dama i Geyer pomyślał niemal od razu, że chętnie zamieniłby Bellę na tę właśnie kobietę. W łóżku także.

Budynek ambasady należał do najpiękniejszych w Berlinie i pamiętał czasy cara Mikołaja I, który jako pierwszy zagraniczny władca powołał swoją ambasadę w Berlinie. Już w holu można było poczuć klimat dawnej, pełnej przepychu Rosji. Ogromny bogato zdobiony kominek witał gości swoim ciepłem, a szerokie marmurowe schody pokrywały puszyste krwistoczerwone dywany ze Smyrny. Równie okazale prezentowała się sala, gdzie zaproszeni goście zostali poczęstowani kawiorem i winami z krymskich winnic. Ściany wykonane zostały z białego marmuru, sztukaterie pochodziły z okresu rokoka, a stół przykryto cennym adamaszkiem. Jakże ten przepych różnił się od opowieści o prostackim Związku Radzieckim, gdzie piękno i sztuka zniknęły wraz ze śmiercią ostatniego cara, a owa ambasada stanowiła relikt przeszłości.

Na Agnes von Reuss zwrócił uwagę tylko dlatego, że dostrzegł małą złotą swastykę wpiętą w jedwabny szal, który zarzuciła na ramiona. A zatem należała do Thule albo była jej honorowym członkiem, który nie tyle udziela się na spotkaniach, co w pełni popiera to stowarzyszenie.

Ucałował jej dłoń i powiedział cicho:

— Cóż pani tutaj robi? Wszyscy wdzięczą się do ambasadora, a przecież on reprezentuje wszystko, czego nie lubią naziści.

Agnes uśmiechnęła się pod nosem.

— Nawet z takimi ludźmi należy mieć poprawne stosunki dyplomatyczne. Mój mąż będzie startował w najbliższych wyborach do Reichstagu i jeśli NSDAP zdobędzie odpowiednią liczbę głosów, w kuluarach mówi się, że wówczas zostanie ministrem spraw zagranicznych. Albo ambasadorem. Niestety, dzisiaj nie mógł przyjść, bo zmogła go gorączka, więc wysłał mnie.

— Cieszę się, że mogłem poznać tutaj jakąś bratnią duszę. — Uśmiechnął się promiennie.

— No cóż, zdaje się, że przybył pan z Bellą Fromm. — Wydęła usta.

— Jak sama pani powiedziała, w pewnych kręgach ze wszystkimi należy mieć poprawne stosunki — odciął się.

— W rzeczy samej — mruknęła. — Czy zauważył pan, że pracownicy ambasady, a nawet sam ambasador nie tknęli ani krymskiego wina, ani kawioru?

— Zapewne mają zakaz, bo to nie przystoi komuniście, by korzystał z luksusów, które dla normalnych Rosjan mogą istnieć jedynie w sferze marzeń — zakpił.

— A zatem pan popiera nazistów? — zmieniła temat Agnes.

— W rzeczy samej.

— A dla jakiej gazety pan pracuje? — dopytywała.

— Jestem dziennikarzem „Zentralblatt für Okkultismus" — odparł i chyba pierwszy raz bez wstydu się do tego przyznał.

— Cudownie. Musi mieć pan kontakt ze wspaniałymi ludźmi. My z małżonkiem żywo interesujemy się wszystkimi nowościami, jakie pojawiają się w temacie astrologii czy chiromancji. NSDAP w tej chwili nieco odżegnuje się od tych spraw, jakby zapominając trochę, kto ich wypromował i jako pierwszy dał poparcie, ale Heinrich Himmler, nowy szef Schutzstaffel, jest człowiekiem, który nadal żywo interesuje się podobnymi kwestiami. Jego przodkinie nawet spłonęły jako czarownice na stosie, podczas inkwizycji. Stąd jego niechęć do Kościoła. Zresztą Jezus był Żydem, podobnie jak król Dawid. Nawet religię monoteistyczną zawłaszczyli ci dranie.

— Zna pani Himmlera? — Geyer o mały włos nie zakrztusił się winem sprowadzonym samolotem prosto z Krymu.

— Oczywiście — odparła z taką lekkością, jakby co najmniej to Himmler powinien się cieszyć, że ją zna.

— Zazdroszczę. Bardzo chciałbym przeprowadzić z nim kiedyś wywiad — powiedział z westchnieniem i zgodnie z prawdą.

— Mogłabym panu pomóc. — Uśmiechnęła się uwodzicielsko i zaczęła bawić się guzikiem przy jego smokingu.

— Byłbym pani bardzo wdzięczny za wstawiennictwo.

— Należy wspierać takich ludzi jak pan. Potrzebni są nam dziennikarze, którzy rozumieją naszą ideologię. Nawet jeśli piszą tylko do „Zentralblatt für Okkultismus".

— Zdaję sobie sprawę, że to niszowa gazeta, ale wierzę, iż pewnego dnia będę mógł pisać do jakiegoś poczytnego dziennika. Tylko nie wiem, jak długo przyjdzie mi na to czekać.

— Niechże pan nie traci wiary. Kiedy zdobędziemy władzę, gazety będą chciały albo będą musiały pisać tylko o nas. A wtedy... wiele drzwi się przed panem otworzy.

— O niczym innym nie marzę — wycedził i dodał, jakby wstydził się przyznać, że pragnie zrobić karierę. — Tylko o tym, by NSDAP wygrało.

Z małej srebrnej torebki Agnes wyciągnęła czarną wizytówkę ze złotymi napisami i podała Maxowi.

— Proszę nas odwiedzić w piątek wieczorem. Urządzamy seans spirytystyczny, poza tym będziemy dyskutować o sprawach, którymi pan zajmuje się na co dzień. Chętnie dowiemy się rzeczy, które są jeszcze dla nas nieodkryte.

— Nie mam pojęcia, czy będę w stanie powiedzieć coś nowego, ale przybędę z wielką chęcią.

— Uśmiechnął się i dodał: — Muszę teraz panią opuścić, bo obowiązki wzywają.

W istocie musiał pożegnać piękną Agnes von Reuss, bo Bella zaczęła posyłać mu spojrzenia pełne złości. Panna Fromm co prawda nie była mu już potrzebna do szczęścia, ale nie chciał psuć sobie z nią relacji.

— Przepraszam, moja droga — wysapał, podchodząc do Belli.

— A o czymże tak zawzięcie dyskutowałeś z tą nazistką? — Prychnęła.

— Zna osobiście Himmlera i umożliwi mi spotkanie z nim — odparł.

Bella Fromm przewróciła oczami i powiedziała:

— A ty dalej drążysz temat tych fanatyków... Nie lepiej zakręcić się koło Hindenburga? Wtedy dopiero podskoczyłyby twoje akcje — powiedziała złośliwie.

— Z Hindenburgiem mógłbym co najwyżej porozmawiać o krachu na nowojorskiej giełdzie. Rząd mówi w tej chwili tylko o tym. Poza tym doskonale wiesz, jak bardzo zależy mi na tym wywiadzie. Tak samo, jak zapewne pamiętasz, że obiecałaś mi to ułatwić.

— Po prostu panikują. Ale i mają ku temu powody. Czeka nas kolejny głęboki kryzys. Na razie rząd walczy o rozłożenie wojennych reparacji na wiele lat, bo jeśli jeszcze dojdzie nam spłata długów, kraj upadnie na samo dno — westchnęła, ignorując zupełnie drugą część wypowiedzi Maxa.

— Miejsca, które ty odwiedzasz, nie są skażone kryzysem. Ludzie wciąż się bawią, piją szampana i kupują drogie dzieła sztuki.

— To prawda, jednak widzę, co się dzieje na ulicach. W dwudziestym trzecim przez tę cholerną inflację straciłam cały swój dorobek. Co ja mówię, to był majątek gromadzony przez trzy pokolenia Frommów.

— Na szczęście podobne rzeczy już ci nie grożą. Ludzie zawsze będą chcieli czytać ploteczki o wielkich tego świata.

— Najbardziej lubią, gdy któremuś z nich powinie się noga. — Roześmiała się.

— A ja myślę, że najbardziej interesują ich brudy. Kto kogo i z kim zdradził, ile pieniędzy zdefraudował i czy nie jest sodomitą.

— Uwielbiam wywlekać takie historie. Nie wierzę w ideały i lukrowane obrazki, a im ktoś jest bogatszy, tym bardziej zepsuty, więc uważaj na Agnes von Reuss. Wykorzysta cię, a potem odgryzie ci głowę. Jak modliszka — odparła zimno Bella.

— Jesteś zazdrosna? — zapytał wprost.

— Nie, mój drogi. Nie jestem. Nasze drogi pewnego dnia i tak by się rozeszły. Myślę, że ty lubisz tych drani i nie cierpisz Żydów. A sypiałeś ze mną dlatego, że marzy ci się wielka kariera dziennikarska — powiedziała zimno.

Chciał zaprzeczyć i zacząć przekonywać Bellę, że jest zupełnie inaczej, niż myśli, ale właściwie panna Fromm powiedziała prawdę. Zaprzyjaźnił się z nią, bo była mu potrzebna, ale nie mógł na dłuższą metę utrzymywać podobnych relacji z Żydówką. Niekiedy nawet wściekał się, że była taka popularna, kiedy on musiał imać się wszystkiego, by wypłynąć nie tyle na szerokie wody, ale chociaż na nieco większe niż obecnie.

— Lubię cię — wymamrotał.

— Ale ja ciebie już nie. Widziałam, jak wiłeś się przed tą zatwardziałą nazistką, która każdego Żyda utopiłaby w łyżce wody. Zresztą... miałam okazję patrzeć na twoją minę, gdy wspominałam o osiągnięciach jednego czy drugiego Żyda. Twój grymas potrafił powiedzieć mi więcej niż słowa.

— Jeśli więc miałaś o mnie takie zdanie, dlaczego wciąż się ze mną przyjaźniłaś? — Rozzłościł się.

— Miałam słabość do twoich jasnych, szarych oczu. Ale, niestety, nie znalazłam w nich żadnej głębi — zadrwiła.

— Dlaczego chcesz mnie obrazić, Bello? Tak, masz rację, nie lubię Żydów. Tak po prostu. Jednak czy kiedykolwiek zachowałem się wobec ciebie nie w porządku? — warknął.

— Musiałeś się okrutnie męczyć, biedaku.

— Sądziłem, że jesteś inna i dzięki tobie zmienię zdanie o Żydach. Ale widzę, że to były tylko pobożne życzenia — odciął się i opuścił towarzystwo Belli Fromm.

To, co mówiła, nie było miłe, ale poczuł dziwną ulgę, że ich znajomość dobiegła końca. Nie tylko dlatego, iż przez nią złamał swoje zasady i zaprzeczył własnym wartościom, ale nie lubił się czuć jak salonowy piesek, wyprowadzany na spacer tylko wówczas, gdy jego pani będzie miała na to ochotę.

ೞ

Wieczorem spotkał się ze swoim przyjacielem, Rudolfem Dorstem, bo miał chęć opić swój sukces towarzyski. A raczej dwa, bo uwolnienie się od Belli Fromm także należało zaliczyć do sukcesów.

— Miałem okazję być u von Reussów. Wyniosłe snoby — oznajmił Rudolf, gdy Max pochwalił się nową znajomością.

— Czyli dokładnie tacy, jacy są mi teraz potrzebni — odparł z dumą Geyer.

— Żebyś się tylko nie przejechał na tej znajomości. Jak na Klausie Fisherze.

— Nie, mój drogi, skończyłem z frajerstwem. To już raczej niech oni boją się mnie. — Wyszczerzył zęby.

— Przestaję cię poznawać — powiedział ze smutkiem Rudolf. — Zaczyna ci się w głowie przewracać...

— Pewnie, jeśli posunąłem tę Żydówę, to znaczy, że bardzo mi zależy, by zostać kimś więcej niż bezrobotnym frajerem, modlącym się w kościele w nadziei, że dobry Bóg ześle mi mannę z nieba. Tacy ludzie jak mój ojciec czy matka zawsze będą nikim, bo uważają, że należy godzić się z losem. A ja myślę, że trzeba walczyć — perorował Max. Był przekonany, że postępuje słusznie, ale zależało mu na zdaniu Dorsta.

— W rzeczy samej, sypianie z babą to w istocie walka na śmierć i życie. — Rudolf zarechotał.

— Ale to Żydówka — jęknął Max. — Więc musiałem podjąć walkę. Sam ze sobą.

— A ja poznałem taką jedną Żydówkę. I bardzo chętnie poszedłbym z nią do łóżka. Wystarczy, żeby kiwnęła palcem. A jeśli do tego okazałaby się jeszcze niegłupia, mógłbym się z nią związać. Mnie takie rzeczy nie przeszkadzają. Jest piękna, utalentowana, a że Żydówka? E, tam... To jakieś durne przesądy. — Rudolf machnął ręką, bagatelizując rozterki Geyera.

— Powiedz, że z Negerką też byś się przespał, to nie będziesz moim kumplem. — Max z obrzydzeniem wykrzywił usta.

— Raz widziałem czarnego człowieka. W cyrku. Ale to był mężczyzna i w dodatku jeździł na słoniu. Jeśli jednak spodobałaby mi się taka czekoladka, nie pogardziłbym.

— Fuj — mruknął Geyer. — Ręki ci nie podam.

— Nie obawiaj się, Negra żadnego nie znam, a Żydówka dała mi kosza, więc nie ma o czym mówić — prychnął Dorst.

— Wiesz... — Max ściszył głos. — Ja bym ich wszystkich wytłukł jak wszy.

— To morderstwo, Max. — Rudolf spoważniał, bo słowa przyjaciela chyba go lekko zszokowały.

— A nie powinno nim być. Jak ustrzelisz jelenia, to nie idziesz siedzieć.

— Ale to są ludzie.

— Nie, Rudolfie. Mylisz się, to są podludzie.

8.

*H*erbert nie miał pojęcia, skąd jego matka wytrzasnęła tego fircyka, który pewnego piątkowego wieczoru pojawił się w ich domu. Być może nie byłby tak surowy w osądach na jego temat, ale irytowało go, jak ten młody człowiek podlizuje się matce, a ona była w siódmym niebie z tego powodu. Tak jakby nagle cofnęła się do lat młodzieńczych i przeżywała każdy flirt, a przecież on był od niej jakieś dwadzieścia lat młodszy. Owszem, jego matka wciąż była bardzo atrakcyjna i mogła się podobać, ale na Boga, nie takiemu gówniarzowi. Co gorsza, ojciec również był zachwycony owym młodzieńcem i zapewne nie przychodziło mu do głowy, że za jego sprawą może niebawem zostać rogaczem.

— Jak myślisz... — Usłyszał głos Marity. — Mama i tata pozwolą mi uczestniczyć w seansie?

— Ja ci nie pozwalam. — Roześmiał się.

— Dlaczego? — Wydęła usta w grymasie.

— Bo jesteś za mała, bo to głupie... — Wzruszył ramionami.

— Mam prawie czternaście lat — obruszyła się.

— A ja prawie dwadzieścia dwa, więc słuchaj starszego brata. — Pogroził jej palcem.

— Wiesz co, odkąd masz narzeczoną, zrobiłeś się okropny. — Marita miała łzy w oczach.

— A kto ci powiedział, że Daisy jest moją narzeczoną? — Zmarszczył brwi.

— Wszyscy tak mówią.

— Daisy również?

— Nie, ale jej ciotka tak mówi. I jej brat. — Zachichotała.

Herbert się zdenerwował. To było chore. Dopiero poznawał Daisy, zaledwie pocałował ją dwa razy, a wszyscy dookoła już wyprawiali im wesele. Poza tym po ostatniej rozmowie z panną Sebottendorf stał się czujny i obawiał się, że każde jego słowo może zostać przez nią niewłaściwie odebrane.

Nie miał pojęcia, czy kocha Daisy i czy jest gotów spędzić z nią resztę życia, i lepiej byłoby, żeby miała tego pełną świadomość, zanim zacznie wkładać w myślach ślubną suknię. Postanowił, że gdy już rodzice i ich znajomi zasiądą do ouiji, on odwiedzi Daisy i porozmawia z nią.

— To bzdura — mruknął w końcu.

— No, to ja idę zapytać rodziców, czy mogę dzisiaj być na seansie — powiedziała.

— Maritko... — odparł łagodnie. — Po co ci to? Jeszcze będą ci się w nocy jakieś duchy śniły i zsikasz się w łóżku.

Dziewczyna zrobiła ogromne oczy, bo o czymś takim jeszcze nie słyszała.

— Jak to? W majtki? — zapytała zatrwożona.

— Tak. Niektórzy tak mają, że moczą się w nocy, jeśli doznają przykrych doświadczeń. — Herbert naprawdę uważał, że Marita jest zbyt młodziutka, i obawiał się, że nie będzie mogła na pewne sprawy patrzeć z takim dystansem jak on.

— Posłuchaj... — Ściszyła głos. — Coś ci powiem. Ja tak naprawdę to nie wierzę w duchy, no bo przecież jak podglądaliśmy rodziców i ich znajomych, to jakoś żaden się nie pokazał. Ale wiesz, bardzo mi się spodobał Max Geyer.

— Ten lowelas, co go matka do nas zaprosiła? — Herbert zasępił się jeszcze bardziej, bo nie dość, że chłopak mizdrzył się do matki, to jeszcze zawrócił w głowie jego nastoletniej siostrze.

— Naprawdę podoba ci się chłopak, który wierzy w duchy? — Postanowił nieco zdyskredytować Maxa Geyera w oczach Marity.

— Może mu przejdzie... Albo ja w nie uwierzę — westchnęła.

— Posłuchaj, Maritko. Max Geyer na pewno zostanie na kolacji, więc jeszcze się na niego napatrzysz. A na seans nie idź, bo naprawdę może to zatruć twój młodziutki umysł.

Marita ucałowała go w policzek.

— Dobrze — powiedziała ugodowo. — Masz rację. Poczekam na kolację i usiądę koło niego.

— Jak ci matka pozwoli — burknął pod nosem.

— Co mówiłeś?

— Powiedziałem, że ja chyba nie zdążę na kolację. Wybieram się do Daisy.

— Więc jednak jest twoją narzeczoną.

— Nie jest. Ale może kiedyś będzie. — Puścił do niej oko i wyszedł do holu, by włożyć płaszcz i kapelusz.

Przed kamienicą złapał dorożkę i pojechał na Salzburger Strasse, gdzie obecnie mieszkała Daisy. Na szczęście Manfred rezydował gdzieś indziej i Herbert miał nadzieję, że nie zastanie go u ich ciotki.

W istocie dziewczyna była sama i ślęczała nad książkami. Wyglądała przepięknie z oczami wpatrzonymi w podręcznik i jasnym warkoczem. Jakiś niesforny kosmyk wciąż opadał jej na twarz, a ona delikatnie odgarniała go palcem. Miała drobne, szczupłe dłonie, niemal dziecięce, i jasną, porcelanową cerę. Patrzył na nią i myślał sobie, że za nic w świecie nie chciałby jej skrzywdzić.

— Już kończę, Herbercie. — Uśmiechnęła się, podnosząc głowę znad książki.

— Powiedziałem, że poczekam.

— Patrzysz na mnie. — Znowu się uśmiechnęła i zamknęła notatnik. — Nic z tego nie będzie. Nie jestem w stanie się skupić, gdy tutaj jesteś.

— Nie chciałem ci przeszkodzić, ale dzisiaj jest piątkowy wieczór i nie przyszło mi do głowy, że będziesz się uczyła.

— A ja się cieszę, że przyszedłeś. Wolę ciebie niż naukę, ale chciałam dokończyć rozdział. No cóż, to może zaczekać.

— Jednak powinienem się zapowiedzieć, a nie tak wpadać do ciebie znienacka, nie uwzględniając twoich planów — powiedział chłodno.

— Naprawdę nic się nie stało. Zawsze cieszę się, gdy cię widzę. Tęsknię za domem, ale przy tobie zapominam, że jestem w obcym, ogromnym mieście — odparła.

— Daisy... Chciałbym coś wyjaśnić. Nie rozmawiałbym nawet z tobą na ten temat, ale nasze ostatnie spotkanie uświadomiło mi, jak wrażliwą jesteś osobą. Podobasz mi się, lubię cię i mam o tobie dobre zdanie, ale nie jestem gotowy, by ci się oświadczyć, bo nie wiem, czy to, co czuję, jest miłością, czy zauroczeniem. Jak zauważyłaś, nie nalegam także, by między nami doszło do bardziej intymnych kontaktów, bo wiem, jakie masz zasady i szanuję je. Jednak w naszych rodzinach już huczy od plotek, że się pobieramy, a ja lada chwila poproszę cię o rękę. Chcę, żebyś wiedziała, iż te plotki nie wychodzą ode mnie... — Herbert starał się mówić ciepłym, łagodnym głosem, by nie zrazić do siebie Daisy i tym bardziej nie sprawić jej przykrości.

Spuściła głowę i nie wiadomo dlaczego, zaczęła płakać. Próbował pytać, uspokajać ją, ale ona milczała. W końcu, gdy już trochę się uspokoiła, zapytała, a może raczej stwierdziła:

— Zatem nie jesteś we mnie zakochany i nie traktujesz naszej znajomości poważnie.

— Daisy, to nie tak. Po prostu nie znamy się zbyt dobrze. Nie jestem człowiekiem, który wierzy w miłość od pierwszego wejrzenia. W taki sposób można poczuć namiętność, ktoś może się spodobać, ale miłość jest dla mnie dużo bardziej skomplikowanym uczuciem. Powtarzam raz jeszcze: jesteś cudowna, ale dla mnie jest jeszcze za wcześnie, by składać ci deklaracje dozgonnej miłości. — Herbert miał wrażenie, że jego niespełna czternastoletnia siostra była bardziej dojrzała niż dwudziestoletnia Daisy, która zdawała się nie rozumieć, co on do niej mówi.

— Ale ja cię kocham — wychlipała.

— Jesteś pewna, Daisy? Co ty o mnie wiesz? Może mam wredny charakter albo bywam brutalny? — W normalnych okolicznościach von Reuss nie starałby się przedstawiać siebie w tak złym świetle, ale Daisy zaczęła go przerażać.

— Ja jestem pewna. A ty nie? To znaczy, że nie jestem warta twojej miłości. Może w ogóle niczyjej.

— Ponownie zaczęła zanosić się płaczem.

— Przestań, Daisy. Myślę, że wyjaśniłem ci wszystko. I nie ma w tym ani drugiego dna, ani też nie jest to skierowane przeciwko tobie. — Herbert rozzłościł się. On mówił otwarcie o tym, co leży mu na sercu, a ona interpretowała jego słowa po swojemu. Zaczynał mieć tego dosyć.

— Może gdyby siedziała przed tobą inna kobieta, nie miałbyś takich dylematów — bąknęła.

— Uwierz, miałbym. Nie wierzę w nagłe olśnienia ani w to, że po kilku spotkaniach człowiek zdobywa pewność, iż osoba, którą ma przed sobą, jest jego drugą połówką. Nie jestem zimnym draniem, który każdej obiecuje małżeństwo, byle zaciągnąć ją do łóżka, ani też trubadurem wzdychającym do kobiety, którą ledwie zna. Nie chcę kochać wyobrażenia o swojej wybrance, ale ją samą. Z jej wadami i przymiotami. Jeśli teraz oświadczyłbym ci się, nie byłbym szczery i uczciwy — zakończył i podniósł się z fotela. — Pójdę już. Przemyśl sobie to, co powiedziałem, zupełnie na chłodno i bez zbędnych emocji.

— Nie zostawiaj mnie, błagam — wyszeptała.

— Daisy, nie zostawiam cię przecież na zawsze. Po prostu muszę wracać do domu, bo twoja ciotka uzna mnie za człowieka źle wychowanego — oznajmił, uśmiechając się czule.

— Zrobię to z tobą, tylko zostań.

— Nie chcę, żebyś robiła coś, czego nie jesteś pewna. Poza tym jak to sobie wyobrażasz? Twoja ciotka ma sypialnię obok. A teraz pewnie siedzi w saloniku, zerka na zegar i tupie nogą, czekając, aż w końcu sobie pójdę, bo nie wypada, by mężczyzna odwiedzał o tej porze panienkę. — Roześmiał się.

— Dobrze, dobrze, Herbercie. W takim razie idź już. — Pokiwała głową.

Podszedł do niej i pocałował ją w zapłakany policzek. Przytuliła się do niego i powiedziała cicho:

— Pamiętaj, cokolwiek się stanie, ja zawsze będę cię kochać.

Wyszedł z kamienicy, w której mieszkała Daisy, i zaczął łapczywie wdychać powietrze. Czuł się jak zwierzyna złapana we wnyki. Dotychczas naprawdę poważnie myślał o tej słodkiej dziewczynie i nie wykluczał, że pewnego dnia się z nią ożeni, ale po ostatnich spotkaniach przeraził się jej infantylnością, płaczliwością i brakiem równowagi psychicznej. Nie zdążył zrobić niczego złego, a jednak miał poczucie, jakby zachowywał się niczym ostatni cham i gbur. Najchętniej zakończyłby tę znajomość już dzisiaj i uciekł od ckliwości Daisy, ale wiedział, że nie może tego zrobić. Przygnębiła go myśl, że od teraz będzie musiał obchodzić się z dziewczyną jak z jajkiem, bo każde jego słowo na temat ich wzajemnych relacji może wywołać u niej wybuch histerii. Co on, do licha, miał zrobić? Zamiast coraz bardziej angażować się w związek z panną Sebottendorf, on miał ochotę uciec na drugi koniec świata. Gdyby była podłą, wyrachowaną kobietą, z pewnością zerwałby tę znajomość natychmiast i bez skrupułów, ale jak powinien to zrobić, mając przed sobą tak nadwrażliwą osóbkę?

Wrócił do domu w podłym nastroju i nie rozmawiając z nikim, położył się do łóżka. Długo nie mógł zasnąć, a kiedy w końcu to nastąpiło, rozległo się terkotanie telefonu. Przeklął w duchu i gdy tylko usłyszał zaspany głos Franza odbierającego połączenie, przekręcił się na drugi bok i nakrył poduszką. Nie dane mu było jednak zasnąć, bo kilka minut później do jego pokoju wszedł Franz i szarpnął go za ramię.

— Panie Herbercie, dzwoni pan Manfred Sebottendorf. Prosił przekazać, że panna Daisy jest w szpitalu. Podcięła sobie żyły...

1932

1.

— Tato, na którą mam przygotować kolację? A może zafundują ci posiłek na Bellevue-strasse? — zapytała Judith, gdy ojciec kolejny raz pakował swoje utensylia do skórzanej torby, przypominającej lekarski sakwojaż.

— Nie przejmuj się mną. Gdy wrócę, to wezmę sobie kawałek chleba. Nie mam pojęcia, ile mi to dzisiaj zajmie. A do stołu na pewno mnie nie zaproszą — odparł.

— Bo jesteś tylko malarzem na usługach bogaczy? — zapytała, trochę złośliwie.

— Nie, skarbie, bo jestem Żydem — westchnął stary Kellerman.

— Po co zadajesz się z takimi ludźmi, tato?

— To proste. Bo dobrze mi zapłacą — mruknął ojciec.

Judith wolała, gdy pracował w domu, ale niektórzy klienci, tak jak von Reussowie, mieli życzenie, by robił to u nich. Poprzedniego roku ta bogata rodzina nabyła przepastną willę nieopodal Potsdamer Platz, która co prawda powstała na początku wieku, ale należała do najbardziej okazałych i eleganckich w okolicy. Judith cieszyłoby nowe zlecenie ojca, bo ostatnio nie wiodło im się najlepiej, a kryzys, który nastąpił po nowojorskim krachu na giełdzie, sprawił, że ojciec otrzymywał coraz mniej propozycji namalowania czyjegoś portretu albo pejzażu, ale Wilhelm von Reuss w ostatnich wyborach reprezentował nazistowską partię, która słynęła z niechęci do Żydów. Dostał się nawet do parlamentu i odgrażał się na łamach prasy, że gdy tylko ich partia zdobędzie większość, rozprawi się z tymi bezczelnymi żydowskimi handlarzami i bankierami.

Dziewczyna zastanawiała się także, dlaczego ojciec zaprzestał malowania falsyfikatów dla swojego tajemniczego odbiorcy, ale gdy o to zapytała, ten jedynie machnął ręką i odrzekł, że dopóki stać go na studia dla niej i nie głodują, woli przyjmować takie zlecenia jak to od Reussów. Mimo że innym Niemcom żyło się ciężko, ta rodzina z roku na rok była coraz bogatsza i stać ich było na takie fanaberie jak zlecenie wykonania portretu swojej córki, który miał imitować siedemnastowieczny, łącznie z właściwym dla tego okresu podobraziem oraz własnoręcznie przygotowywanymi farbami. Jak to określił ojciec: „Ma być to tak zrobione, żeby żaden ekspert nie rozpoznał, kiedy obraz został namalowany".

— To śmieszne — mruknęła Judith, gdy ojciec opowiedział jej o swoim nowym dziele. — W końcu ta dziewczyna żyje, nosi zapewne współczesne sukienki i czesze się jak wszystkie berlińskie kobiety w dwudziestym wieku.

— Ależ skąd! Fryzjer przyjeżdża do nich przed moim przybyciem i upina jej włosy, tak jak kiedyś, a potem przebierają ją we właściwą suknię.

— A na cholerę im takie maskarady? — prychnęła.

— Judith, wyrażaj się jak dama — napomniał ją ojciec. — Marita von Reuss ma wyglądać na portrecie jak jej przodkini. Rozumiesz?

— Nie do końca. — Judith wbiła zęby w ogromne jabłko, chwyciła torbę malarską i zaczęła zbierać się do wyjścia na uczelnię. Krzyknęła jedynie z korytarza: — Bogatym przewraca się we łbach od nadmiaru pieniędzy! A inni zdychają z głodu i brudu!

— Wyrażaj się! — zdążył tylko powiedzieć ostrym tonem Kellerman, bo chwilę potem dziewczyna już biegła w kierunku przystanku tramwajowego.

Miała do akademii blisko i w normalnych okolicznościach nawet nie wpadłaby na to, by czekać na jakiś środek lokomocji, ale tego poranka po prostu zaspała, a potem zagadała się z ojcem. Niestety, jej tramwaj już odjechał i zmuszona była odbyć drogę na uczelnię piechotą. Dotarła do ogrodu zoologicznego i już była na Hardenbergstrasse, gdzie znajdowała się Pruska Akademia Sztuk Pięknych.

Po południu była umówiona z Johannem. Jej narzeczony coraz częściej mówił o ślubie i ostatnio zauważyła, że podobne rozmowy sprawiają jej ogromną przyjemność. Chyba dojrzała już do tego, by dzielić z Johannem każdy dzień. I noc. Spotykali się od ponad trzech lat, znali od co najmniej sześciu i nie pamiętała, by przez ten czas kiedykolwiek doszło między nimi do jakiejś awantury. Owszem, niekiedy sprzeczali się, ale nigdy nie pomyślała, że jakikolwiek mężczyzna mógłby zająć jego miejsce.

Nie zwracała uwagi na adoratorów, a miała ich wielu z racji swojej nietuzinkowej urody, rzadko bowiem można było spotkać osobę, która miała jasną cerę, ciemne włosy i intensywnie niebieskie oczy. Poza tym mężczyzn chyba ekscytował fakt, że maluje. Ogromna malarska torba, którą nosiła na uczelnię i z powrotem, wzbudzała prawie taki sam zachwyt w mężczyznach, jak jej oczy.

Tego dnia miała zajęcia z profesorem Kohenem, który chociaż bardzo wymagający, nie szczędził jej pochwał, a pozostali studenci zaczęli nawet szeptać, że oto są świadkami narodzin nowego romansu pomiędzy mistrzem i jego uczennicą. Była to, oczywiście, bzdura, bo jej nauczyciel i mentor miał z siedemdziesiąt lat i ani razu nie dał jej do zrozumienia, że widzi w niej kogoś więcej niż pilną i nad wyraz zdolną studentkę.

Popołudnie spędzone z Johannem nie należało, niestety, do udanych. Nie pokłócili się, ale jej chłopak był bardzo zdenerwowany wynikami ostatnich wyborów i faktem, że ich najwięksi wrogowie, NSDAP, zdobyli tak wiele miejsc w Reichstagu.

— Wykończą nas, jeśli wygrają — powiedział ze złością.

— Nas też. Mówię o Żydach. I zastanawiam się, jak ludzie mogli na nich zagłosować. Przez cały czas miałam NSDAP za bandę wariatów i prostaków, lubiących używać przemocy, i nie sądziłam, że pewnego dnia tak się rozpanoszą, a ludzie za nimi pójdą —

westchnęła Judith, bo i ją martwiły wyniki ostatnich wyborów.

Naziści już od dawna odgrażali się Żydom, ale teraz wszystko stawało się bardzo realne, bowiem była przekonana, że niebawem swoje słowa przekują w czyny.

— Wiesz, przyszedł kolejny kryzys, bezrobocie i bieda. Trafili na podatny grunt i w końcu ziarno wykiełkowało.

— Więc dlaczego nie popierają komunistów? Na podobnym gruncie władzę zdobyto w Rosji — mruknęła Judith.

— Najpewniej idea internacjonalizmu do nich nie przemawia, są zbyt przywiązani do narodowych tradycji. *Deutschland, Deutschland über alles.*

— Nie rozmawiajmy już o tym — powiedziała ciepło Judith. Tego dnia była w wyjątkowo romantycznym nastroju i nie miała ochoty dyskutować o polityce, ale o ich przyszłości. Pragnęła słuchać, jak Johann bardzo ją kocha i jak będą wyglądały ich dzieci. — Tato będzie pracował u Reussów do późna, Serafin pojechał do Hamburga. Będziemy mieli całe mieszkanie tylko dla siebie. A pościel w mojej sypialni jest taka zimna...

— Nie, Judith. Nie dzisiaj. Mam spotkanie w komitecie. Przecież trzeba coś przedsięwziąć... — westchnął.

— Johann, mleko się wylało — jęknęła.

— Jeśli naziści nie znajdą koalicjanta i nie sformuje się nowy rząd, czekają nas kolejne wybory. I musimy się do nich przygotować.

Nie spodobało się to Judith. Rozumiała Johanna i jego zaangażowanie w KPN, ale ostatnio jej partner żył tylko wyborami, partią i niczym więcej. A ona, mimo że sama była bardzo zajęta, chciała od czasu do czasu oderwać się od przyziemnych spraw i przeżyć coś romantycznego. Nie zamierzała jednak obrażać się na Johanna ani też prezentować kobiecych fochów. Byli przyjaciółmi i jej chłopak oczekiwał od niej zrozumienia i wsparcia. A ona chciała mu je dać. Nawet jeśli wieczór, który miała spędzić w ramionach ukochanego, rozpocznie się i zakończy przy sztalugach.

* * *

Tego dnia udała się do tajemnego pomieszczenia ojca. Usiadła na taborecie i zaczęła robić podmalówkę. Dokładnie tak, jak robił to Rembrandt, który nigdy nie wykonywał szkicu przyszłego dzieła. A kiedy skończy ów obraz, będzie miał on wyglądać dokładnie tak, jak *Święty Paweł w więzieniu*. Miała nadzieję, że kiedy będzie na finiszu, tuż obok niej usiądzie ojciec i pomoże jej w impastach tworzących niepowtarzalny światłocień, który stał się znakiem firmowym Rembrandta.

Gdy tylko chwyciła pędzel, zapomniała o całym świecie. Nawet o Johannie i zawodzie, jaki jej tego dnia sprawił. Była skoncentrowana jedynie na obrazie, który zamierzała namalować. Dość długo szukała właściwej dębowej deski, potem zaś rozpoczęło się żmudne gruntowanie ochrą, żywicą i klejem zwierzęcym. To nudne zajęcie miała już na szczęście za sobą i mogła zabrać się za podmalówkę. Co rusz zerkała na autochrom obrazu, a potem z zegarmistrzowską niemal precyzją pociągała pędzlem po zagruntowanej desce. Nawet nie spostrzegła, gdy zrobił się wieczór, bo nawet w ciągu dnia miała zapaloną w pokoju lampę. Ojciec mówił jej, że przy robieniu impastów będzie musiała korzystać jedynie z dziennego światła, co stanowiło pewną komplikację, bowiem poranki zwykle spędzała na uczelni. Zmęczenie i ból pleców oderwały ją od sztalugi. Wymyła pędzle, zgasiła lampę i opuściła pomieszczenie. Wcisnęła guzik w ścianie, przypominający włącznik światła, i regał zaczął powoli się przesuwać, by po niedługim czasie całkowicie zamaskować wejście do tajnej pracowni ojca. Weszła do salonu i zerknęła na stojący w rogu pokoju duży zegar. Siedząc na tyłach mieszkania, nie słyszała jego bicia, więc była bardzo zdziwiona, gdy wskazówki pokazały jej godzinę dwudziestą trzecią. Zajrzała do sypialni ojca, łudząc się, że zmęczony poszedł od razu spać, nawet nie zaglądając do niej, ale łóżko było puste. Zdenerwowała się trochę, bo ojciec nigdy nie wracał tak późno ze zleceń. Zresztą jaka modelka chciałaby pozować po nocach. Poza tym w takich domach, jak von Reussów, z pewnością nie tolerowano obcych o tej porze.

Do drugiej w nocy chodziła od okna do okna i zerkała na coraz bardziej opustoszałą ulicę w nadziei, że w oddali zobaczy ojca, uginającego się pod ciężarem sakwojażu. Jednak Ismael Kellerman nie wracał.

Usiadła w fotelu i przykryła się kocem. Miała zamiar czuwać przez całą noc, ale była chyba zbyt zmęczona, by wytrzymać do rana, bo zasnęła jak kamień i obudziła się dopiero wówczas, gdy przez wysokie okna wpadło do pokoju światło dnia.

Zerwała się na równe nogi i kolejny raz pobiegła do sypialni ojca, ale nadal go w niej nie było. Wpadła w panikę. To było niepodobne do Ismaela Kellermana, bo jeśli nawet zdarzało mu się spędzać noc poza domem, uprzedzał o tym, bo wiedział, że jego córka będzie się bardzo martwić. Ostatnio Żydzi padali ofiarą napadów, gdyż niechęć wobec nich z każdym rokiem wzrastała i nie ograniczała się jedynie do szyderstw i wyzwisk, ale niekiedy zamieniała się w fizyczną agresję.

Napiła się mleka i włożyła czyste ubranie. Postanowiła, że tego dnia nie pójdzie na uczelnię, ale uda się do miasta, by poszukać ojca. Swoją wędrówkę rozpoczęła od luksusowej willi von Reussów, usytuowanej niedaleko Potsdamer Platz.

Drzwi wejściowe otworzył jej mężczyzna o ponurym wyrazie twarzy, który ziewał jak krokodyl po każdym wypowiadanym słowie.

— Pana Kellermana u nas nie ma, łaskawa pani. Wyszedł wczoraj, około godziny dwudziestej pierwszej, jak zwykle. Tak mi się wydaje.

— To pan wie czy panu się wydaje? — warknęła zniecierpliwiona Judith, bo wolno cedzone słowa bardzo ją denerwowały.

— Nie było mnie przy tym — mruknął.

— A kto był? — jęknęła.

— Pan Wilhelm i pan Herbert. No i panienka Marita — oznajmił i kolejny raz ziewnął.

— A czy ja mogę porozmawiać z panem Wilhelmem? — Judith przygryzła wargę. Może ojciec powiedział swojemu zleceniodawcy, gdzie udaje się po skończonej pracy.

— Obawiam się, że to niemożliwe. Pan Wilhelm wyjechał pół godziny temu do Reichstagu.

— A ten… Hubert albo panna Marita?

— Pan Herbert, łaskawa pani. Herbert — wycedził.

— Wszystko jedno. — Machnęła ręką.

— Musiałbym sprawdzić, czy już wstał.

— Więc proszę to zrobić — powiedziała stanowczo.

Służący nakazał jej poczekać w niewielkim pokoju, znajdującym się tuż obok wejściowych drzwi, a sam powlókł się schodami na piętro w takim tempie, że miała ochotę krzyczeć. Czekała na młodego von Reussa chyba trzy wieki, chociaż minął zaledwie kwadrans, co odnotowała, patrząc na fikuśny zegar stojący na kunsztownie zdobionej komodzie.

— O co chodzi? Cóż to za pilna sprawa? — zapytał ostro wysoki zaspany mężczyzna.

Miał lekko opuchnięte powieki, co świadczyło, że niedawno się obudził. Poza tym reprezentował sobą to, co naziści lubili najbardziej. Typowo aryjski wygląd. Miał ciemnoblond włosy, niebieskie oczy i muskularną sylwetkę. Judith od razu poczuła do niego niechęć.

— Przepraszam pana najmocniej, ale zaginął mój ojciec i…

— Jak to zaginął? — Von Reuss zmarszczył czoło.

— Wczoraj był u nas i jak zwykle pracował nad portretem mojej siostry.

— Tak, wiem... — zmieszała się Judith. Nieprzyjemny ton jej rozmówcy sprawił, że poczuła się nieswojo. — Ale nie wrócił na noc i sądziłam, że może państwo coś wiedzą.

Herbert von Reuss się uśmiechnął. Jednak nie z życzliwością ani tak, jakby miał właśnie przekazać jej jakąś dobrą wiadomość, ale złośliwie.

— Pani wybaczy, ale pani ojciec jest dorosłym mężczyzną i jeśli nie wrócił na noc, zapewne zabawił u jakiejś przystojnej damy.

Pokręciła przecząco głową.

— Nie, panie von Reuss. Niemożliwe, tato uprzedziłby mnie, gdyby miał nie wrócić na noc.

— To musi być męczące — wycedził.

Popatrzyła na niego ze zdziwieniem.

— Co takiego, panie von Reuss?

— Pilnowanie ojca jak małego chłopczyka, który może wpaść pod samochód. Może człowiek miał dość kurateli nadopiekuńczej córeczki? — warknął.

Nie rozumiała, dlaczego ten mężczyzna chciał ją obrazić. Martwiła się o ojca, bo znała go lepiej niż ten heros z bożej łaski, a on insynuował jej, że pilnuje swojego ojca jak dzieciaka. Gdyby nie ten jad skapujący mu z ust przy każdym wypowiadanym słowie i ironiczny uśmiech pomieszany ze złością, mogłaby pokonać swoją początkową niechęć i uznać go za sympatycznego, przystojnego mężczyznę, ale po takiej rozmowie uznała, że jej pierwsze wrażenie było jak najbardziej słuszne. Ów młody człowiek musiał mieć jakiś problem ze sobą, jeśli potraktował ją w taki sposób. Zupełnie bez powodu.

— Proszę zostawić swoje uwagi dla siebie, bo nie przyszłam do pana, aby ich wysłuchiwać — syknęła.

— Chcę tylko wiedzieć, czy tato coś mówił, gdy wychodził.

Mężczyzna ponownie się uśmiechnął, tym razem zupełnie szczerze.

— Ojoj, gdyby wzrok mógł zabijać, już bym nie żył. — Po chwili spoważniał i dodał: — Przykro mi, powiedział jedynie, że przyjdzie pojutrze rano, bo teraz będzie potrzebował dziennego światła.

— Dziękuję — mruknęła i ruszyła w stronę drzwi.

— Nigdy nie pomyślałbym, że jest pani córką Kellermana. Jesteście kompletnie niepodobni do siebie — powiedział łagodnie na zakończenie, jakby chciał w ten sposób zostawić po sobie nieco lepsze wrażenie.

— Doprawdy? — Popatrzyła mu prosto w oczy.

— Czyżby mój wygląd nie był wystarczająco żydowski?

Mężczyzna na powrót spochmurniał i powiedział chłodno:

— Franz odprowadzi panią do drzwi.

Judith wyszła z willi von Reussów i przysiadła na murku otaczającym budynek. Popatrzyła w niebo i szepnęła:

— Tatusiu, gdzie jesteś? Tatko, mam nadzieję, że nic ci nie jest. Nie przeżyję, jeśli coś ci się stało.

Po kilku minutach podniosła się i ruszyła w stronę przystanku tramwajowego. Nie pojechała jednak do domu, ale na pocztę, skąd postanowiła zadzwonić do Rudolfa Dorsta. Co prawda ów policjant nachodził ich kilkukrotnie w sprawie fałszerstwa obrazów van Gogha i nękał niewygodnymi pytaniami, ale widziała, jak na nią patrzył. Poza tym nawet proponował jej randkę, na którą z oczywistych powodów się z nim nie umówiła. Liczyła jednak, że ma do niej słabość, a także dużo większe możliwości, by odnaleźć jej ojca.

2.

℞udolf Dorst patrzył na piętrzące się na jego biurku akta sprawy Ottona Wackera i miał poczucie klęski. Ponadtrzyletnie śledztwo przeciwko temu domorosłemu marszandowi miało znaleźć swój finał w sądzie już za dwa tygodnie, a on nie posiadał ani jednego twardego dowodu, by wsadzić tego oszusta na długie lata do więzienia. Ponad trzystu świadków, którzy nie wnieśli wiele do sprawy, kilkadziesiąt wzajemnie się wykluczających ekspertyz i zeznań rzeczoznawców i oskarżony twierdzący, że padł ofiarą niesłusznej nagonki.

Kiedy ponad dwa lata wcześniej Wacker zniknął, a wraz z nim kilka obrazów rzekomo namalowanych ręką van Gogha, Rudolf uznał ten fakt za nieme przyznanie się do winy. Tymczasem po kilku tygodniach oskarżony jak gdyby nigdy nic pojawił się z powrotem w Berlinie. Nie miał jednak ze sobą obrazów, za to plik kolejnych orzeczeń specjalistów od dzieł sztuki, że dzieła przez niego wystawiane są oryginałami. Na pytanie, gdzie wobec tego są te, które wywiózł, odparł, że zdeponował je w amsterdamskiej willi znajomego marszanda. W ramach współpracy holenderska policja udała się pod podany przez Wackera adres, ale niczego nie znalazła, zaś zdziwiony gospodarz domu odrzekł, że owych dzieł na oczy nie widział, a samego Ottona zna bardzo słabo.

Wacker kluczył, kłamał, przez jakiś czas nawet udawał, że choruje i właściwie robił wszystko, by storpedować albo przynajmniej utrudnić śledztwo. Udało mu się to znakomicie, bo sprawa sądowa, która miała się niebawem rozpocząć, opierała się tylko na poszlakach. Jedynym punktem zaczepienia był niejaki Ismael Kellerman i jego piękna córka. Rudolfowi od początku wydawało się, że oboje kłamią, ale mimo kilkukrotnych spotkań nie udało mu się niczego od nich wyciągnąć. Może trochę oszukiwał się, bo wmawiał sobie, że chodzi jedynie o śledztwo, jednak nie bez znaczenia był fakt, iż miał wielką ochotę znowu popatrzeć na śliczną Judith Kellerman. Niestety, piękna córka malarza miała narzeczonego i dała mu kosza. Stwierdził po pewnym czasie, że może dobrze się stało, bo gdyby Kellerman znalazł się w kręgu podejrzanych, Rudolf miałby ogromny problem. Judith na pewno nie miała nic wspólnego z fałszowaniem obrazów, bo liczyła sobie wówczas zaledwie piętnaście lat, jednak okłamywanie policji także było przestępstwem.

Postanowił jednak spróbować ostatni raz porozmawiać z Ismaelem i Judith. Za wszelką cenę pragnął znaleźć jakieś światełko w tunelu, które pozwoli uniknąć mu całkowitej kompromitacji przed sądem.

Założył płaszcz, wziął ze stołu teczkę i miał już wychodzić, gdy do jego pokoju wszedł komisarz z wydziału zabójstw.

— Mamy trupa — powiedział radośnie, jakby wygrał szczęśliwy los na loterii.

— Nie zajmuję się trupami — warknął Rudolf, bo nie miał ochoty na mrożące krew w żyłach opowieści Hansa Klugego.

Na domiar złego zadzwonił telefon na jego biurku i Rudolf nie wiedział już, czy ma go odebrać, wysłuchać kolegi po fachu, a może wyjść z biura i pojechać do Kellermanów.

— Ten może cię zainteresować. Jest malarzem. A raczej był…

— Wiecie, jak się nazywa? — zapytał bez specjalnego zainteresowania.

— Ismael Kellerman. Miał przy sobie dokumenty, obok leżała torba z malarskimi utensyliami.

Rudolf jednak cofnął się do biurka i usiadł na krześle. Od razu pomyślał o pięknej niebieskookiej dziewczynie.

— Jego rodzina wie? — zapytał cicho.

— Jeszcze nie…

Telefon zadzwonił kolejny raz.

— Odbiorę, przepraszam — wymamrotał Rudolf i podniósł słuchawkę.

Po chwili jednak pożałował tego, co zrobił. Po drugiej stronie usłyszał zdenerwowany głos Judith Kellerman. Zaczęła mówić drżącym głosem, że jej ojciec nie powrócił do domu na noc, co nigdy mu się nie zdarzało, i bardzo niepokoi się o niego. Zastanawiał się, czy powiedzieć, że jej obawy są jak najbardziej uzasadnione, ale zdawał sobie sprawę, że takich wiadomości nie powinno się przekazywać telefonicznie. Zaproponował, że w ciągu godziny pojawi się u niej. Podziękowała i rozłączyła się, a on wciąż trzymał w dłoni słuchawkę i siedział jak wmurowany.

— Opowiedz mi coś więcej — wydukał po chwili.

— Ktoś zadźgał go nożem. Jednak wcześniej był torturowany. Miał mnóstwo siniaków na całym ciele, ślady po przypalaniu papierosem i pękniętą szczękę. Może chciałbyś obejrzeć to, co przy nim znaleźliśmy? — zaproponował Hans.

— Tak, ale nie teraz. Teraz muszę jechać do domu jego córki...

— Ty powiadomisz rodzinę czy mam wysłać swoich ludzi? Wiesz, to najbardziej parszywa działka, więc chętnie ci ją przekażę — zapytał Kluge.

— Powiem jej. Właściwie im, bo Judith ma jeszcze brata — wymamrotał.

Sam nie wiedział, czy to dobry pomysł, jednak nie chciał, by pojawili się u niej mundurowi i bezdusznie powiedzieli jej o tym, co się wydarzyło. A jeśli Judith była sama w domu, to lepiej, żeby chociaż on znalazł się w pobliżu. Dziewczyna bardzo kochała swojego ojca i była wobec niego lojalna do ostatnich granic, więc zapewne jego śmierć będzie dla niej okrutnym ciosem.

— Przy okazji... chcę się rozejrzeć po pracowni Kellermana. Myślę, że dzieci malarza nie będą nam tego utrudniać. Może trafimy na jakiś ślad. A kto wie, może i tobie się przysłużymy. Tylko raczej nie informuj o tym zrozpaczonej córeczki... Chcę zobaczyć, jak zareaguje na ten pomysł. Jeśli nie będzie czyniła nam przeszkód, będę wiedział, że nie ma niczego do ukrycia — kontynuował Hans.

— Przestań! — warknął Rudolf. — Ja się zastanawiam, jak jej o tym powiem... O śmierci ojca.

— Koleżko, czy ty przypadkiem nie tego...?

— Kluge zarechotał.

— Nie. Po prostu rozmawiałem z nią kilka razy — odparł Rudolf, po czym postanowił zmienić temat i zapytał: — Słuchaj, masz już jakąś hipotezę?

— Jeszcze na to za wcześnie, ale raczej wykluczyłbym rabunek. Kellerman miał na ręku zegarek i trochę pieniędzy w pugilaresie. Więc albo zrobiły to te cholerne bojówki NSDAP w ramach swojego nienawistnego stosunku do Żydów, albo zacny pan Kellerman zalazł komuś za skórę. Może załatwił go Wacker, proces już niedługo... Dlatego chcemy rozejrzeć się trochę po jego pracowni.

— Hm... — mruknął Dorst. — Kellerman milczał, nawet nie wpisałem go na listę świadków oskarżenia. Jeśli więc miał ze sprawą coś wspólnego, to nie puścił pary z ust.

— No, nic, to jedź do panny Kellerman. Może ona coś ci powie. My pojedziemy ją przesłuchać jutro rano — odparł Kluge i wyszedł z pokoju Dorsta.

Mimo że Rudolf wciąż miał na sobie jesionkę, zrobiło mu się zimno. Przez chwilę nawet obwiniał siebie, że tak łatwo dał za wygraną i nie przycisnął mocniej Ismaela Kellermana. A jeśli Judith coś wiedziała o ojcu i jego kontaktach, także może znaleźć się w niebezpieczeństwie. Wybiegł z biura i poprosił kierowcę z patrolu, by ten podwiózł go na Bregenzer Strasse, najszybciej jak to możliwe.

§⟩

Pół godziny później stał w progu mieszkania Kellermanów. Judith wyglądała na przybitą, miała podkrążone oczy i była blada jak ściana w jej przedpokoju. A mimo to wydała mu się najpiękniejszą kobietą, jaką stworzyła matka natura.

— Jest pani sama? — zapytał cicho.

Pokiwała głową i zaprosiła go do środka. Podszedł do niej i przytulił do siebie. Normalnie nie zrobiłby tego, ale chciał trzymać ją w ramionach, gdy będzie przekazywał jej te tragiczne wieści. Odsunęła się od niego nieznacznie i popatrzyła trochę zawstydzona, a trochę rozzłoszczona.

— Co pan wyprawia? — zapytała. — Proszę mnie puścić.

Nie wyrywała się jednak, więc z powrotem ją do siebie przysunął.

— Panno Kellerman... Judith... Twój ojciec nie żyje... — powiedział cicho.

Przestała go odpychać, tylko wtuliła się w jego ogromne ramiona i zaczęła szlochać.

— Dlaczego? Co się stało? — wyłkała.

— Ismael Kellerman został znaleziony martwy na obrzeżach lasu w Grunewaldzie. Miał rany kłute... Po prostu został zamordowany. — Rudolf nie chciał przekazywać jej w takiej chwili zbyt drastycznych szczegółów.

— Kto to zrobił?! Co za drań zabił mi ojca?! — zaczęła krzyczeć.

— Nie wiemy. Przynajmniej na razie. Judith, jeśli wiesz cokolwiek o znajomych ojca albo masz jakiekolwiek podejrzenia, kto mógł zrobić coś tak strasznego, powiedz mi.

Odsunęła się od niego i powiedziała:

— Muszę powiadomić Serafina. Jest u wuja w Hamburgu... Muszę wysłać depeszę do niego. Mój brat... On musi wrócić do domu...

— Judith... — Rudolf postanowił nie zważać na konwenanse. — Wiem, że jesteś zdruzgotana śmiercią ojca, ale im szybciej złapiemy trop, tym prędzej zatrzymamy zabójcę. Błagam, powiedz, co wiesz. Jeśli jesteś w posiadaniu jakichś informacji, także możesz być w niebezpieczeństwie.

— *Herr Leutnant* Dorst... — odrzekła drżącym głosem. — Ile razy mam panu powtarzać, że nie mam pojęcia o tym, z kim robił interesy mój ojciec i czy w ogóle je robił. Był malarzem. Brał zlecenia głównie na portrety, pejzaże, niekiedy na jakieś malowidło sakralne. Ostatnio codziennie chodził na Bellevuestrasse, do domu niejakich von Reussów. Malował portret Marity von Reuss. Byłam nawet u nich rano, ale ojciec wyszedł stamtąd wczoraj około dwudziestej pierwszej. Nie mam pojęcia, co mógł robić w Grunewaldzie.

— Tych von Reussów? — zdziwił się Rudolf.

— To znaczy?

— Wilhelm von Reuss jest posłem do Reichstagu z ramienia NSDAP... Oni nie lubią Żydów...

— Może i nie lubią, ale zapewne cenią sobie fachową robotę i wtedy nawet żydostwo im nie przeszkadza. Naprawdę uważa pan, że chcieli ukryć fakt, iż zadają się z Żydami? — jęknęła Judith.

— Nie sądzę, ale może chodziło o coś innego? — zapytał Rudolf.

— Proszę mnie już nie męczyć. Cały czas zachowuje się pan jak policjant... A ja myślałam, że przyszedł tu pan, bo... mnie lubi. To tragedia. Co ja teraz zrobię? Bez taty... — Judith zaczęła płakać.

Usiadła na kanapie, wzięła wyszywaną poduszkę leżącą nieopodal i przytulając ją do twarzy, zaczęła szlochać. Może poduszka pachniała jej ojcem, a może po prostu Judith nie chciała, by ktoś obcy widział jej rozpacz. Po chwili łkanie ustało, a ona zaczęła się kiwać jak dziecko pozbawione rodzicielskiego ciepła. Prawdę mówiąc, tak właśnie było. Judith nie miała już ani matki, ani ojca.

Rudolfowi serce się krajało na ten widok, ale nie bardzo wiedział, co powinien zrobić. W końcu chwycił dziewczynę za rękę.

— Tak, polubiłem cię i uwierz, to najgorsza rzecz, jaką przyszło mi zrobić. Przyjechać do ciebie i powiadomić cię o śmierci ojca. I chociaż nie zajmuję się zabójstwami, nade wszystko pragnę, by ten, kto zamordował Ismaela Kellermana, zapłacił za to. Właśnie dlatego, że cię lubię. Niestety, w tym momencie jesteś jedyną osobą, która może mi pomóc, bo byłaś najbliżej ze swoim ojcem. Wybacz więc, że zadaję ci te wszystkie okropne pytania, ale nie mam wyjścia.

— Przepraszam — wyłkała. — Ale niechże pan zrozumie, ja naprawdę nic nie wiem.

Pogłaskał ją po głowie i zapytał nieśmiało:

— Mogę z tobą zostać tak długo, jak będziesz tego potrzebowała. Chcesz?

— Zaraz powinien przyjść Johann, mój narzeczony — wychlipała. — Niech już pan idzie. I dziękuję, że się pan osobiście pofatygował.

Zdawał sobie sprawę, że nic tu po nim. Pożegnał więc Judith Kellerman i wyszedł z jej mieszkania. Mimo że dziewczyna dowiedziała się właśnie o śmierci ojca, wciąż milczała. A on nadal miał przeczucie, że panna Kellerman wie bardzo dużo. Nie rozumiał tylko, dlaczego nic nie chce powiedzieć, nawet w obliczu zbrodni dokonanej na jej ojcu. Bała się? A może sama była w coś zamieszana? Nie chciał jednak jej naciskać, za bardzo mu na niej zależało. Miał jednak nadzieję, że Hans wydobędzie od Judith znacznie więcej informacji, a może znajdzie odpowiedzi na pewne pytania podczas rewizji w mieszkaniu Kellermanów przy Bregenzer Strasse.

3.

*M*ax Geyer przeglądał się w lustrze i nie mógł wyjść z podziwu dla samego siebie. Nie tylko dlatego, że w mundurze SS prezentował się rewelacyjnie, ale również z uwagi na fakt, iż przeszedł pozytywnie weryfikację dotyczącą czystości krwi i zasilił szeregi tej zacnej organizacji. Wciąż był dziennikarzem, ale popołudniami przeistaczał się w rycerza zakonu, jakim było Schutzstaffel. On bardziej niż inni idealizował tę formację i podobnie jak Himmler postrzegał ją jako nowy ruch religijny.

Najpierw zaprezentował się w nowym stroju rodzinie. Siostry piszczały jak oszalałe, twierdząc, że wygląda podniecająco w mundurze, matka popłakała się z dumy i jedynie ojciec, zagorzały katolik, nie był zadowolony z nowego wcielenia Maxa.

— To, że pisałeś głupoty w tej swojej szmatławej gazetce, byśmy nie pomarli z głodu, jestem w stanie zrozumieć, ale to... — Wykrzywił usta w grymasie. — To jakaś cholerna bezbożna sekta, a nie formacja wojskowa.

— Tato, wiesz, że nie wierzę w Boga. — Młody Geyer nie chciał, by ojciec złościł się na niego. Ten dzień był wyjątkowy, miał doskonały humor i pragnął, by taki pozostał.

— A w co wierzysz, synu, wstępując do czegoś takiego? To bandyckie bojówki, wierzące w jakiegoś szaleńca.

— To tylko gwardia przyboczna partii — jęknął Max.

— Gwardia?! — Ojciec prychnął. — Byle cię tylko ta banda nie wciągnęła do samego piekła i nie skazała na wieczne potępienie.

— Tato, jeśli nie wierzę w niebo, to jak mam uwierzyć w piekło? — Uśmiechnął się kwaśno.

— Trzeba w coś wierzyć. Przynajmniej w dobro i zło — mruknął ojciec, po czym zdjął z wieszaka wyświechtane palto i ruszył w kierunku drzwi.

— Ojciec do roboty musi iść — westchnęła matka. — Wybacz mu, od trzech lat nie ma stałego zajęcia. Gdybyś nam nie pomógł...

— Mamo, wiem, że jest wam ciężko, ale gdy naziści dojdą do władzy, wszystko się w tym kraju zmieni. Nie będzie ani biedy, ani bezrobocia. I nawet nie będziemy potrzebowali dolarów z Ameryki. Partia zamierza uruchomić potężne inwestycje państwowe i tym samym dać pracę wszystkim potrzebującym. Ale musimy mieć większość w Reichstagu i mam nadzieję, że niebawem NSDAP będzie rządziła bez konieczności zawiązywania koalicji. Brak porozumienia w tym względzie oznacza nowe wybory. Dla nas to ogromna szansa, bo ludzie mają dość biedy, kryzysów i uzależnienia od innych państw. Krach na nowojorskiej giełdzie pokazał wyraźnie, że nie należy liczyć na innych.

— Jaki ty jesteś mądry, synku. — Matka pogłaskała go po głowie. — Ja się nie znam na polityce, patrzę tylko, żeby na chleb wystarczyło.

Max uśmiechnął się do matki, a potem pożegnał się ze wszystkimi i opuścił ponurą norę, w której wciąż mieszkali jego rodzice i młodsze siostry. Chciał, by pewnego dnia jego rodzina wyniosła się stamtąd, a ojciec nie musiał się martwić, czy nazajutrz dostanie pracę dorywczą, czy odeślą go do diabła.

ৰু

Matka chciała, żeby został na kolacji, ale tego dnia miał jeszcze jedno spotkanie. Przy Johann--Sigismund-Strasse. Stała tam jedna z kamienic należących do von Reussów, a w niej znajdowała się przytulna garsoniera, w której spotykał się od czasu do czasu z Agnes von Reuss. Nie spali jeszcze ze sobą, spędzając czas na rozmowach o pokrewieństwie dusz i wyższości rasy aryjskiej nad każdą inną. Jednak wyczuwał napięcie, jakie było między nimi i wiedział, że jest kwestią czasu, by wylądowali razem w łóżku. Max czekał na ruch Agnes, bo gdyby coś poszło nie tak, straciłby wpływowych przyjaciół, jakim byli von Reussowie.

Tego dnia szedł na spotkanie przekonany, że jeśli tylko Agnes ujrzy go w tym eleganckim mundurze, nie czekając na nic, zdejmie z siebie suknię i rozłoży nogi. A wtedy on sprawi, że nie będzie w stanie mu niczego odmówić. Chciał, żeby umożliwiła mu spotkanie z Himmlerem, ale ona wciąż wynajdywała dziesiątki powodów, by tego nie zrobić. Tak jakby dawała mu do zrozumienia, że musi sobie zasłużyć na podobne względy.

Zapukał do drzwi i po chwili zobaczył w nich Agnes. Zmierzyła go od stóp do głów, a potem popatrzyła mu w oczy. Zobaczył w nich błysk pożądania i wiedział już, że tym razem Agnes trudno będzie zachować powściągliwość.

— I jak wyglądam? — zapytał.

— Jak prawdziwy germański bóg — szepnęła ochrypłym głosem.

Podszedł do niej i dotknął jej policzka.

— Ten germański bóg może dzisiaj być cały twój — powiedział uwodzicielskim głosem.

Odsunęła się od niego i odwróciła wzrok.

— Moja córka się w tobie zadurzyła...

— Agnes, Marita to jeszcze dziecko. Nawet nie potrafię patrzeć na nią jak na kobietę. A na ciebie... Na ciebie nie potrafię patrzeć inaczej.

— Pragnę cię, Max. Odkąd zobaczyłam cię wtedy, w ambasadzie. Ale to nie jest takie proste. Mam męża, który w dodatku zasiada w Reichstagu, syna, który niebawem zasili szeregi SS, i córkę patrzącą na ciebie wzrokiem mdlejącej łabędzicy.

— Agnes, ja to wszystko wiem. I to, że Marita podkochuje się we mnie, także. Ale czy nie moglibyśmy zapomnieć na chwilę o nich wszystkich?

— Naprawdę sądzisz, że na chwilę? Boję się, że nie będę potrafiła przeżyć z tobą kilku wspaniałych godzin, a potem zapomnieć i potraktować tego, co się stało, jak miłej odskoczni.

— Przestań, nie wiemy, co wydarzy się jutro czy za rok. Dajmy się ponieść naszemu pożądaniu.

Max wiedział już, że Agnes pragnie go równie mocno, co on ją. A jeśli chodziło o jej opory moralne, wierzył, że da radę je złamać.

— Max... — jęknęła. — Nie chodzi tylko o pożądanie, ja czuję, że jesteśmy pokrewnymi duszami i gdybyśmy byli razem, moglibyśmy zdobyć cały świat. Tym razem Agnes von Reuss nieco się zagalopowała. Mógł z nią sypiać, ale ona była od niego jakieś dwadzieścia lat starsza, poza tym bez swojego małżonka stałaby się nikim.

— Masz męża, Agnes...

— Męża można mieć i nie mieć. To nie jest kolor oczu, którego nie dałoby się zmienić — warknęła.

To było szaleństwo. Rozwiedziona i pozbawiona wpływów Agnes nie była mu do niczego potrzebna.

— Kochasz swoje obecne życie. Brylowanie na salonach, przepastny dom pełen dzieł sztuki, suknie od najlepszych krawców i wpływy. Nie tylko w kręgach przedsiębiorców, ale także polityków. Kto wie, może niebawem zostaniesz panią ministrową albo ambasadorową. Ja czegoś takiego ci nie dam. Być może nigdy. Poza tym wiesz, jak naziści cenią sobie rodzinę. Ona jest fundamentem wielkich Niemiec. Nie mógłbym żyć ze świadomością, że rozbiłem bastion niemieckiej Rzeszy. — Max starał się, by Agnes zeszła na ziemię i sama doszła do wniosku, iż jej marzenia, jeśliby się ziściły, nigdy nie dadzą jej szczęścia.

Popatrzyła na niego i głośno westchnęła.

— Jak zwykle masz rację, Max. Jesteś mądrym człowiekiem...

Już kolejna osoba tego dnia powiedziała mu, że jest nie tylko urodziwy, ale także mądry. Od razu poczuł się fantastycznie, bo z zasmarkanego chłopaka żyjącego w skrajnej biedzie nagle stał się frapującym mężczyzną. Wszystko w jego życiu układało się cudownie. Zmężniał, wyrósł na przystojniaka i kobiety za nim szalały, gazeta, w której pracował, dała mu podwyżkę, by nie uciekł do konkurencji, a w końcu przyjęto go do SS. Jednak jego apetyt rósł w miarę jedzenia. Już nie chciał się wyróżniać, ale być najlepszym. Przestało mu wystarczać, że w domu von Reussów czuł się niemal jak w swoim własnym, pragnął, by Agnes jadła mu z ręki i robiła wszystko, co chciał. A on życzył sobie, by pieprzyła się z nim jak marcowa kotka i szalała za nim, jednak bez żadnych wyrzeczeń z jego strony.

— Więc jak będzie, Agnes? — zapytał zimno.

— A jeśli powiem ci: „Wszystko albo nic", co wtedy zrobisz?

— Odejdę — warknął.

— Czyli mogę cię mieć jedynie na twoich zasadach? — Zmarszczyła czoło.

— Tak, skarbie. Bo ja wiem, co jest dla ciebie najlepsze. — Uśmiechnął się uwodzicielsko.

— Jak ty mnie podniecasz — mruknęła. — Wystarczy, że się uśmiechniesz. A w tym mundurze...

— Masz szansę, by go ze mnie zdjąć, ale...

— Ale na twoich zasadach — jęknęła.

— Właśnie, moja piękna. Moja słodka, Agnes.

— Mów tak do mnie, błagam. Tak właśnie do mnie mów... — Agnes była chyba u kresu wytrzymałości, bo zaczynała bełkotać i z trudem łapała powietrze.

Zaczęła rozpinać guziki w mundurze Maxa. Złapał ją za rękę.

— Ale potem wrócisz grzecznie do domu i będziesz wzorową matką i żoną.

— Tak, tak, zrobię, co tylko zechcesz.

Agnes chyba od dawna nie dogadzała sobie z mężem, bo zachowywała się jak samica w rui. Podniecała go bardzo, ale wciąż kontrolował sytuację. Chłodnym spojrzeniem obserwował szalejącą w pościeli Agnes i wiedział już, że od tej chwili ta kobieta będzie gotowa spełnić każde jego życzenie, byle kolejny raz zakosztować jego prawdziwie germańskiego przyrodzenia.

Nie mylił się. Następnego dnia zadzwoniła do jego redakcji i oznajmiła, że Heinrich Himmler oczekuje go za tydzień w Monachium.

* * *

Wieczorem poszedł pokazać się jeszcze jednej osobie — swojemu przyjacielowi. Dorst pogratulował mu, ale widać było, że coś go gnębi.

— Co ci jest, przyjacielu? Coś nie tak? — zapytał z troską.

— Wszystko. W pracy nie idzie mi tak, jakbym chciał, a na domiar złego zakochałem się. Dasz wiarę? Ja się zakochałem, jak szczeniak w gimnazjum! I nie byłoby to takie straszne, ale ona ma narzeczonego.

— Narzeczonego zawsze można zmienić — mruknął Geyer.

— To nie takie proste, ona jest w nim zakochana.

— Kto to? Tylko nie mów, że ta Żydówa...

— A jeśli nawet, to co? — żachnął się Rudolf.

— Nic, przyjacielu. Twój kutas, twoja sprawa.
— Roześmiał się i dodał: — Pamiętaj, nie bądź frajerem. Jeśli czegoś pragniesz, sięgaj po to bez skrępowania. Świat jest tak poukładany. Albo ludzie ciebie
zdepczą, albo ty ich.
— Max, ja nie chcę ani być deptanym, ani nikogo deptać. Chcę żyć w zgodzie ze sobą. Nie chcę,
by mnie dręczyły wyrzuty sumienia i nie pozwalały
w nocy zasnąć — odparł Rudolf.
— Wyrzut sumienia... Wiesz, co należy z nim zrobić? Zajebać skurwysyna. — Max zaczął się śmiać.
Głośno i hałaśliwie.

4.

dkąd poprzedniego dnia za córką Kellermana
zamknęły się drzwi, Herbert nie mógł zrozumieć swojego postępowania wobec tej dziewczyny.
Martwiła się o ojca, który nie powrócił na noc, i była
to sprawa naturalna, a jednak pozwolił sobie na zło-
śliwą uwagę dotyczącą kontrolowania życia drugiego człowieka. Zresztą cóż mogły obchodzić go motywy kompletnie obcej osoby? A jednak zachował się
nieelegancko.

Po jej wyjściu wszedł na piętro i udał się do sypialni, którą od dwóch lat dzielił ze swoją żoną,
Daisy. Jego małżonka była piękna, wykształcona
i delikatna, a mimo to nienawidził każdej chwili

z nią spędzonej. Tak jak nienawidził swojego obecnego życia.

Kiedy Daisy trzy lata wcześniej podcięła sobie żyły, zostawiając na stoliku przy łóżku rozpaczliwy list, w którym napisała, że robi to z miłości do niego, poczuł, iż nie pozostawiła mu wyboru. Rozmowa, jaką z nią przeprowadził, gdy doszła do siebie, tylko go w tym utwierdziła. Gdyby nie ożenił się z nią, z pewnością teraz odwiedzałby jej grób, a cała rodzina odsunęłaby się od niego. A może Daisy w ten sposób manipulowała nim, grając na emocjach i jego wrażliwości? Nie miał pojęcia, jednak wówczas to, co zrobiła, było dla niego ciosem. Wpadł w panikę, że będzie miał ją na sumieniu, i obwiniał się o to, że zbytnio zbliżył się do niej, dał nadzieję, a potem usiłował wywinąć się od odpowiedzialności. Po pewnym czasie, gdy analizował swoje zachowanie, nie potrafił znaleźć w nim niczego niewłaściwego, ale na pewne sprawy było już za późno. Pogodził się więc z faktem, że musi ożenić się z dziewczyną, której nie zdążył ani dobrze poznać, ani pokochać.

Miał złudzenia. Chwycił się ich jak tonący brzytwy. Naprawdę wierzył, że gdy ożeni się z Daisy, ona poczuje się pewnie, zacznie zachowywać się normalnie, a wtedy całkowicie zawładnie jego sercem. Problem jednak polegał na tym, iż jego małżonka uznała ich ślub za akt własności jego osoby. Oto właśnie nabyła sobie wasala, który ma być na każde jej skinienie, w przeciwnym razie wpadała w czarną rozpacz. A gdy usiłował zachować resztki niezależności, odwiedzał go Manfred i objaśniał mu, jak wrażliwą istotą jest jego siostra. To było jak więzienie, bo Daisy nie pozwalała mu nawet oddychać swobodnie. Czuł się jak kot zagłaskiwany przez swoją panią i wcale nie było mu z tym dobrze. Wszedł do pokoju i rozebrał się. Wyciągnął z szafy czysty ręcznik i stwierdził, że kąpie się dwa razy dziennie chyba tylko dlatego, by pobyć trochę sam ze sobą.

— Kto to był? — zapytała wówczas zaspana Daisy.

— Córka Kellermana. Tego malarza, który robi portret Marity.

— A cóż ona od ciebie chciała? — Wydęła usta w podkówkę.

— Właściwie nie ode mnie, tylko od ojca. Kellerman nie wrócił na noc do domu i chciała zapytać, czy coś na ten temat wiemy — odparł, przyzwyczajony już do tego, by tłumaczyć się Daisy z każdych pięciu minut, których z nią nie spędził.

— Ładna? — zapytała drżącym głosem.

— Nawet ładna — odpowiedział obojętnym tonem, chociaż córka Kellermana była wyjątkowo piękną kobietą.

— Spodobała ci się? — Daisy właśnie rozpoczęła przesłuchanie.

— To Żydówka — mruknął.

— Ty nie masz takich uprzedzeń jak ojciec albo Manfred — fuknęła.

Zdenerwował się.

— Posłuchaj, Daisy. Rozmawiałem z nią przez jakieś dziesięć minut. Była zaniepokojona i roztrzęsiona. Naprawdę nie zdołałem nawet pomyśleć, czy mi się podoba, czy nie. Idę się wykąpać.

— Nie kochasz mnie już?

Herbert aż przymknął powieki. Wiedział, że za chwilę jego żona wybuchnie płaczem, a on będzie całe przedpołudnie ją uspokajał. Jeśli zaś zignoruje ten fakt, wieczorem zjawi się Manfred Sebottendorf i zacznie wypytywać o ich małżeństwo.

— Oczywiście, że cię kocham. I wiesz co, ona nie umywa się do ciebie. Jesteś od niej jakieś dwieście razy ładniejsza. Jeśli jednak powiedziałbym, że była brzydka jak czarownica, skłamałbym. A wiesz, że nie lubię tego robić.

Herbert pomyślał, że właśnie wypowiedział cztery kłamstwa naraz. I wcale nie miał wyrzutów sumienia. Po prostu zrobił to dla świętego spokoju i nie był w stanie zliczyć, ile razy oszukał Daisy dokładnie z tego samego powodu. Sama do tego doprowadzała swoją podejrzliwością, płaczliwością i kompletnie nieuzasadnioną zazdrością. Gdyby mogła, chyba wyeliminowałaby z całego globu kobiety poniżej sześćdziesiątego roku życia. Nigdy wcześniej nie spotkał osoby, która byłaby tak niepewna i zazdrosna. A Daisy naprawdę nie miała powodów, by czuć się gorsza od innych. Wręcz przeciwnie, mnóstwo dziewcząt z dziką rozkoszą zamieniłoby się z nią miejscami. Żyła jak księżniczka, wyglądała jak one i, niestety, tak też się zachowywała.

Wszedł do wanny i odkręcił kurek. Szum wody sprawił, że nie musiał słuchać wywodów Daisy, która niekiedy potrafiła stać pod drzwiami łazienki i ględzić, jak bardzo go kocha i że nie byłaby w stanie wyobrazić sobie życia bez niego.

Któregoś dnia zapytał:

— A jeśli coś mi się stanie i umrę? Wypadki chodzą po ludziach...

— Nawet tak nie mów, od razu umarłabym razem z tobą. Cały czas noszę przy sobie brzytwę taty. Raz, dwa i już nie byłoby mnie na tym świecie.

Pomyślał z goryczą, że nawet śmierć nie będzie dla niego wybawieniem, bo Daisy od razu podąży za nim, by zadręczać go swoją miłością nawet na tamtym świecie.

Nie pamiętał, jak długo siedział w łazience. Co gorsza, tego dnia nie miał ani zajęć na uczelni, ani też w firmie ojca. Postanowił jednak, że i tak wyrwie się z domu, choćby musiał siedzieć sam przez pół dnia w pustym biurze. Jego żona, oczywiście, nie była z tego faktu zadowolona i zanim wyszedł, wymogła na nim obietnicę, że nie obejrzy się na ulicy za żadną piękną dziewczyną. Przyrzekł jej, iż nie będzie tego robił, ucałował w policzek, a gdy tylko znalazł się w samochodzie i szofer ruszył sprzed ich willi, oglądał się za każdą przechodzącą kobietą. Młodą, starą, ładną i brzydką. I wcale nie chodziło mu o to, że szukał przygód. Chciał przez chwilę poczuć się panem swojego życia i zrobić to, na co miał ochotę.

Najgorsza była jednak samotność. Mieszkali wraz z jego rodzicami i siostrą, a on czuł się wyobcowany bardziej niż kiedykolwiek. Nie miał z kim porozmawiać na temat swojego małżeństwa, bo zarówno matka, jak i ojciec, a także jego siostra, Marita, uważali Daisy za cudowną istotę. Miłą, pogodną i uczynną. Bo Daisy taka właśnie była. Z tym że nie dla niego. Przy nim zachowywała się jak osoba, która powinna jak najszybciej zasięgnąć porady psychiatry. Wszedł do siedziby firmy przy Leipziger Strasse i udał się wprost do swojego biura. Wpatrywał się w widok za oknem i przypomniał sobie uliczną demonstrację komunistów z trzydziestego roku, która odebrała jego ojcu sen i apetyt na kolejny tydzień, podczas którego jedynymi osobami, z jakimi rozmawiał, był jego astrolog i chiromanta. Obecnie komuniści już nie byli tak znaczącą siłą polityczną, jak do niedawna, ale wciąż wykorzystywali wszelkie kryzysy gospodarcze, by pozyskać nowych zwolenników. Tak jak wówczas, gdy krach na giełdzie nowojorskiej kolejny raz zepchnął Republikę Weimarską na skraj nędzy.

Mógłby być szczęśliwy nawet w tym politycznym i gospodarczym chaosie, gdyby nie to cholerne małżeństwo. Chociaż nie ono przerażało go najbardziej, ale sama Daisy. Była jak kameleon, który zmienia się, gdy w pobliżu znajdzie się ktoś inny niż oni. Nikt nie uwierzyłby, że kiedy zostają sami, jego żona staje się nader męczącą osobą. A on chciałby czasami porozmawiać z nią normalnie. Nie ważyć każdego słowa, nie zastanawiać się, czy wspominając o jakiejś kobiecie, nie wzbudzi w niej chorej zazdrości i lęku, że od niej odejdzie. Próbował kiedyś powiedzieć Manfredowi, że Daisy przesadza i zamienia mu tym samym życie w piekło, a może raczej zbudowała mu złotą klatkę, ale jedyne, co usłyszał, to zapewnienie, iż Daisy bardzo go kocha i powinien czuć się największym szczęściarzem na świecie.

Teraz patrzył na uliczny zgiełk i tłumy ludzi podążające w kierunku Leipziger Platz. Myślał sobie, że oni wszyscy być może nie muszą się przed nikim tłumaczyć, dokąd idą. I zazdrościł tego każdemu z nich. Stwierdził z żalem, że uczucie, jakim obdarzyła go Daisy, w żadnym razie nie jest miłością. Nawet jeśli jej samej tak się wydawało.

5.

Tym razem Rudolf Dorst przybył do Judith Kellerman z kilkoma innymi policjantami. Jeden z nich, Hans Kluge, zapytał z miną człowieka współczującego, czy jego ludzie mogliby rozejrzeć się po pracowni ojca. Przełknęła ślinę. Najchętniej nie wyraziłaby na to zgody, ale cóż mogliby sobie wówczas o niej pomyśleć? Że nie zależy jej na wykryciu sprawcy morderstwa? Poza tym najpewniej następnego dnia mogli przyjść z nakazem i nie musieliby jej o nic pytać. Miała nadzieję, że w głównym atelier ojca nie znajdowało się nic, co mogło świadczyć o jego działalności fałszerza.

Dorst tym razem nie rozmawiał z Judith, ale wraz z dwoma innymi mężczyznami poszedł do pracowni, by grzebać w rzeczach Ismaela Kellermana. Do niej prawie wcale się nie odzywał, a nawet na nią nie patrzył. Przesłuchanie pozostawił Hansowi Klugemu, prowadzącemu dochodzenie w sprawie śmierci jej ojca.

Kiedy poprzedniego dnia odrobinę ochłonęła po tragicznej informacji przekazanej jej przez oficera policji, zaczęła zastanawiać się, kto mógł zamordować ojca. Oczywiście, po atakach na Żydów, jakie miały miejsce w poprzednim roku, można było podejrzewać także nazistowskich bojówkarzy, ale przeczucie, a właściwie logika podpowiadały jej, że nie chodziło o pochodzenie Ismaela Kellermana, ale miało to związek z jego fachem fałszerza. Zresztą teraz, gdy rząd podał się do dymisji, a Niemcy czekały kolejne wybory, wysoce prawdopodobna była wygrana NSDAP. Ta antyżydowska partia nie potrzebowała szumu w postaci zamieszek i przepychanek z Żydami czy komunistami. Zapewne doszli do wniosku, że gdy zdobędą pełnię władzy, rozprawią się z nimi w majestacie prawa. Takiego, które sami ustanowią.

Rozważała także sprawę fałszywych obrazów z galerii przy Viktoriastrasse. Niebawem miał rozpocząć się proces Ottona Wackera i ojciec mówił jej, że być może ten będzie ciągnął się miesiącami, jeśli nie latami, bo materiał zgromadzony przez policję pełen jest sprzecznych opinii dotyczących autentyczności dzieł van Gogha. Być może Wacker albo jego wspólnik obawiali się, że ojciec zostanie powołany na świadka, a przyciśnięty przez prokuratora wyzna prawdę o swoim udziale w tym fałszerstwie. Po jakimś czasie odrzuciła tę wersję. Ojciec milczał, mimo że Rudolf Dorst nagabywał go o tę sprawę kilka razy. W końcu odpuścił, a Ismael Kellerman nie otrzymał nawet wezwania do sądu.

Jednak, jak wspominał jej tata, poprawianie fałszywych van Goghów było tylko jednym z wielu zleceń, jakie otrzymywał. Zatem mogło chodzić o zupełnie inne obrazy. Być może policja byłaby w stanie to ustalić, ale wówczas musiałaby opowiedzieć im o tym, czym zajmował się ojciec, pokazać ukryte pomieszczenie w atelier i przyznać, że był przestępcą. Ismael Kellerman, doskonały malarz, straciłby swoje dobre imię i od tej chwili nikt nie myślałby o nim jak o wielkim artyście, ale jak o oszuście. Nie mogła i nie chciała do tego dopuścić. Zwłaszcza że to i tak nie zwróciłoby życia jej ukochanemu tacie. Postanowiła więc milczeć na ten temat i liczyła, że myszkujący po jej domu policjanci nie odkryją przejścia do ukrytego pokoju, w którym oboje z ojcem dokonywali fałszerstw obrazów siedemnastowiecznych mistrzów malarstwa. Nie obawiała się, że przy okazji może się wydać, iż i ona pilnie uczyła się tej sztuki, bowiem zawsze mogła udawać wielce zdziwioną odkryciem tajemniczego pomieszczenia w ich domu. W końcu nawet Serafin nie miał pojęcia o jego istnieniu. Tak samo, jak nie wiedział nic o przestępczej działalności ojca. I nie chciała, by to się zmieniło.

Judith nawet trochę ulżyło, że nie będzie jej przesłuchiwał Rudolf Dorst. Kiedy on z nią rozmawiał, zadawał bardzo szczegółowe pytania, znał się trochę na malarstwie, a poza tym przeszywał ją wzrokiem na wskroś. Wciąż patrzył na nią, powtarzał, że kłamie, i nalegał, by przestała to robić. Teraz zapewne byłoby podobnie. Zadawał pytania nawet w dniu, w którym przyjechał powiadomić ją o śmierci ojca.

Zapewne chciał jak najszybciej znaleźć mordercę, ale ona nie mogła i nie chciała mu pomóc. Musiała sama odszukać tego potwora, który to zrobił. Ojciec był najbliższym jej sercu człowiekiem i wiedziała, że jeśli pewnego dnia dopadnie zabójcę, nie zawaha się, by zniszczyć mu życie, tak jak on zniszczył w tym momencie jej.

— Kiedy wraca pani brat? — usłyszała głos Hansa Klugego.

— Wczoraj wysłałam depeszę, więc powinien lada dzień powrócić — wydukała, nie patrząc na Klugego, ale zerkając na mężczyzn buszujących w atelier ojca.

— Panno Kellerman, jest mi bardzo przykro z powodu śmierci pani taty i zrobimy wszystko, aby odnaleźć sprawcę tej zbrodni, ale musi nam pani pomóc. Każdy szczegół, nawet taki, który może wydawać się nieistotny, jest dla nas ważny — wygłosił formułkę Kluge.

— Rozumiem. Oczywiście, panie komisarzu. Proszę pytać o wszystko. Mnie także zależy na wykryciu i ukaraniu sprawcy. Ojciec... Po śmierci mamy był najbliższą mi osobą. Mój brat zajmował się swoimi sprawami, nas z tatą łączyła wspólna pasja — powiedziała zdenerwowanym głosem. Po chwili zapytała: — A czy może mi pan powiedzieć, jak został zamordowany mój ojciec? Czy bardzo cierpiał?

— Czy jest pani pewna, że chce to wiedzieć?

Potaknęła.

— Pani ojciec najpewniej zmarł od ciosu nożem. W serce.

— Najpewniej? — Uniosła brwi.

— Proszę pani, przed śmiercią pani ojciec był...
torturowany. Na razie nie potrafimy powiedzieć, co
było ostatecznie powodem śmierci...

— Boże... — jęknęła i zaczęła łkać.

— Może lepiej oszczędzę pani szczegółów...
Nie odpowiedziała. Jej płacz zwabił do pokoju Rudolfa Dorsta. Nie podszedł do niej, tylko stał
w drzwiach i patrzył na nią ze współczuciem. Przełknęła ślinę, uspokoiła się i wytarła łzy. Postanowiła,
że na rozpacz pozwoli sobie wówczas, gdy ci ludzie
opuszczą jej dom.

— Niech pan pyta... — wymamrotała.

— Pani studiuje w Akademii Sztuk Pięknych?
Skinęła głową.

— Czy może pani powiedzieć, czym ostatnio zajmował się pani ojciec?

W tym wypadku nie musiała kłamać, bo ojciec
informował ją na bieżąco o tym, co robił i co było
zgodne z prawem. Milczał jedynie wówczas, gdy
podrabiał siedemnastowieczne obrazy dla swojego
zleceniodawcy, jednak ostatnio przyznał, że już się
tym nie zajmuje, bo na życie wystarcza mu wynagrodzenie za obrazy, które maluje legalnie.

Wymieniła osoby, których portrety malował, kościół, gdzie wisiał obraz ostatniej wieczerzy jego autorstwa i kilka galerii wystawiających jego dzieła.
Nie jąkała się ani nie dukała. Jedynie w chwilach, gdy
kątem oka widziała podchodzącego do ruchomego
regału Dorsta, milkła. Strach ściskał ją za gardło, bo
bała się, że ten podejrzliwy policjant zauważy włącznik, a potem go naciśnie. Wówczas wszystko stałoby

się jasne. W pewnej chwili nie wytrzymała nerwowo i zapytała drżącym głosem Klugego:

— Nie rozumiem, dlaczego grzebiecie w naszych rzeczach? Jest mi wyjątkowo ciężko, mój ojciec był ofiarą, a wy wywracacie jego pracownię do góry nogami, jakby to on był winny. Po co to robicie? Przecież jeśli natrafiłabym na cokolwiek, co mogłoby pomóc, powiedziałabym o tym.

— Rozumiem pani zdenerwowanie, zwłaszcza że od chwili odnalezienia zwłok minęły zaledwie dwadzieścia cztery godziny, ale pani ojciec został zamordowany, a nie potrącony przez powóz czy samochód. Poza tym sama pani wyraziła zgodę na to, byśmy rozejrzeli się po pracowni pani ojca, prawda?

— Tak, ale to, co robi pan Dorst z kolegami, nie wygląda na rozglądanie się, tylko na przeszukanie — syknęła.

Kluge popatrzył przez otwarte drzwi do atelier na Dorsta i krzyknął:

— Znaleźliście coś?!

— Tak! — krzyknął z głębi pokoju Rudolf. — Notes z nazwiskami. Ale daj mi jeszcze kwadrans.

Po chwili Kluge zwrócił się do Judith i zapytał słodkim tonem:

— Oczywiście nie ma pani nic przeciwko temu, żebyśmy pożyczyli notatnik pani ojca?

— Nie — wymamrotała i żałowała, że nie znalazła go pierwsza. Nie miała jednak pojęcia, że policjanci zechcą przejrzeć rzeczy ojca. A jeśli teraz odmówiłaby Klugemu, ten nie dałby jej spokoju, traktując jak osobę podejrzaną.

— Wróćmy do dnia, w którym zaginął pani ojciec. Proszę powtórzyć każde jego słowo, może zauważyła pani jakieś nietypowe zachowanie?

Opowiedziała o wszystkim, łącznie z tym, że nazajutrz udała się do von Reussów, by zapytać ich, czy nie wiedzą nic o zniknięciu Ismaela Kellermana. Nie musiała zmyślać, naprawdę nie zauważyła w zachowaniu ojca niczego nietypowego. Ona wyszła na uczelnię, nieco spóźniona, bo rozmawiali o dziwnym zleceniu Wilhelma von Reussa. Ojciec zaś oznajmił, że wróci wieczorem i ma nie szykować dla niego kolacji. Nie był ani zdenerwowany, ani też przygnębiony. Nie mówił także o żadnym innym spotkaniu tego dnia ani o tym, że wybiera się do Grunewaldu.

— A czy pani ojciec spotykał się z jakąś kobietą? — zapytał w końcu Kluge.

Judith zatkało. Gdyby jej tato chciał powtórnie się ożenić, byłoby to zrozumiałe, w końcu czas leczy najcięższe rany, ale nigdy nawet nie wspomniał, że się z kimś spotyka. Być może przez delikatność? Teraz jednak dotarło do niej, że być może w życiu ojca istniała jakaś kobieta, w końcu Ismael Kellerman miał dopiero czterdzieści trzy lata.

— Nic mi na ten temat nie wiadomo. Nigdy o żadnej nie wspominał ani też żadna nie odwiedzała go w domu. Oczywiście nie liczę kobiet, których portrety malował, ale raczej nie romansował z nimi.

— A pamięta pani nazwiska tych kobiet?

— Niektóre tak. To bardzo znane nazwiska, w końcu niewiele osób stać na to, by zamówić sobie portret u wybitnego malarza — odparła.

— Czy był aż tak wybitny, że stać go było na tak dobrze urządzone mieszkanie? — W pytaniu Klugego pobrzmiewała ironia.

— Odziedziczył wiele rzeczy — skłamała.

W istocie ojciec otrzymał w spadku spory kapitał i wiele cennych przedmiotów, które rodzina Kellermanów gromadziła przez kilka pokoleń, ale w czasie kryzysu wszystkie zostały wyprzedane w lombardzie Rosenbluma. Jednak podejrzliwy komisarz wcale nie musiał o tym wiedzieć. Nawet jeśli znajdą coś w notesie ojca i dotrą do rachunków Rosenbluma, nie będą wiedzieli, że w pewnym momencie w ich domu nie zostało już nic oprócz kilku mebli, niezbędnych do normalnego funkcjonowania i na tyle zniszczonych, by nie zainteresować kupca.

— A czy ojciec znał osobiście Ottona Wackera? — A jednak w rozmowie pojawił się temat podejrzanej galerii i jego właściciela.

— Nie wiem. — Wzruszyła ramionami. — Ale nie sądzę.

— A dlaczego pani nie sądzi? — drążył temat Kluge.

Już kiedyś odpowiadała na podobne pytania, gdy nachodził ją Dorst, ale widocznie obaj uznali, że nadal powinni ją nękać w tej sprawie.

— Kiedy byliśmy na otwarciu galerii, mój ojciec nawet nie przywitał się z Wackerem. Gdyby znali się osobiście, zapewne mój tata podszedłby do niego i zamienił parę zdań.

— Było wówczas mnóstwo ludzi... — Kluge jakby głośno myślał.

— Tak, w rzeczy samej. Pana kolega, który teraz gmera w rzeczach mojego ojca, również tam był. Niemniej jednak uważam, że ojciec chociaż przywitałby się z nim.

— Ale dostał zaproszenie... — mruknął.

— Wacker po prostu zaprosił wszystkie osoby związane z branżą.

— Hm... Rozumiem, że zaprosił marszandów, dziennikarzy i kolekcjonerów, ale pani ojciec był jedynym malarzem, który znalazł się w tym zacnym gronie.

— Mój ojciec był nie tylko artystą, ale także znał się na swoim fachu, chociaż w istocie to trochę dziwne, bo tata specjalizował się raczej w malarstwie z dawniejszych okresów. — Judith musiała być konsekwentna. Jeśli tak powiedziała kiedyś Dorstowi, musiała to powtórzyć i Klugemu. Po chwili dodała: — Pan Dorst także nie był marszandem i kolekcjonerem, a jednak tam przyszedł. Czy to oznacza, że znał Wackera i podrabiał dla niego obrazy?

Kluge chrząknął i nieco się zmieszał. Nie odniósł się jednak do jej pytania na temat obecności Rudolfa Dorsta na otwarciu galerii.

— Więc nie potrafi pani tego wyjaśnić?

— Nie, nie potrafię. — Zrobiła strapioną minę.

— Wobec tego nie będę już dzisiaj pani męczył. I proszę przekazać bratu, gdy przyjedzie, że z nim także będę chciał porozmawiać. Zostawię pani swoją wizytówkę. Jak wróci, niech się ze mną bezzwłocznie skontaktuje.

— Oczywiście — odparła i odetchnęła z ulgą, że mężczyzna już nie będzie zamęczał jej pytaniami. Potem będzie rozmawiał jedynie z jej bratem, ten zaś wiedział o sprawach ojca jeszcze mniej niż ona.

Kluge rozejrzał się jeszcze po pokoju, najpewniej szacując wartość przedmiotów znajdujących się w nim, a w końcu podniósł się z kanapy i ruszył w kierunku atelier. Ona zrobiła to samo. Rudolf Dorst stał właśnie przy jednym z regałów i wysunął z niego drewnianą skrzynkę, w której ojciec trzymał jakieś rupiecie. Stare pędzle, szmatki, na wpół zużyte tuby farb i inne szpargały, które mogły mu się kiedyś przydać.

Judith wstrzymała oddech. Gdy Dorst wyjął skrzynkę, odsłonił częściowo włącznik znajdujący się na ścianie. Ten sam, który powodował rozsunięcie się regałów. Gdyby go dotknął, wszystko stałoby się jasne. Zacisnęła mocno dłonie, przymknęła powieki, a potem głośno przełknęła ślinę, czekając na to, co za chwilę nastąpi.

6.

Sytuacja polityczna i gospodarcza kraju nie sprzyjała spokojnej pracy. Rudolf chwilami kompletnie nie mógł się skupić na zadaniach, bo co rusz ktoś wpadał do jego gabinetu i przynosił hiobowe wieści.

Dorstowi było wszystko jedno, kto rządzi państwem i policją, ale zawirowania na szczytach państwowych instytucji i w rządzie powodowały, że każdy truchlał i zastanawiał się, czy nie straci pracy. On także. Zwłaszcza gdy Hindenburg mianował kanclerzem Franza von Papena, a ten najpierw przywrócił legalność SA i SS, której zakazano działalności trzy miesiące wcześniej, a potem usunął ludzi rządzących niemiecką policją. I to w sposób budzący kontrowersje, bo oto pewnego lipcowego poranka uzbrojeni w granaty ręczne i broń palną oficerowie z patrolu von Papena wtargnęli do kwatery głównej policji przy Alexanderplatz i zażądali natychmiastowej rezygnacji ze stanowisk: prezydenta policji, Alberta Grzesinskiego, jego zastępcy, Bernharda Weissa, oraz dowódcy policji, pułkownika Magnusa Heimannsberga. Na wszystkich padł wówczas blady strach, bowiem wydawało się, że Grzesinski, zaufany człowiek Hindenburga, jest nie do ruszenia, póki ten sprawował urząd prezydenta. Znali się bowiem od czasów wojny, kiedy to feldmarszałek zdezerterował, a Grzesinski pomógł mu założyć kwaterę główną nowej niemieckiej armii.

Rządy nazistów zbliżały się wielkimi krokami i chociaż Rudolf nie był tym specjalnie przejęty, nieraz słyszał od zatrzymanych czy świadków: „Jak tylko Hitler zostanie kanclerzem, zrobi z takimi jak wy porządek". Dorst nie chciał wówczas dyskutować, ale denerwował się, że takiemu jak on, czyli policjantowi zajmującemu się przestępstwami kryminalnymi, zarzucano prześladowanie członków partii i bojówek NSDAP. To prawda, policja wręcz polowała na nazistów, wsadzając ich do więzień pod byle pretekstem albo obciążając dotkliwymi karami finansowymi. Jednak coraz więcej przemysłowców, obszarników ziemskich i bankierów wspierało partię Hitlera, uznając, że tylko on jest w stanie rozprawić się z komunistami.

Rudolf sam żywił niechęć do partii komunistycznej i Czerwonego Związku Bojowników Frontowych, paramilitarnej organizacji wspierającej KPN. Chwilami zastanawiał się, czy ci ludzie w ogóle wiedzą, czego chcą, bo negowali nawet socjaldemokrację, nazywając ich socjalfaszystami. Właściwie dla nich każdy był faszystą, bez względu na to, co mówił i jakie poglądy wyrażał.

Oczywiście, że bał się utraty pracy. Bezrobocie sięgało czterdziestu procent, przy czym oficjalnie mówiono o dwudziestu pięciu. Jednak wiele osób nawet nie zgłaszało utraty zatrudnienia, bo wydrenowana z pieniędzy republika wypłacała coraz mniejsze zasiłki, a w wielu przypadkach — żadnych. Praca była jak życiodajna woda, raj utracony i największe marzenie. Coraz częściej można było spotkać na ulicy ludzi z zawieszonymi kartonowymi tabliczkami, że podejmą się każdego, nawet najbardziej upodlającego zajęcia. Dzieci w szkole, gdy pisały w zeszytach, czego pragną najbardziej, nie wymieniały na pierwszym miejscu zabawek czy pójścia do kina, ale zatrudnienie dla ojca czy matki. Wielu robotników nie miało stałego zajęcia już od trzech lat, czyli od momentu, gdy niemiecka gospodarka zaczęła chylić się ku upadkowi po wstrzymaniu amerykańskich kredytów.

Młodzi ludzie, bez pieniędzy, perspektyw i motywacji do jakiegokolwiek działania, by znaleźć zatrudnienie, snuli się całymi dniami po mieście i szukali swojego miejsca na ziemi. Wykorzystywali to komuniści, tworząc z hord bezrobotnych młodzieńców bojówki, które nie miały na celu agitowania społeczeństwa, ale tworzyły gangi napadające na przedstawicieli klasy średniej. To tworzyło atmosferę strachu, a komunistów okrzyknięto najgorszą zarazą, jaka mogła rozprzestrzenić się w kraju.

Rudolf niekiedy zastanawiał się, co by się stało, gdyby stracił pracę. Jego rodzice nie byliby w stanie mu pomóc, bo mieli na utrzymaniu jego chorowitego brata, poza tym zapewne czystki nie ominęłyby także jego ojca. Pomyślał z goryczą, że nie mógłby nawet się prostytuować, jak ogromny odsetek młodych dziewczyn czy chłopców, którzy oferowali swoje usługi za dwie marki, czyli za równowartość pięćdziesięciu centów amerykańskich. Tam, za oceanem, utyskiwano na biedę, jaka nawiedziła Stany Zjednoczone po krachu na giełdzie, ale chyba nie mieli pojęcia, jak wyglądała nędza w Republice Weimarskiej od czarnego czwartku, od którego rozpoczął się wielki kryzys.

Te wszystkie sprawy zaprzątały głowę Rudolfowi, a on musiał skupić się na tym, co robił. Niebawem rozpoczynał się proces Wackera, a tymczasem jedyny człowiek, który mógłby mu pomóc, nie żył. Na domiar złego jego piękna córka, w której podkochiwał się beznadziejnie, traktowała go jak najgorszego wroga.

Rozłożył notes Kellermana, do którego Kluge łaskawie pozwolił mu zajrzeć. Zobaczył dość znane nazwiska żydowskich bankierów i kupców, zamożnych przedstawicieli klasy średniej, trzech właścicieli niemieckich fabryk i jedno, które już kiedyś widział. Wilhelma von Reussa. Judith także wspominała, że stary Kellerman coś dla nich robił. Wyszedł ze swojego pokoju i udał się do Klugego.

— Jak będziesz wybierał się do von Reussów, chcę pojechać tam razem z tobą — powiedział.

— Jeszcze nie wiem, czy będę do nich jechał. A będę? — zapytał Hans, ziewając.

— To jeden z klientów Kellermana. Jego nazwisko pojawiło się także na liście gości Ottona Wackera — odparł Rudolf.

— U... niedobrze. Von Reuss to poseł do Reichstagu i zagorzały nazista. A wiesz, jacy oni potrafią być mili dla policji. Nawet na takich jak my wyklinają, że prześladujemy ich, Bogu ducha winnych, kolegów partyjnych.

— Wiem, też nie lubię z takimi gadać. Zachowują się, jakby połknęli kij od szczotki. Ale poprzednio rozmawiałem także z młodym von Reussem. Jest bystry i sympatyczny, więc może i teraz uda nam się zamienić z nim parę zdań — odrzekł Dorst.

— Dobrze, pojedziemy tam jutro. Może być jednak nerwowo, bo znowu ogłoszono nowe wybory, a dla świeżo upieczonego posła to nie jest nic przyjemnego. W końcu tyle starań, tyle forsy, a po kilku miesiącach wszystko zaczyna się od początku — westchnął Hans i dodał: — Ale wiesz, obejrzeliśmy i zaprotokołowaliśmy zawartość torby Kellermana. Z naszego punktu widzenia nie ma tam nic, co mogłoby nam pomóc w odnalezieniu mordercy, ale może ty zobaczysz w tych słoiczkach coś więcej.

— Słoiczkach? — zdziwił się Rudolf.

Kluge wstał zza biurka i powiedział:

— Chodź, sam zobaczysz.

W istocie sakwojaż Kellermana prezentował się nietypowo jak na malarza, który posługuje się farbami olejnymi. Zamiast tubek znalazł tam słoiczki z samodzielnie przygotowanymi farbami, opatrzone ręcznymi opisami. Biel ołowiowa, kreda, brunatna palona ochra, cynober, malachit, umbra czy czerń węglowo-drzewna.

— Dziwne — mruknął pod nosem.

— Dlaczego? — zapytał Kluge. — Może facet miał patent na własne farby i sam je preparował.

— Możliwe, nie kwestionuję tego, ale w jego pracowni znaleźliśmy tylko gotowe tuby. A przecież powinny tam być jakieś pojemniki z pigmentami, emulgatory... No, wiesz, gdzieś przecież musiał te farby przygotowywać. Zapewne nie robił tego w domu von Reussów. Nie bardzo też rozumiem, po co zadawał sobie tyle trudu.

— Może Wilhelm von Reuss nam coś podpowie, w końcu to on złożył u niego zamówienie — odparł Kluge.

— Zapytam o to także jego córkę, Judith. Ona również maluje, ojciec był jej mentorem, więc powinna wiedzieć, gdzie i po co Kellerman przygotowywał takie farby. Tego typu praktyki to domena fałszerzy starych obrazów. W każdym razie nie wcześniejszych niż piętnastowieczne, bo to właśnie wtedy van Eyck odkrył farby olejne. Długo trzymał swój wynalazek w sekrecie, ale nawet wówczas, gdy świat sztuki dowiedział się o nim, nie stosowano go powszechnie. Przeważnie łączono je z temperą. Samym olejem zaczęto malować dopiero jakieś sto pięćdziesiąt lat później — perorował Rudolf.

Przypomniał sobie, że przy pierwszym spotkaniu i Ismael, i Judith mówili mu o tym, że Kellerman jest znawcą malarstwa siedemnastowiecznego. Zatem z fałszywymi obrazami van Gogha w istocie nie musiał mieć nic wspólnego. Jak by to powiedzieć — to nie była jego działka.

Z jednej strony cieszył się, że ma kolejny pretekst, by odwiedzić Judith, z drugiej obawiał się jej chłodu, a wręcz niechęci do niego. Może jednak tym razem przekona ją, że w żadnym razie nie jest jej wrogiem. Nawet jeśli jej ojciec nie był do końca uczciwy, to przecież ona nie ponosiła za to żadnej winy. Wolał jednak odwiedzić ją już po rozmowie z von Reussami.

∽

Nazajutrz siedzieli w saloniku okazałej willi przy Bellevuestrasse 13 i popijali kawę z cienkich porcelanowych filiżanek. Tak jak poprzednio, nestor rodu von Reussów był nieobecny i — jak to stwierdził jego służący — „zajęty sprawami wagi państwowej". Natomiast podjął ich jego syn.

— Straszna historia. Berlin jest teraz jak Dziki Zachód. Strach wychodzić po zmierzchu z domu. Te komunistyczne bojówki są jak hordy wściekłych zwierząt — powiedział z przejęciem młody von Reuss.

Rudolf chciał powiedzieć, że równie zdziczałe są paramilitarne oddziały NSDAP, ale ugryzł się w język. Mogłoby się to nie spodobać Herbertowi von Reussowi, którego ojciec, a zapewne i on sam, sprzyjał nazistom.

— Proszę powiedzieć wszystko, co pan pamięta z tamtego wieczoru.

— Było tak, jak zwykle. Moja siostra przebrała się w suknię stylizowaną na siedemnasty wiek, a Kellerman ją malował. Około dziewiątej wieczorem pożegnał się i wyszedł od nas. Nazajutrz rano przyjechała zdenerwowana Judith Kellerman i pytała o to samo, co wy, bowiem jej ojciec nie wrócił na noc do domu. Nie potrafiłem jej pomóc. Tak jak nie mogę pomóc wam. Nic więcej nie wiem.

— A jaki obraz zamówił pański ojciec u Kellermana? — wtrącił się Dorst.

— Tak jak powiedziałem, portret Marity, mojej młodszej siostry. Dość nietypowy, bo miał być stylizowany na siedemnastowieczny.

Sprawa farb właśnie się wyjaśniła, chociaż miejsce, w którym je przygotowywał Kellerman, wciąż pozostawało zagadką.

— A skąd znaliście Kellermana? — dopytywał Rudolf.

— Polecił go nam nasz marszand, Stolzman. Ten, który odkrył fałszerstwo van Goghów. Ojciec trochę kręcił nosem, bo Kellerman to Żyd, ale Stolzman przekonał go, że jest w swoim fachu niezrównany. I faktycznie jest, a raczej był genialny. Pokażę panom ten portret. Oczywiście nie jest skończony i nigdy już nie będzie. Wielka szkoda.

— Portretu czy Kellermana? — z ironią zapytał Rudolf.

— Jednego i drugiego — mruknął von Reuss i wstał z kanapy.

W istocie, obraz zapowiadał się doskonale. Rudolf spostrzegł także, że Kellerman użył nie tylko samodzielnie spreparowanych farb, ale także wykorzystał deskę wyglądającą na wiekową. Nie miał jednak pojęcia, dlaczego Wilhelm zamówił podobne dzieło. Potem przypomniał sobie, że von Reuss zafiksowany był na punkcie starych przedmiotów. Być może oryginały były zbyt drogie, zaś czas kryzysu wymusił także na von Reussie zaciśnięcie pasa.

Zaraz po opuszczeniu willi przy Bellevuestrasse Rudolf pożegnał się z Hansem Klugem i udał się do Judith Kellerman. Miał nadzieję, że zastanie ją w domu.

છ૭

Otworzyła mu drzwi, popatrzyła na niego z niesmakiem, ale wpuściła do środka.

— Kilka dni temu pochowałam ojca. A najpierw musiałam patrzyć na jego zmasakrowaną twarz, podczas identyfikacji zwłok. Czy przynosi mi pan jakieś wieści dotyczące jego mordercy? — zapytała zimno.

— Nie, panno Kellerman, ale robimy wszystko, co w naszej mocy, by go złapać. Nie wierzę w bandycki napad, bo pani ojca nie okradziono. — Jakkolwiek Rudolf, gdy przybył powiadomić ją o śmierci ojca, pozwolił sobie na mówienie do dziewczyny po imieniu, tak teraz już nie próbował skracać dystansu, bo Judith najwyraźniej sobie tego nie życzyła.

— A pan teraz zajmuje się zabójstwami? — zapytała drwiąco.

— Sprawa pani ojca po prostu wiąże się z moją. To znaczy z procesem Wackera, który lada dzień się rozpocznie — wydukał, bo ton Judith deprymował go.

— Doprawdy? Ja nie widzę żadnego związku, bo mój ojciec nie miał nic wspólnego ani z Wackerem, ani z jego podejrzaną galerią. Zresztą pan to wie najlepiej, bo ojciec nie otrzymał nawet wezwania do sądu.

— Jednak w tej sprawie pojawiają się także nazwiska von Reussów i Stolzmana. Czy to nie dziwne?

— Wcale. — Wzruszyła ramionami. — Stolzman to znany w Berlinie marszand, a von Reussowie są jego klientami.

— Pani ojciec współpracował ze Stolzmanem? — drążył temat.

— Mój ojciec znał wszystkich i współpracował z wieloma ludźmi z branży. Ale Stolzman interesował się jedynie bardzo starymi obrazami. Czasami prosił ojca o pomoc, gdy miał problem z identyfikacją jakiegoś dzieła. Stolzman bał się falsyfikatów, jak diabeł święconej wody. Jeśli pojawiła się najmniejsza wątpliwość co do autentyczności obrazu, rezygnował z transakcji — odparła i Rudolf miał wrażenie, że tym razem Judith mówi prawdę.

— I słusznie. Przynajmniej nie naraża swoich klientów. A jednak polecił pani ojca von Reussom, chociaż dobrze wiedział, że chodziło o kopiowanie siedemnastowiecznych artystów.

Judith uśmiechnęła się ironicznie.

— Miły panie, a na którymż to obrazie wielkich mistrzów i mniej wielkich widnieje wizerunek panny Marity von Reuss? Gdyby to miało być fałszerstwo, sądzi pan, że wiedziałoby o tym tyle osób?

— No, nie tak dużo ich jest — mruknął.

— Tajemnica, którą znają więcej niż dwie osoby, nie jest żadną tajemnicą — westchnęła.

Miała słuszność. Von Reussowie co prawda nie rozgłaszali na prawo i lewo, że zamówili portret, który miał uchodzić za siedemnastowieczny, ale też nie robili z tego tajemnicy przed policją. Tak jak stary Kellerman przed córką.

— Swoją drogą ten portret córki von Reussa jest doskonały.

— Tato go skończył? Widział go pan? — zainteresowała się.

— Nie, nie skończył go, ale chyba pani ojcu już niewiele zostało do finiszu — odparł.

Pokiwała głową i zapytała:

— A właściwie dlaczego pan dzisiaj do mnie przyszedł?

Rudolf zmieszał się.

— W zasadzie mam tylko jedno pytanie. Poza tym chciałem sprawdzić, jak się pani czuje.

— Tak jak córka, która pochowała ukochanego ojca — wycedziła i dodała: — Więc niechże pan pyta, a potem niech pan już sobie idzie.

— Czy oprócz tego atelier... — Rudolf wskazał brodą na drzwi wiodące do pracowni Kellermana.

— ...pani ojciec miał jeszcze jakieś inne? Na przykład gdzieś na mieście?

— A po co miałby mieć dodatkową pracownię? — burknęła, ale Dorst zauważył, że uciekła wzrokiem i zamiast patrzeć mu w oczy, wbiła spojrzenie w podłogę.

— W sakwojażu pani ojciec miał własnoręcznie mieszane farby, a w jego atelier niczego takiego nie znaleźliśmy, stąd moje pytanie — wyjaśnił rzeczowo.

Judith wzruszyła ramionami.

— Być może ktoś mu je przygotowywał. Wilhelm von Reuss miał dziwne wymagania, ale obiecał zapłacić za te swoje wymysły spore pieniądze.

— Ale nie zapłacił...?

— Obraz nie jest skończony — westchnęła.

— Ojciec nie zostawił pani żadnych pieniędzy? — zdziwił się Rudolf.

— Kolejny kryzys dotknął także i nas. Zamówień było mniej i targowano się o każdą markę. Ja studiuję, mój brat raz pracuje, raz nie pracuje...

Głos Judith zadrżał i Dorst miał wrażenie, że dziewczyna zaraz się rozpłacze. Jednak ona w porównaniu z całą rzeszą niemieckiego społeczeństwa i tak miała nieźle. Mogła wynieść się do mniejszego lokalu, spieniężyć meble i drogie bibeloty. Nie powiedział jednak tego, bo nie chciał zdenerwować pięknej Judith. Przysunął się bliżej niej i wziął za rękę.

— Naprawdę mi przykro z powodu śmierci pani ojca.

Ścisnęła ją delikatnie, a potem popatrzyła na niego najpiękniejszymi oczami na świecie. Dużymi, błyszczącymi i tak niebieskimi, że zdawały się wręcz nienaturalnej barwy.

— Wiem i przepraszam pana. Że byłam nieprzyjemna... Ale niech pan zrozumie. Ja cierpię i zachodzę w głowę, dlaczego ktoś tak potraktował mojego tatę. To był dobry człowiek i kochający ojciec, a ja nie mogę go nawet opłakiwać, bo wciąż przychodzicie i wypytujecie o niego. I to tak, jakby to on kogoś skrzywdził.

— Mam na imię Rudolf. I gdyby kiedykolwiek mnie pani potrzebowała, wie pani, jak mnie znaleźć. Zostawię także swój domowy adres, bo po tych czystkach na górze nie wiadomo, co się ze mną stanie.

— Proszę do mnie mówić jak wtedy... Po prostu Judith — powiedziała cicho.

— Dobrze, Judith. Sprawi mi to ogromną przyjemność.

Uśmiechnął się do niej i już zbliżył usta do jej twarzy, by ją pocałować, gdy usłyszeli zgrzyt przekręcanego klucza w drzwiach wejściowych, a potem męski głos:

— Judith, najdroższa, jesteś w domu?

7.

 odróż do Monachium minęła Maxowi Geyerowi bardzo szybko. Może dlatego, że przez cały czas układał sobie w głowie listę pytań do Heinricha Himmlera. Fakt, iż mógł włożyć oficjalnie mundur SS, bo von Papen zniósł ten cholerny zakaz, napawał go dumą. Nie musiał już ukrywać się ani z przynależnością do organizacji, ani też z noszeniem uniformu.

Miał tyle pytań do Himmlera, ale wiedział, że wielu już nie będzie mógł zadać. NSDAP coraz częściej i coraz głośniej odżegnywała się od okultyzmu i ezoteryki, mimo że wielu z jej członków, jak chociażby Wilhelm von Reuss, wciąż nie potrafiło sobie wyobrazić życia bez astrologa czy seansów spirytystycznych. Zresztą sam Hitler korzystał z usług astrologa. Himmler, podobnie jak Max Geyer, znajdował się ze swoimi poglądami gdzieś pośrodku. Chłopak nie miał jednak pojęcia, czy po zapewnieniach Goebbelsa, który deklarował rozprawienie się ze wszelkiej maści szarlatanami, żerującymi na ludzkiej naiwności, przywódca SS zechce do podobnych skłonności się przyznać.

Pierwszy zawód, jakiego doznał Geyer, wiązał się z wyglądem Himmlera. Owszem, widywał go na zdjęciach w gazetach, ale wciąż wyobrażał go sobie jako postawnego mężczyznę i charyzmatycznego człowieka. Tymczasem jego rozmówca sięgał mu do ramienia, nie miał mocno zarysowanej szczęki ani też jasnych oczu. W dodatku nosił idiotyczne binokle, które sprawiały, że wielki przywódca SS wyglądał jak człowiek bity w dzieciństwie przez kolegów ze szkoły. Jednak gdy przemówił, a nawet rzucił kilka komplementów pod adresem Geyera, ten przestał zauważać fizjonomię Himmlera, zaś z przejęciem i podziwem wsłuchiwał się w jego słowa.

Zanim Max przekroczył próg biura szefa SS w Brunatnym Domu, przy Briennerstrasse w Monachium, wiedział już, na czym się skupi podczas rozmowy. Postanowił porozmawiać z Himmlerem o czystości rasy oraz jego fascynacji Związkiem Artamanów, którzy cenili sobie prostą, ale ciężką pracę na roli, a ta podobno hartowała aryjskiego człowieka, miała wpływ na jego rozwój, a wreszcie eliminowała jednostki słabe i niespełniające wymogów silnego i zdrowego Aryjczyka.

Himmler przywitał go jak dobry wujaszek swojego dawno niewidzianego kuzyna i cały stres minął Geyerowi w jednej chwili. Sądził, że człowiek mający tak ambitne cele będzie przypominał Wilhelma von Reussa, nieco sztywnego, dumnego i zdystansowanego. Tymczasem od Himmlera usłyszał:

— Piękny ten nasz mundur, ale czymże by on był, gdyby nie przywdziewali go tacy ludzie, jak ty. Jesteś żonaty?

— Jestem dumny, że mogę go nosić i od jakiegoś czasu marzyłem o wstąpieniu do Schutzstaffel. Wręcz odliczałem dni, aby osiągnąć właściwy wiek i stać się członkiem tej organizacji — odparł zgodnie z prawdą Geyer i dodał: — Jeszcze nie jestem.

— To ożeń się jak najprędzej. Oczywiście z od-powiednią kobietą. Jeśli będziesz miał wątpliwości, czy przypadkiem w twojej narzeczonej nie płynie jakaś skażona krew żydowska, zgłoś się do nas. Nasz Rasse- und Siedlungshauptamt der SS wnikliwie sprawdzi twoją wybrankę.

— Właśnie szukam kogoś takiego — odparł wymijająco Geyer.

Wciąż marzył o wielkiej miłości do jakiejś nie-skazitelnej istoty, ale był zbyt zajęty swoją karierą i dogadzaniem Agnes von Reuss, aby skupić się na poszukiwaniach właściwej żony.

— Bardzo dobrze, bardzo dobrze. Czy wiesz, że tylko niewiele ponad pięćdziesiąt procent nasze-go społeczeństwa ma nieskażoną nordycką krew? To zjawisko niepokojące. Ale zrobię wszystko, żeby to zmienić. Właśnie dzięki takim ludziom jak ty. Jesteś wzorcowym Aryjczykiem i powinieneś płodzić równie wzorcowe dzieci. Dlatego nasi żołnierze, za-nim się ożenią, muszą poddać odpowiednim bada-niom swoją przyszłą żonę. Czasami człowiek zauro-czy się kimś niewłaściwym i potem cierpi katusze, bo okazuje się, że zapałał uczuciem do jakiegoś bru-dasa. Lepiej więc od razu wybrać właściwie.

Himmler przemawiał do niego jak dobry ojciec do swojego nieopierzonego syna, ale Maxowi bardzo się to podobało. Jego prawdziwy ojciec skupiony był na ciągłym szukaniu pracy, praktykach religijnych i ma-rzył, by jego syn ożenił się z katoliczką, zaś czystość krwi była dla niego pojęciem zupełnie obcym, mimo że spłodził idealnego Aryjczyka.

— Pochodzę z rodziny, w której płynie czysta germańska krew, nie chciałbym jej zapaskudzić jakimiś domieszkami — powiedział potulnie i miał wrażenie, że tym stwierdzeniem kupił sobie jeszcze większą sympatię Himmlera niż swoim wyglądem.

— Rodzina i zdrowe dzieci to podstawa egzystencji. Dzięki temu nasze społeczeństwo oczyści się z niechcianego elementu. Marzy mi się także powrót do korzeni, do starogermańskich wierzeń i zwyczajów, które czyniły z nas niedoścignionych wojowników. Jestem przekonany, że nasi praprzodkowie nie byli tacy zwyczajni, ale lepsi od innych już w chwili narodzin. I tacy są, i będą nasi żołnierze — perorował Himmler.

— Słuszna koncepcja, w pełni ją popieram. Wiele godzin poświęciłem na studiowanie naszej historii, folkloru, a wreszcie duchowości narodu germańskiego. Nawet gazeta, w której pracuję, doceniła te starania, a moje artykuły cieszą się ogromną popularnością. Oczywiście na tyle, na ile jest to możliwe przy takim nakładzie. — Geyer postanowił kuć żelazo póki gorące i przy okazji wywiadu z Himmlerem ugrać coś dla siebie.

— Agnes von Reuss wspominała, że jesteś nadzwyczaj bystrym i oczytanym człowiekiem, a marnujesz się w niszowym czasopiśmie. Nam potrzebni są tacy ludzie jak ty. Rozumiejący, co oznacza tradycja, czystość rasy i nasza historia, którą pragnąłbym napisać od nowa i propagować wśród naszego, co tu dużo mówić, w większości kiepsko wykształconego narodu. Religia chrześcijańska sprawiła, że Niemcy zapomniały o swoim rodowodzie, a gdy ona zawiodła, rzucili się na magów i szarlatanów, bo każdy człowiek potrzebuje jakiejś religii. I my im damy naszą, nową i lepszą. Niech każdy Niemiec wie, że jej nadrzędnym wymogiem będzie zachowanie czystości rasy.

— Chętnie się temu przysłużę. — Geyer skinął głową.

— Zadowala mnie ta odpowiedź. — Himmler wyszczerzył zęby i dodał: — Na razie jednak udzielę ci wywiadu dla twojej gazety. A potem być może zaproszę jako prelegenta na szkolenie, które mam zamiar zorganizować dla oficerów SS. Dzięki temu przysłużysz się naszej organizacji, a co za tym idzie — sam zostaniesz oficerem. Musisz być jednak wierny naszej idei.

Max nie liczył na aż tak wiele, ale podniecała go myśl, że mógłby zdobyć oficerski stopień. On, samouk pochodzący z berlińskich slumsów. Nie dość, że zaczął bywać na berlińskich salonach, to jeszcze teraz Himmler roztoczył przed nim kuszącą wizję kariery w SS. Nie byle kogo, bo prelegenta, szkoleniowca, a wreszcie kronikarza wydarzeń, jakie będą miały miejsce w tej wspaniałej organizacji. I niech sobie ojciec gada, że skończy w piekle, bo podpisał pakt z diabłem. A niechby nawet, był gotów to uczynić.

* * *

Wracał do Berlina oszołomiony, a w jego teczce spoczywały notatki z długiego i obszernego wywiadu, jakiego udzielił mu przywódca SS. W istocie ta organizacja to było zupełnie coś innego niż bojówki SA pod przywództwem Röhma, o którym Himmler wyrażał się z pogardą, także z uwagi na homoseksualizm. Geyer pomyślał, że jeśli pewnego dnia wkręci w to wszystko Klausa Fishera, ten będzie musiał bardzo uważać ze swoimi skłonnościami. I będzie musiał się ożenić. Pomyślał nawet, że dzięki temu jego przyjaciel pozbędzie się swoich chorych skłonności, chociaż zdawał sobie sprawę, iż będzie to bardzo trudne. I nagle, kiedy tak rozważał także własny ożenek, wpadł mu do głowy pewien szatański pomysł. Co prawda sypiał z Agnes von Reuss, ale ta kobieta już przywykła do myśli, że nie może liczyć na nic więcej. Dla swojego własnego dobra. Jednak miała prawie osiemnastoletnią córkę, która od podlotka robiła do niego maślane oczy. Zapewne stary Wilhelm marzył o tym, by wydać ją za jakiegoś niemieckiego arystokratę, ale przecież w NSDAP najważniejsza była higiena rasowa, świadcząca, że wszyscy Aryjczycy wywodzili się z jednego, wielkiego starogermańskiego rodu nadludzi. Cóż z tego, że nie nosił książęcego nazwiska, które poprzedzało „von", ale przeszedł badania w Urzędzie do Spraw Rasy i Osadnictwa SS, więc mógł się pochwalić doskonałą aryjską krwią.

Marita von Reuss niestety nie zmieniła się z brzydkiego kaczątka w pięknego łabędzia, ale mimo zapewnień nie zamierzał być wiernym małżonkiem. To miał być jedynie układ, dzięki któremu na świat przyjdą idealne aryjskie dzieci, a on wejdzie do jednej z najznakomitszych rodzin niemieckich. Poza tym, mieszkając w willi przy Bellevuestrasse 13, będzie mógł w pełni kontrolować poczynania Agnes. Co prawda ich romans ze zrozumiałych względów będzie musiał się zakończyć, ale dla tej niewyżytej damy znajdzie całe zastępy pięknych chłopców, którzy będą jej na zmianę dogadzali. A kto wie, może nawet wszyscy naraz, jeśli wyrazi taką wolę.

Im bliżej był Berlina, tym śmielsze projekty rodziły mu się w głowie, a gdy wysiadł z pociągu, czuł się niemal jak wybraniec losu. Pojechał do swojego obskurnego mieszkania i wykąpał się. W porównaniu z lokum przy Krögel to było niczym luksusowy apartament, ale zdawał sobie sprawę, iż daleko mu do pokoi w willi von Reussów. Przymknął powieki i wyobraził sobie, że oto za chwilę włoży puszysty szlafrok, przejdzie się po miękkich dywanach przepastnego salonu, a potem wypije kawę z porcelanowej filiżanki. Później zaś będzie robił to, na co ma ochotę, a dwie kobiety będą mu usługiwały. Jedyny problem stanowił syn von Reussów, Herbert, który chyba niezbyt go lubił. Wilhelm był otumaniony jego opowieściami i wdziękiem, Agnes zafascynowana jego aryjskim kutasem, a mała Marita zapewne marzyła, by ją rozdziewiczył. Ale na Herberta nie działała ani jego ezoteryczna i polityczna wiedza, ani inteligencja. Młody von Reuss nie był także Klausem Fisherem i nie marzył o cielesnych uciechach z nim. Geyer nie miał pojęcia, jak go obłaskawić. Potem jednak doszedł do wniosku, że gdy jego siostra oszaleje na punkcie Maxa, Herbert zaakceptuje go i pobłogosławi ich związkowi.

જી

Tego popołudnia postanowił zacząć wprowadzać swój plan w życie i od razu pojechał do willi von Reussów. Zastał tam jedynie Agnes, co nawet mu odpowiadało, bo musiał uprzedzić ją o swoich zamiarach względem Marity.

— Himmler jest wspaniały. I taki otwarty. Doprawdy nie wiem, jak mam ci dziękować, moja droga — przywitał się z nią wylewnie.

Agnes zarumieniła się jak dziewica.

— Przecież ci obiecałam — odparła skromnie i zapytała: — Oczywiście herbata cejlońska i cynamonowe bułeczki?

— Jak ty mnie doskonale znasz, Agnes — odparł z czułością w głosie.

— No cóż, jesteś prawie jak członek naszej rodziny.

Nachylił się nad nią i szepnął do ucha:

— Ale nie dlatego, że cię pieprzę?

Kolejny raz zrobiła się pąsowa.

— Trywializujesz piękne sprawy, Max — wydukała.

— Agnes, oboje wiemy, że to jedynie seksualna fascynacja. Masz wspaniałego męża, który dogadza ci na wszelkie możliwe sposoby, oprócz jednego.

Ty zaś zasługujesz na wszystko, co najlepsze, więc go w tym wyręczam. Wiesz, że pewnego dnia ożenię się i będę miał rodzinę, a nasz romans pozostanie jedynie wspomnieniem. Pięknym i ważnym, ale jednak wspomnieniem.

— Wiem. — Spuściła wzrok. — I życzę ci, żebyś pojął za żonę kobietę godną ciebie. Chociaż wiem, jak trudno będzie mi z nas zrezygnować.

— Znajdę ci kogoś, kto mnie zastąpi i wcale nie będzie gorszy ode mnie.

Agnes zaczęła wiercić się niespokojnie na krześle. Chyba myśl o kolejnych młodych kochankach nie wydała się jej przykra.

— Czyżbym ja miała dla ciebie wybrać żonę? — zapytała.

— Ja już wybrałem, ty musisz jedynie ją zaakceptować — powiedział hardo Max, korzystając z faktu, że Agnes była podekscytowana wizją upojnych nocy spędzonych w towarzystwie młodych, jurnych kochanków.

Mogli opowiadać brednie o pokrewieństwie dusz i układach gwiazd, które wskazały Agnes drogę do jego łóżka, ale prawda była taka, że szacowna pani von Reuss po prostu była spragniona fizycznych doznań, których już od dawna nie zapewniał jej małżonek w ich wspólnej sypialni. Max nie posądzał starego Wilhelma o romanse, a raczej o to, że ten zamienił swój seksualny popęd na pęd ku władzy. To działało równie silnie, co dążenie do cielesnych rozkoszy.

— Znam ją? — zapytała podekscytowana.

— Tak, nawet bardzo dobrze. — Uśmiechnął się.

— Panna Stolzman? Córka Kruppa? A może ta blada Thyssenówna? — dopytywała.

Znał je wszystkie z przyjęć, jakie organizowali von Reussowie, a także z tych, na które był zapraszany dzięki koneksjom Agnes.

— To Marita — wypalił.

— Jaka Marita? — Zmarszczyła czoło, a potem zakryła dłonią usta, by po chwili wyszeptać: — Moja Marita? Moja córka?

— Powiedziałaś, że jestem jak członek rodziny. Może czas, bym oficjalnie do niej wszedł.

— Wykluczone! — syknęła.

Nie takiej reakcji oczekiwał Max.

— Dlaczego? — zapytał zimno.

— Bo to moja córka — odparła równie chłodno.

— Wiem, Agnes.

— Absolutnie się na to nie zgadzam!

— A możesz podać powód? — zapytał z ironią Geyer.

— Max, wiesz, że darzymy cię z Wilhelmem ogromną sympatią i cenimy wiedzę, jaką dysponujesz, ale wybacz, pochodzisz...

— A więc o to chodzi, Agnes. To tyle są warte wasze idee NSDAP? A może chodziło jedynie o władzę? — przerwał jej.

— Daj spokój, Max. Po prostu Wilhelm się na to nie zgodzi. Herbert również.

— To przekonaj swojego męża, a wówczas zdanie Herberta nie będzie się liczyło.

— Nie mam takiego zamiaru — prychnęła.

Wstał z fotela i podszedł do niej. Chwycił ją za nadgarstki i warknął:

— Posłuchaj, Agnes. Naprawdę chcesz, żeby cały Berlin dowiedział się, że pieprzysz się ze mną jak napalona suka w jednej z waszych czynszowych kamienic?

— Nie zrobisz tego, ty diable — wycedziła.

— A jednak wcale mnie nie znasz, Agnes. Wyznaczam sobie cel i dążę do niego. Gdybym się poddawał albo słuchał innych, wciąż siedziałbym na Krögel, żarł ziemniaki z margaryną i śledziami, a potem łaził po ulicach z zawieszoną na szyi tabliczką, że podejmę każdą, nawet najpodlejszą pracę. Ale jestem tutaj. Siedzę w twoim salonie, wcinam bułeczki cynamonowe, a całkiem niedawno wdarłem się w łaski samego Himmlera. Taki człowiek jak ja nigdy się nie poddaje i nie rezygnuje. Bo od tego zależy reszta mojego życia. Pomyśl jednak, jak wiele zdziałasz, jeśli wciąż będziesz widziała we mnie przyjaciela i ile zaryzykujesz, gdy staniesz się moim wrogiem. Uczynię twoją córkę szczęśliwą, bo jest we mnie zakochana. Ciebie także, bo będę na każde twoje skinienie i będę ci służył jak wierny pies. Więc wybieraj.

Popatrzyła na niego i zmrużyła oczy.

— Naprawdę jesteś diabłem, Maxie Geyerze.

— A ty uwielbiasz smak siarki, prawda, Agnes von Reuss? Razem podbijemy świat.

— Wierzę ci, ty potworze. — Uśmiechnęła się w końcu.

— To dobrze. Jutro po południu będę na ciebie czekał przy Johann-Sigismund. Zasłużyliśmy, by ładnie się pożegnać, zanim się rozstaniemy.

— Wilhelma przekonam, bo nazwisko Himmler działa na niego jak afrodyzjak, ale nie wiem, jak poradzę sobie z Herbertem — jęknęła.

— Twój syn bardzo kocha Maritę, swoją małą siostrzyczkę. Zapewne będzie pragnął jej szczęścia. Herberta zostaw więc swojej córce, ona najlepiej sobie z nim poradzi.

— Masz rację, on ma słabość do Marity. Jednak nie może domyślić się, że my...

— Wierz mi, będę zaprzeczał do ostatniego tchnienia, że cokolwiek nas łączyło i łączy, Agnes — szepnął.

Dokończył herbatę i opuścił willę von Reussów. Był szczęśliwy i dumny z siebie. Jego plany zaczynały nabierać realnych kształtów i miał w nosie ogień piekielny.

8.

W domu von Reussów przy Bellevuestrasse Herbert zobaczył ponownie Judith Kellerman pewnego listopadowego popołudnia. Poprosiła Franza, by przekazał, że bardzo chce spotkać się z Wilhelmem von Reussem. Ojciec przyjął ją w swoim gabinecie, w którym omawiali wybory, jakie odbyły się tydzień wcześniej, a które pozbawiły NSDAP kilkunastu mandatów w Reichstagu. Jednak stary von Reuss wciąż mógł zasiadać w ławach poselskich i to wprawiło go w dobry humor.

— A więc jest pani córką Kellermana? — westchnął Wilhelm. — To jest mój syn, Herbert, a mnie dziwi pani wizyta. Zapewne chce pani otrzymać wynagrodzenie, na jakie umówiłem się z pani ojcem, ale cóż... obraz nie został ukończony.

— Miałam okazję już poznać pana syna — powiedziała zimno, nawet nie zerkając na Herberta. I chyba zdenerwowało ją stwierdzenie Wilhelma, bo dodała równie lodowatym tonem: — Nie ośmieliłabym się żądać pieniędzy za nieukończone dzieło. Wiem jednak, jak wiele wysiłku włożył ojciec w jego namalowanie i jak mało zostało do jego ukończenia.

— No i co z tego, że pani wie? To niczego nie zmienia — odparł.

— Przyszłam zaproponować panu ukończenie tego portretu, ponieważ także maluję i nieskromnie dodam, że bardzo dobrze mi to wychodzi. Uczęszczam do Akademii Sztuk Pięknych, ale najważniejszym moim nauczycielem był mój ojciec. Doskonale wiem, jak sporządzić farby, by ich skład był taki sam, jak przed wiekami. Potrafię robić werniksy, zaprawy i imprimitury. Myślę, że jestem w stanie dokończyć portret wedle pańskiego życzenia — oznajmiła pewnie.

— Pani ojca polecił mi sam Heinrich Stolzman. Kto da mi gwarancję w pani przypadku? — zapytał podejrzliwie.

— Nie ma nikogo takiego. — Przygryzła wargę.

— Więc do widzenia — niezbyt uprzejmie odparł Wilhelm.

Judith Kellerman chyba spodziewała się podobnej odpowiedzi, bo dodała hardo:

— Panie von Reuss, a czym pan ryzykuje? Ja, owszem, bo poświęcę swój cenny czas i pieniądze na zakup drogich pigmentów sprowadzanych prosto z Londynu, w tym cenniejszego niż złoto lapis-lazuli. Ale pan? Pan powoła swojego znawcę, Heinricha Stolzmana albo jakiegokolwiek innego, a on oceni fachowym okiem moje dzieło. Jeśli orzeknie, że to fuszerka, a obrazu żadną miarą nie można uznać za siedemnastowieczny, po prostu mi pan nie zapłaci.

Wilhelm von Reuss milczał, a Herbert zastanawiał się nad słowami Judith Kellerman. W istocie ona ryzykowała znacznie więcej. Zapewne też potrzebowała pieniędzy na naukę, gdy zabrakło jej ojca, który świetnie sobie radził w swoim fachu i utrzymywał ją i brata. Dokończenie obrazu da jej szansę nie tylko na zarobek, ale także na zaistnienie w tym środowisku, chociażby dzięki Stolzmanowi. A oni będą mieli skończony obraz.

Od początku uważał, że tego typu portret był fanaberią ojca. Rzeczą zbędną, a nawet śmieszną. Jeśli bowiem Stolzman czy nawet córka Kellermana wyjawią komuś prawdę, wtedy von Reussowie wystawią się na pośmiewisko.

— A zatem niechże będzie. Kiedy może pani zacząć? — powiedział Wilhelm.

— Za kilka dni. Muszę jednak najpierw zobaczyć obraz i sprawdzić, co będzie mi jeszcze potrzebne. Śledztwo w sprawie morderstwa mojego ojca nie zostało zakończone, więc nie zechcą oddać mi torby, w której miał własnoręcznie przygotowane farby. Po prostu będę musiała zrobić je sama.

— A naprawdę pani potrafi? — zapytał kpiąco Herbert.

— Gdybym nie potrafiła, szanowny panie, nie zdecydowałabym się kontynuować dzieła ojca — odparła spokojnie.

— Pani ojca zapewne zamordowali komuniści. To bezrozumne bydlęta, nawet swoich ludzi posyłają na tamten świat — wtrącił się Wilhelm i dodał:

— Zaprowadź pannę Kellerman do pokoju, gdzie stoi obraz. Niech patrzy, ile musi.

Herbert przeszedł z Judith na najwyższe piętro, do pokoju, w którym Marita pozowała staremu Kellermanowi. Wnętrze miało skośne ściany z okiennymi wykuszami. Pod jednym z nich stał szezlong, na którym zasiadała jego siostra z upiętymi elegancko włosami i w sukni imitującej siedemnastowieczną.

Dziewczyna wyciągnęła z torebki lupę, odchyliła cienkie płótno, którym przykryto obraz, i zaczęła mu się wnikliwie przyglądać.

— To trochę potrwa — oznajmiła. — Nie chcę zabierać panu czasu, może pan mnie zostawić samą. Obiecuję, że niczego nie ukradnę.

— Tutaj nie ma co ukraść. — Roześmiał się. — Pani ojciec wybrał to pomieszczenie z uwagi na światło, ale jak pani widzi, oprócz szezlonga nie ma tu niczego innego.

— Mogłabym coś zabrać, schodząc na dół — odparła.

— Jakoś się nie boję, ale chętnie pani potowarzyszę.

— Po co? — mruknęła.

Herbert rozparł się na szezlongu i odrzekł:

— Jeśli dobrze pani pójdzie, kto wie, może i ja zamówię u pani swój portret.

— Dla możliwości ujrzenia pana w berecie z pióropuszem albo w rycerskiej zbroi byłabym gotowa się na to zgodzić. — Uśmiechnęła się półgębkiem.

— Jest pani złośliwa.

— Tak jak i pan był. Chcę dorównać panu kroku.

— Jeśli w istocie zamówię u pani portret, nie będę wygłupiał się ze stylizacjami. To będzie normalny obraz z początku lat trzydziestych dwudziestego wieku. Będę ubrany w mundur Schutzstaffel. Odpowiada?

— Kamień z serca, że w ogóle będzie pan ubrany. A w co? Wszystko jedno, może być to również strój klauna — prychnęła.

Zabolało. Czyżby naprawdę za bardzo się wygłupiał? Zresztą sam nie wiedział, co w niego wstąpiło. Może nie przywykł do kobiet z ciętym językiem. Panny zazwyczaj wychodziły z siebie, by zwrócić jego uwagę, co miało także swoje ponure konsekwencje. Kolejny zepsuty dzień z małżonką, która każdą, ale dosłownie każdą kobietę traktowała jak rywalkę. Nawet jego matkę. Teraz jednak Daisy przebywała na zajęciach na uniwersytecie, a on nie musiał się obawiać, że za chwilę wpadnie jak burza i obrzuci Judith Kellerman wyzwiskami. Postanowił skorzystać z faktu, że znalazł się na osobności z córką malarza i zakopać topór wojenny.

— Panno Kellerman, przepraszam za to, że ostatnim razem byłem dla pani taki nieprzyjemny. Nie sądziłem także, iż cała ta historia zakończy się tak tragicznie.

— Przeprosiny przyjęte, ale powiem panu, że chyba nikt tak bardzo nie pomylił się co do mojej osoby. Nie pilnowałam ani swojego taty, ani swojego brata, ani nawet narzeczonego. Każdy z nas ma w życiu sprawy, które są tylko jego własne. Ja przesiaduję godzinami w pracowni, mój narzeczony udziela się politycznie i niekiedy nie widujemy się przez tydzień. Jeśli jednak umówiłby się ze mną i nie pojawił, wówczas bardzo bym się martwiła. Czy pojmuje pan tę subtelną różnicę? — odparła Judith, wciąż nie odrywając oczu od obrazu. Potem wyciągnęła z torebki notes, ołówek i zaczęła coś zapisywać.

— Nie obawia się pani, że panią zdradzi albo zakocha się w innej? — zapytał.

Judith uśmiechnęła się i popatrzyła na niego.

— Kocham być wolna, więc jak mogłabym zabierać wolność komuś innemu. A to oznacza, że jestem wierna, bo tego chcę, a nie dlatego, że ktoś będzie pilnował mnie na każdym kroku. I pragnę, aby druga osoba w taki sam sposób traktowała związek ze mną. Jeśli dwoje ludzi się kocha, nie muszą się martwić o podobne kwestie. Nie mają potrzeby oglądania się za innymi. To jest prawdziwe uczucie, które nie musi mieć zbędnego paliwa, by płonęło. Ograniczanie drugiej osoby, zniewalanie jej nie jest miłością, ale chęcią posiadania kogoś na własność. To dwie różne sprawy — odrzekła.

— Pięknie to pani powiedziała. Ale rzeczywistość bywa różna... — westchnął.

Od razu pomyślał o swoim małżeństwie. Gdyby wyglądało ono jak związek panny Kellerman z jej narzeczonym, mógłby naprawdę być szczęśliwy. Chociaż gdyby on kogoś pokochał, trząsłby się codziennie o swoją kobietę, czy przypadkiem ktoś inny nie zawróci jej w głowie.

Judith powróciła do swojego zajęcia, a on wpatrywał się w nią i zastanawiał, kim jest człowiek, który zdobył jej serce i którego potrafiła tak pięknie pokochać. Mimo że panna Kellerman była Żydówką, zazdrościł temu nieznajomemu mężczyźnie. Może nawet nie samej Judith, ale miłości, jaką go obdarzyła. I tego, że sam potrafił kochać w podobny sposób. Ona miała rację — jego żona chciała mieć go na własność, jak pieska kanapowego, a on nie był w stanie tego zmienić, bo wtedy zamieniała mu życie w koszmar.

Nie miał pojęcia, dlaczego zapytał nagle:

— A gdyby pani narzeczony zrobił się zaborczy?

— Uciekłabym od niego… Nie chciałabym żyć z człowiekiem, który mnie nie kocha — powiedziała spokojnie.

— No… No, a gdyby oznajmił, że nie jest w stanie żyć bez pani i powiesi się, jeśli pani od niego odejdzie, to co by pani zrobiła? — drążył temat Herbert.

Kolejny raz popatrzyła na niego. W świetle wpadającym przez wykuszowe okno jej oczy wydały mu się jeszcze bardziej niebieskie niż wtedy, gdy po raz pierwszy ją zobaczył.

— Co bym zrobiła? — Uśmiechnęła się. — Podałabym mu sznur.

— Niewdzięcznica z pani. — Roześmiał się, ale bardzo mu się spodobała jej odpowiedź.

Ileż razy miał ochotę krzyknąć do Daisy, żeby przestała go straszyć samobójstwem i w końcu je popełniła, skracając męki jego i swoje własne. Obawiał się jednak, że gdyby w istocie wypełniła swoją groźbę, on nie potrafiłby z tym żyć.

— A co potem? — zapytał cicho.

Wzruszyła ramionami.

— Nie wiem. Musiałabym się z tym pogodzić. Nie można robić takich rzeczy. Nasze uczucia nie zależą od nas. Poza tym czy on chciałby ode mnie podobnej jałmużny? Bo przecież jeśli poddałabym się takiemu szantażowi uczuciowemu, zostałabym z nim z litości.

Chciał krzyknąć, że ma rację, i on także chciałby mieć w sobie tyle odwagi, by zakończyć swoje małżeństwo. Daisy koncertowo je spieprzyła, a przecież mogli być ze sobą naprawdę szczęśliwi. Bez strachu, ciągłej kurateli i łez wylewanych litrami z niewiadomych przyczyn. Nie powiedział jednak nic. Nie chciał, by Judith dowiedziała się, że on znalazł się w takim potrzasku i nie wie, w jaki sposób się z niego wydostać. Powtarzał w myślach: „podałabym mu sznur" i obiecał sobie, że pewnego dnia stać go będzie na powiedzenie czegoś podobnego.

— Skończyłam — powiedziała nagle.

— Tak szybko? — zdziwił się.

Chciał jeszcze pobyć w jej towarzystwie, posłuchać, co mówi o miłości, zniewoleniu i szantażu emocjonalnym. Jakby szukał ratunku, a może jedynie motywacji, by zakończyć swoje piekło i przestać się obwiniać o każde spojrzenie na inną kobietę, niewinną rozmowę czy taniec.

— Panie Herbercie, siedzimy tu prawie godzinę. — Zerknęła na przegub dłoni i uśmiechnęła się.

— Nawet nie wiem, kiedy to zleciało — westchnął.

— Widocznie zamyślił się pan nad czymś frapującym. Ja pracowałam, więc ta godzina wcale nie była taka krótka — odparła.

— W istocie, myślałem o czymś ważnym — mruknął.

Odprowadził Judith Kellerman do drzwi. Po drodze natknęli się na Maritę. Jego siostra była rozpromieniona, chociaż nie miał pojęcia, co wprawiło ją w taki doskonały nastrój. Zapytał więc, gdy tylko malarka opuściła ich dom:

— Siostro, a coś ty taka szczęśliwa? Nie mów, że to z powodu wygranej ojca.

— Nie. — Pokręciła głową i zarumieniła się.

— Oj, chyba mi się mała Maritka zakochała. — Roześmiał się i dodał: — Opowiadaj.

— Max Geyer zaprosił mnie do kina. A potem na kolację. Na prawdziwą randkę tylko we dwoje — odrzekła dumnie.

Herbert przestał się śmiać. Nie cierpiał tego gnoja, Maxa Geyera. Uważał go za karierowicza i cwaniaka, tak jak Manfreda, brata Daisy. To był taki specyficzny typ ludzi, na który był wyjątkowo uczulony. Nic w nich nie było spontaniczne i szczere, tak jakby wyreżyserowali każdy gest, a wszystkie słowa, jakie wypowiadali, miały mieć określony cel. I jego słodka i niewinna siostra miała trafić w łapy kogoś takiego? Jakby nie wystarczyło jedno nieszczęśliwe małżeństwo w tym domu. Poza tym podejrzewał, że Geyer romansował z jego matką, bo ta potrafiła zachowywać się przy nim skandalicznie. Jakby co najmniej zaraz miała rozebrać się do naga i oddać temu frajerowi na środku salonu.

— Marito, to nie jest partia dla ciebie — mruknął.

— Bo jest biedny? A ja go podziwiam, że mimo warunków, w jakich się wychował, potrafił do czegoś dojść — rozzłościła się Marita.

— Skarbie, nie dlatego, że jest biedny, chociaż to może nie spodobać się ojcu, ale ten człowiek myśli tylko o sobie. Potrafi zręcznie manipulować ludźmi i osaczać ich, by osiągnąć swój cel. A teraz jego celem jest dostanie się do jednej z najlepszych i najbogatszych rodzin w Berlinie.

— Nie wydaje mi się... — Wydęła wargi. — Powiedział, że pieniądze von Reussów nic dla niego nie znaczą.

— Maritko, jesteś młoda i naiwna. Ja też mogę mówić różne rzeczy, na przykład, że jestem wcieleniem boga Wisznu, ale czy to będzie oznaczało, że naprawdę nim jestem? Wiem, że nie mogę ci niczego zabronić, ale błagam, kochanie, uważaj na niego. Tyle chyba możesz dla mnie zrobić, prawda?

Marita ucałowała go w oba policzki i powiedziała:

— Braciszku, przyrzekam, że będę czujna. A jeśli najdą mnie wątpliwości, porozmawiam o tym z tobą.

I dziękuję, że nie jesteś jak Manfred Sebottendorf, który ciągle wtrąca się w życie Daisy.

— Naprawdę? — zdziwił się Herbert, bo wydawało mu się, że Manfred jedynie jemu suszył głowę zbędnymi dywagacjami.

— Daj spokój, ciągle mówi, że jesteś bardzo przystojny i wszystkie dziewczyny za tobą latają. A poza tym jesteś bogaty i wykształcony, więc Daisy ma cię pilnować jak oka w głowie — prychnęła Marita. — Podsłuchałam kiedyś ich rozmowę. I wiesz, myślę sobie, że twoja żona jest obłąkana, a on jeszcze bardziej podsyca w niej niepewność i podkarmia jej szaleństwo. Tak więc nie wiem, kto bardziej zna się na ludziach, braciszku.

— Ale miłość bywa ślepa... Dobrze byłoby, byś odzyskała wzrok szybciej aniżeli później — wydukał, wciąż trawiąc zasłyszane informacje.

Ten kretyn, Manfred, zamiast uspokajać siostrę i namówić ją, by nieco odpuściła, jeszcze bardziej ją podjudzał, jakby Herbertowi mało było wybuchów histerii małżonki. Jego siostra miała rację. Pouczał ją, wystawiał cenzurki, gdy tymczasem pozwolił zrobić z siebie ofiarę losu.

Pamiętał jednak ten moment, gdy Daisy podcięła sobie żyły. Pojechał wówczas do szpitala, pełen lęku i wyrzutów sumienia. Jego żona, wówczas jeszcze tylko znajoma, leżała z obandażowanymi nadgarstkami, blada i z sińcami pod oczami. Usiadł wtedy na szpitalnym taborecie i patrzył, jak ogromne krople łez spływają jej po policzkach.

— Nie chcę żyć bez ciebie, Herbercie. I nie potrafię.

Wtedy był gotów obiecać jej wszystko. I zrobił to, wierząc głęboko, że jakoś się między nimi poukłada. Chciał pokochać Daisy Sebottendorf. Całym sobą. I ufał, że to mu się uda. Jednak Daisy nie uspokoiły ani oświadczyny, ani ślub. Wciąż była wściekle zazdrosna o każdą minutę jego życia, której z nią nie spędzał. Potrafiła wydzwaniać do jego biura kilka razy dziennie i kiedy musiał pracować w terenie, cieszył się jak idiota, bo wiedział, że ma kilka godzin swobody. Potem jednak, gdy wracał, następowała spowiedź. A gdy się buntował, płakała, krzyczała i straszyła go, że jeśli raz zdobyła się na podcięcie sobie żył, zrobi to także ponownie. Zacisnął zęby na samo wspomnienie. Miał jedynie nadzieję, że nikt nie powie jej o wizycie Judith Kellerman, z którą spędził sam na sam całą godzinę. I mimo że spotkanie było zupełnie niewinne, zdawał sobie sprawę, jaką reakcję wywołałoby u Daisy.

Postanowił, że nie puści tego płazem. Nie czekał, aż Manfred Sebottendorf zaszczyci ich swoją obecnością, ale wybiegł z domu i nakazał kierowcy, by ten zawiózł go do mieszkania szwagra.

Zanim uśmiech radości z wizyty Herberta zdążył zniknąć z twarzy Manfreda, von Reuss wymierzył mu cios w twarz. Mężczyzna zachwiał się na nogach i nie przewrócił się chyba tylko dlatego, że oparł się o ścianę.

— Do licha, co ty wyprawiasz, Herbercie? — jęknął, wycierając zakrwawiony nos.

— Przestań podjudzać Daisy. Zostaw ją w spokoju. Zostaw nas oboje — wysyczał von Reuss.

— Nie rozumiem, o co ci chodzi — wymamrotał Sebottendorf.

— Doskonale wiesz. Tak samo, jak to, że twoja siostra potrzebuje pomocy specjalisty. Więc jeśli miłe ci życie i życie Daisy, przestań się wpierdalać w nasze małżeńskie sprawy — warknął Herbert i opuścił mieszkanie szwagra.

୧୦

Wieczorem, gdy wszedł do sypialni, Daisy siedziała na łóżku i zaplatała sobie warkocz.

— Dlaczego mnie oszukujesz, Herbercie? — zapytała grobowym tonem.

Stanął jak wryty.

— Słucham? — zapytał ze złością.

— Nie powiedziałeś mi o wizycie tej kobiety, córki malarza. Już raz chyba się z nią spotkałeś?

— Nie złożyła wizyty mnie, ale mojemu ojcu. Tak jak poprzednim razem. I przywyknij do myśli, że będzie tutaj częstym gościem, bo zamierza dokończyć portret Marity. Zapewne wiesz, że jej ojciec nie żyje, ale ona podjęła się tego zadania. A nie powiedziałem ci o tym, bo zapomniałem — prychnął.

— Wiesz, że jeśli mnie oszukujesz... W szufladzie mam przygotowaną brzytwę... Ja tak bardzo cię kocham... — Zaczęła znowu łkać.

I wtedy przypomniał sobie słowa Judith Kellerman.

— Wiem, że w szufladzie masz brzytwę. Podać ci? — zapytał jadowicie, a potem wyszedł, głośno trzaskając drzwiami.

Naprawdę w tym momencie było mu wszystko jedno, co zrobi Daisy.

1933

1.

Od wielu tygodni w domu przy Bregenzer panowała napięta atmosfera. Wszystko za sprawą odbywających się co kilka miesięcy wyborów do Reichstagu. Zarówno Judith, jak i Serafin z Johannem mimo że partia komunistyczna zdobywała coraz większe poparcie, byli zdruzgotani faktem, że NSDAP latem zdobyła ponad trzydzieści siedem procent i chociaż w listopadzie straciła kilka mandatów, wciąż stanowiła liczącą się siłę. Martwili się nie bez powodu. Dziewczyna przeczuwała, że teraz agresja wobec Żydów będzie odbywała się z pełnym poparciem władz, zaś ruch komunistyczny będzie nękany bezlitośnie przez bojówki SA. Naziści za wszelką cenę chcieli w końcu dopiąć swego i zdobyć pełnię władzy. Tymczasem komuniści wciąż nie potrafili dogadać się z socjaldemokratami, oddając coraz bardziej pole NSDAP.

Judith nie przyznała się ani bratu, ani też swojemu narzeczonemu, że od dwóch miesięcy dwa razy w tygodniu odwiedza dom jednego z posłów do Reichstagu, Wilhelma von Reussa. Sama była zdziwiona, że ten zajadły nazista i miłośnik rasy panów korzystał z usług jej ojca, a teraz zgodził się, by ona dla niego pracowała. Marita, jego córka, która była zupełnie neutralna w tych kwestiach, powiedziała jej pewnego dnia, że jeśli ktoś przydaje się w partii, od razu robi się mniej żydowski i gdyby tak przestudiować życiorysy niektórych kolegów jej tatki, mogłoby się okazać, że w wielu z nich wcale nie płynie aryjska krew. I tak było w każdej dziedzinie życia. Jeśli można było na czymś skorzystać z pomocą jakiegoś Żyda, ten od razu nabierał aryjskich cech. Judith najchętniej rzuciłaby to zlecenie w diabły, bo nienawidziła nazistów, ale pieniądze, jakie miała za nie otrzymać, były nie do pogardzenia.

— Jeśli wygrają, wykończą nas w majestacie prawa — jęknął Johann.

— Może więc czas dać sobie spokój? — wtrąciła niepewnie Judith, która od trzech lat nieustannie drżała o życie brata i Johanna.

Napady na siedziby partii komunistycznej i ataki na ich członków od jakiegoś czasu stały się normalnością, a prym wiódł oddział bojówkarzy SA, którego dowódcą był Manfred Sebottendorf. Kiedyś mignęła jej twarz tego człowieka, gdy wchodziła do domu Reussów. Nie miałaby pojęcia, z kim ma do czynienia, gdyby Marita nie przekazała jej, jak nazywa się ów człowiek. Dziewczyna wykrzywiła wówczas usta i oznajmiła, że jej brat, Herbert, bardzo nie lubi tego mężczyzny, mimo iż jest jego szwagrem. Judith przeraziła się, bo Sebottendorf był nieobliczalny i gdyby dowiedział się, że jest Żydówką, gotów zamordować ją, a zwłoki rzucić psom na pożarcie. Od razu poczuła nieco więcej sympatii do młodego von Reussa za to, że nie cierpiał Manfreda Sebottendorfa, chociaż zapewne z innych powodów niż ona. Marita chichotała i powtarzała jej, co Herbert von Reuss mówił o swoim szwagrze i że nazywał go przeważnie „prostym osiłkiem" i „bezmózgim bandytą". Potem dodała, by Judith nie obawiała się przychodzić na Bellevuestrasse, bo oprócz von Reussów nikt nie wie, że panna Kellerman to Żydówka. Z jednej strony poczuła niesmak, z drugiej odetchnęła z ulgą.

A teraz nadszedł koniec stycznia i najczarniejszy dzień w historii Niemców, bo oto chory z nienawiści do Żydów i komunistów Adolf Hitler został kanclerzem Rzeszy.

— Mamy się poddać? — obruszył się Johann.

— Kochanie, jeśli nie mogliście dać sobie rady z bojówkami NSDAP, to jak poradzicie sobie, gdy dołączy do nich policja? Przecież Hitler będzie miał pod kontrolą ten resort i będzie mógł jednym podpisem zdelegalizować waszą partię i wysłać służby na ulice.

— No, to będziemy mieli wojnę domową — warknął Serafin.

— Którą przegracie — wycedziła Judith i poszła do kuchni.

Nie chciała tego dnia pokłócić się ani z bratem, ani ze swoim narzeczonym, jednak zdawała sobie sprawę, że gdyby komuniści dołączyli do socjaldemokratów, naziści mieliby mniejsze szanse na zdobycie pełnej władzy. Tymczasem Komunistyczna Partia Niemiec i jej zbrojne skrzydło krytykowały wszystkich, jakby nie rozumieli, że czasami należy wybrać mniejsze zło. A to większe od dwóch lat parło z impetem do władzy, wykorzystując biedę, bezrobocie i strasząc bogaczy komunistami. Pieniądze od przemysłowców, bankierów i ziemian drżących o swoje majątki i areały płynęły do NSDAP strumieniami. Z dwojga złego woleli prawicowego Hitlera niż rządy komunistów. Zapewne doskonale zdawali sobie sprawę z tego, co działo się w Związku Radzieckim i nie mieli zamiaru skończyć jak tamtejsi obszarnicy i arystokraci. Ona także nie chciałaby, aby nagle do jej mieszkania przy Bregenzer Strasse wprowadzili się jacyś obcy ludzie, tak jak to miało miejsce w Leningradzie czy Moskwie, gdzie po rewolucji upychano biednych mieszkańców w domach o większym metrażu, nazywając to „zagęszczaniem". Tak samo, jak wolałaby nie oglądać strumieni krwi spływających ulicami albo grabieży prywatnej własności.

Usiadła przy stole i wyciągnęła notes z torebki. Zaczęła przyglądać się swoim zapiskom. Tak jak można się było spodziewać, śledztwo w sprawie morderstwa jej ojca zostało umorzone z powodu niewykrycia sprawcy. Komisarz Kluge poinformował ją, że zapewne ojciec padł ofiarą nazistowskich bojówek, słynących z niechęci do Żydów. Być może podobne wytłumaczenie było najwygodniejsze dla nieudolnych śledczych, którzy nie zadali sobie pytania, dlaczego ojca nie znaleziono martwego w drodze do domu, ale w Grunewaldzie. Zdawała sobie sprawę, że ona także ponosi winę za to, iż morderca zamiast siedzieć w więzieniu, przebywa na wolności. Gdyby wyznała prawdę, czym zajmował się jej ojciec, może udałoby się natrafić na ślad człowieka, który tak bardzo skrzywdził Ismaela Kellermana. Jednak wówczas musiałaby przyznać, że ojciec był przestępcą, udostępnić tajne pomieszczenie w atelier i narazić się na pytania o jej działalność w tym fachu. Nie zdążyła jeszcze wejść na drogę występku, ale pilnie ćwiczyła kopiowanie starych obrazów. Na wszelki wypadek. Tak jak powiedział jej kiedyś ojciec, być może ta umiejętność pewnego dnia uratuje jej życie.

Nie mogła jednak tak po prostu pogodzić się ze śmiercią ojca i z tym, że morderca pozostawał bezkarny. Postanowiła, że sama go odnajdzie i wymierzy sprawiedliwość. Nawet gdyby miała zabić go własnymi rękami. Nie miała żadnego tropu. Oprócz marszanda Heinricha Stolzmana i Wackera.

Na Friedrichstrasse, gdzie mieściła się słynna galeria Stolzmana, pojechała dwa tygodnie po pogrzebie ojca, w którym zresztą łysawy grubasek uczestniczył. Nie był to jednak właściwy moment, by zapytać go o jego relacje z ojcem, a tym bardziej, czy go zakatował na śmierć.

Przyjął ją wówczas bardzo życzliwie i miał strapioną minę. Właściwie Judith odnosiła wrażenie, że marszand zaraz wybuchnie płaczem. I wcale nie dlatego, że tak bardzo lubił Ismaela Kellermana, ale uważał go za najlepszego specjalistę od obrazów dawnych mistrzów włoskich i holenderskich, którzy tworzyli swoje dzieła kilkaset lat temu. Uwierzyła mu. Heinrich Stolzman nie miał najmniejszego powodu, by mordować jej ojca. Przeciwnie, powinno mu raczej zależeć, by Kellerman żył jak najdłużej. Była pewna, że nawet za polecenie go von Reussom wziął jakąś prowizję. Zatem Stolzman jako morderca albo jego zleceniodawca odpadał.

Pozostawał jeszcze handlarz fałszywymi van Goghami. Proces Ottona Wackera, zakończony śmiesznym wyrokiem dziewiętnastu miesięcy więzienia i karą finansową, którą zamieniono także na odsiadkę z uwagi na niewypłacalność oskarżonego, należał już do przeszłości. Nie mogła z nim porozmawiać, zresztą podejrzewała, że niczego by jej nie powiedział, bo do końca utrzymywał, iż był przekonany o autentyczności obrazów, które pokazywał w swojej galerii. I właściwie na tym kończyło się jej prywatne śledztwo.

Sprawa apelacyjna Wackera odbyła się pod koniec poprzedniego roku, więc Rudolf Dorst mógł już bez skrępowania mówić o swoim śledztwie i o tym, co działo się na sali sądowej. Gdyby umówiła się z nim, być może powiedziałby jej coś, co mogłoby jej pomóc. Tylko czy zechce, jeśli ona traktowała go tak obcesowo. Poza tym wciąż jej powtarzał, że kłamie i wie więcej, niż mu mówi. Tylko jakie to teraz miało znaczenie, jeśli sprawa o morderstwo została umorzona, a Wacker siedział w więzieniu?

Wysupłała podniszczoną wizytówkę Dorsta i postanowiła, że niebawem złoży mu wizytę.

Johann wszedł do kuchni, ucałował ją w policzki i powiedział:

— Idziemy do komitetu. To czarny dzień dla naszej partii, musimy coś postanowić.

Uśmiechnęła się smutno.

— Idź, kochanie. — Po chwili dodała: — Johann...
Tak bardzo się o ciebie boję. I o Serafina. Wiem, że
to co robicie, jest dla was ważne, ale drżę o wasze
życie. Po prostu.

— Wiem, skarbie — westchnął. — Ale nie możemy się poddać.

— Straciłam ojca, nie chcę stracić także brata —
odparła cicho.

— A mnie? — zapytał.

— Johann, wiesz przecież, jak bardzo cię kocham.
Martwię się o ciebie tak samo mocno, jak o Serafina.
— Głos Judith zaczął drżeć.

Naprawdę starała się nie myśleć o tym, co może
się wydarzyć. Komuniści spotykali się z taką samą
agresją jak Żydzi i każde wyjście Serafina czy Johanna
na miasto mogło zakończyć się tragicznie. Nie mogła
jednak żyć w ciągłym strachu, zamknięta w czterech
ścianach i czekać, aż coś się zmieni. Tak samo, jak
nie miała prawa zatrzymywać brata i narzeczonego.
Jednak tego dnia coś ściskało ją za gardło, czuła ucisk
w żołądku i nie wiedziała, czy sprawił to nowy kan-
clerz, czy przeczucie, że śmierć ojca nie była końcem
tragedii, jakie nawiedziły jej rodzinę.

80

Po wyjściu mężczyzn z mieszkania Judith postanowiła kolejny raz przeszukać tajemne pomieszczenie ojca. Robiła to już trzykrotnie w nadziei, że znaj-

dzie w nim coś, co da jej wskazówkę, gdzie powinna szukać mordercy. Dotychczas nie wiedziała prawie nic, oprócz tego, że ojciec poprawiał nieudolne podróbki van Gogha.

Cieszyła się, że ma jakiś plan na najbliższe dni, oprócz zajęć na uczelni. Po pierwsze musiała kolejny raz przejrzeć szpargały ojca, potem zaś pojechać do biura Rudolfa Dorsta, olśnić go i wyciągnąć od niego wszystko, co wiedział o Wackerze i ludziach, z którymi przed śmiercią kontaktował się Ismael Kellerman.

Weszła do atelier i podeszła do regału. Odnalazła włącznik i przekręciła go. Chwilę później stanęła w progu pomieszczenia, w którym ostatnio spędzała większość czasu, przygotowując farby do portretu Marity von Reuss i ćwicząc swoje umiejętności na jednym z autoportretów Rembrandta.

— Tato, pomóż mi — jęknęła. — Na pewno ukryłeś tutaj coś, co mi pomoże. Sama tego nie znajdę nigdy w życiu.

Przysiadła na taborecie i zaczęła się rozglądać. Zatrzymywała wzrok na półkach, skrzyniach i na zlewie znajdującym się w narożniku pokoju. Pod nim znajdowała się nieco zniszczona szafka. Podeszła do niej, bo wcześniej nie przyszło jej do głowy, by tam zajrzeć. Otworzyła ją i zobaczyła jedynie pojemniki z pastą do czyszczenia rąk, dwie butelki ze spirytusem i kilka irchowych ścierek, zwiniętych w rulon.

— Niech to szlag! — syknęła i z impetem zamknęła drzwiczki.

Odskoczyły. Trzasnęła nimi kolejny raz, ale i tak po chwili otworzyły się, wydając z siebie nieprzyjemny odgłos. Ze złości kopnęła je z całej siły i wtedy szafka przesunęła się nieznacznie. Już miała zostawić w spokoju te nieszczęsne drzwiczki, gdy zobaczyła, że coś wystaje zza tylnej ścianki. Cienki brulion. Wzięła go do ręki i otworzyła. Od razu rozpoznała pismo ojca. W zeszyciku znalazły się nazwy obrazów i ich twórców, a obok dziwne oznaczenia, będące kombinacją cyfr i liter.

Niestety, większość malowideł, które sfałszował ojciec, nie należała do ekstraordynaryjnych dzieł sztuki, jakie zdobiły ściany najsłynniejszych galerii. Gdzie zatem miała ich szukać, by dotrzeć do zleceniodawców? Zaczęła studiować resztę zapisków w nadziei, że znajdzie tam nazwę lub adres chociaż jednej galerii albo jakieś nazwisko. Jednak obrazy posiadały jedynie nazwy i te przedziwne oznaczenia. Zobaczyła nazwę Marita i Judith domyśliła się, że chodzi o portret, który właśnie kończyła, kolejny zaś nosił nazwę Samotny jeździec. W życiu nie słyszała o takim obrazie, ale może ojciec namalował pastisz jakiegoś znanego malarza, który miał być cudem odnalezionym dziełem wielkiego mistrza.

Pomyślała, że nie rozgryzie tego szyfru nigdy w życiu. Bo cóż mógł oznaczać zapis „SRUB450530"? A potem zielona albo czerwona kropka? W niektórych przypadkach nawet obie. Może gdyby była kryptologiem, wpadłaby na jakiś pomysł, ale wcale nie była tego pewna, bo podobno takie amatorskie szyfry były najtrudniejsze do złamania.

Położyła zeszyt na stole i wyszła z atelier. Za godzinę miała zajęcia z profesorem Kohenem, potem zaś postanowiła odwiedzić Rudolfa Dorsta.

W drodze na uczelnię mijała wiwatujący tłum, ktoś wspominał o jakiejś wieczornej paradzie w centrum, a ona jakoś nie potrafiła się cieszyć. Być może w dzielnicy, gdzie mieszkało wielu Żydów, nastroje były inne, ale tutaj, w okolicach parku Tiergarten, panowała euforia. Od czasu do czasu mijała roześmianych młodych ludzi w brunatnych koszulach, którzy śpiewali *Pieśń Horsta Wessela* albo pozdrawiali ludzi rzymskim salutem z okrzykiem Heil Hitler. Gdzieniegdzie na murach domów i parkanów można było dostrzec namalowane farbą swastyki albo napisy: „Chcemy Hitlera", „Hitler Kanclerzem Rzeszy". A ona czuła się jak żałobnik, którego wpuszczono na wesele i zmuszono do okazywania radości. Może gdyby nie niechęć nazistów do Żydów, ich obrzydliwe prowokacje, a także zasadzanie się na członków partii komunistycznej, cieszyłaby się tak samo, jak pozostali, ale wiedziała, że dla jej rodziny zacznie się ciemny rozdział w życiu.

Na szczęście tego dnia nie musiała iść do von Reussów. Chyba nie potrafiłaby się skupić na swojej pracy, gdyby słyszała śmiechy i radosne okrzyki domowników przy Bellevuestrasse, a może i przybyłych z gratulacjami gości. Być może natknęłaby się na Manfreda Sebottendorfa, a wtedy mogłaby nie wytrzymać i popełnić jakieś szaleństwo, na przykład policzkując go albo wyzywając od oprawców.

Na uczelni panowało równie silne podniecenie, co na ulicach Berlina. Stała oparta o ścianę i wpatrywała się w idącego w stronę pracowni profesora Kohena. Jeden ze studentów rzucił w niego ogryzkiem i krzyknął:

— Niedługo profesorku popracujesz w akademii! Nareszcie zrobią z wami porządek! Hitler dobierze się wam do żydowskich tyłków!

Potem zaśmiał się sardonicznie, a po chwili dołączyli do niego inni studenci. Profesor szedł wyprostowany, dumny i zachowywał się tak, jakby nic się nie stało. Podszedł do drzwi, drżącymi rękami otworzył pracownię i powiedział cicho:

— Wchodź, Kellerman. Wykorzystajmy czas, który jeszcze nam pozostał.

2.

Przez głowę Rudolfa przebiegały setki myśli. Niektóre dotyczyły nowego kanclerza Rzeszy, inne sprawy Ottona Wackera, a kolejne Ismaela Kellermana.

Sprawa, nad którą pracował przez trzy lata, zakończyła się co prawda wyrokiem skazującym, ale chyba tylko dlatego, że w domu ojca oskarżonego natknięto się na obraz, który jednoznacznie określono jako nieudolny falsyfikat. W przeciwnym razie być może Wacker w ogóle uniknąłby kary. Cały proces Rudolf określał niekiedy mianem „cyrku na kółkach". Sąd w Berlinie-Śródmieściu powołał na świadków ekspertów: Bremmera i Zallandera, którzy uważali wszystkie prace za oryginały, doktora de la Faille'a, uznającego je wszystkie za falsyfikaty, oraz profesorów Justiego i Stopperana, wyrażających opinię, że część obrazów jest prawdziwa, a część fałszywa. Dodatkowo wezwano też bratanka malarza, Vincenta Wilhelma van Gogha, będącego założycielem antykwariatu Hodeberta w Paryżu. Poza tym na liście świadków znaleźli się właściciele licznych galerii, marszandzi i uznani specjaliści w dziedzinie malarstwa.

Jako materiał dowodowy na sali sądowej ustawiono obrazy, rzekomo van Gogha, i Rudolf chwilami miał wrażenie, że proces odbywał się w jakiejś sławnej galerii sztuki. Oskarżony, oczywiście, nie przyznał się do oszustwa i zapewniał sąd, że jest przekonany co do autentyczności obrazów. Dorst właściwie nie spodziewał się niczego innego w świetle zebranego materiału dowodowego, który nawet trudno było takowym nazwać.

Zeznanie bratanka van Gogha, które miało pogrążyć Wackera, bowiem matka owego świadka została jedyną spadkobierczynią spuścizny po van Goghu, wzbudziło wątpliwości, gdy do ataku ruszył adwokat Wackera, doktor Goldschmidt. Wytknął świadkowi opowieści, jakie ten snuł niegdyś podczas wywiadów prasowych, że obrazów van Gogha było mnóstwo i odnajdywano je w piwnicach i na strychach, a następnie wywożono na rynek staroci i sprzedawano za bezcen. Niewykluczone więc, że część z nich trafiła w inne ręce niż jego matki. Nie pomogły tłumaczenia bratanka, iż miał na myśli jedynie dzieła z okresu brabanckiego, bo adwokat skutecznie zasiał ziarno niepewności w przysięgłych.

Słynny już doktor de la Faille, bardzo zdenerwowany atakami na niego, ponieważ okazał się wyjątkowo naiwny, wierząc w istnienie rosyjskiego arystokraty, od którego rzekomo Wacker nabył płótna, oznajmił, że kolejny raz zmienił zdanie i jest gotów uznać pięć obrazów za autentyczne. Na sali zawrzało.

Potem sąd przesłuchał kolejnych ekspertów, zarówno chemików, jak i specjalistów od zdjęć rentgenowskich, artystę malarza, marszandów, a nawet doktora psychiatrii, który uznał Wackera za psychopatę. Po wielu miesiącach i długich godzinach spędzonych na sali sądowej można było wysnuć następujące wnioski: wszystkie obrazy są fałszywe, wszystkie są oryginalne, niektóre autentyczne, a niektóre nie. Przy czym niektórzy wskazywali, że falsyfikatami są te płótna, które godzinę wcześniej inny ekspert uznał za autentyki. Możliwe, że nawet sąd był skołowany, bo wydał bardzo łagodny wyrok, który później, podczas apelacji w I Sądzie Krajowym w Berlinie, nieco podwyższono. Rudolfa to nie satysfakcjonowało, bo był przekonany, że Wacker miał wspólników, którzy zgarnęli lwią część zysków ze sprzedaży, a może nawet zlecili komuś wykonanie podróbek, czyniąc z Wackera jedynie kozła ofiarnego.

Miał także przeczucie, że śmierć Ismaela Kellermana ma jakiś związek z tą sprawą. Jego córka jednak milczała. Nie przekonało jej nawet to, że wyja-wienie pewnych faktów z życia jej ojca pomogłoby w schwytaniu mordercy.

Judith, piękna Judith... tak bardzo go pociągała, że każda dziewczyna, z którą się umawiał, wydawa-ła mu się nie dość ładna, niewystarczająco ujmująca i mało podniecająca. Cóż jednak mógł zrobić, jeśli panna Kellerman była zajęta i nawet dziwił się, że jej wieloletni adorator nie zaciągnął jej jeszcze przed ołtarz. Może dlatego, że był komunistą i nie wierzył w nikogo oprócz Marksa i Lenina.

Kiedy tak rozmyślał to o Wackerze, to o śmierci Kellermana, a wreszcie o pięknej Judith, ktoś zapu-kał do jego biura. Stwierdził, że zawsze, gdy zaczyna myśleć o czymś przyjemnym, jakaś osoba ma do nie-go w tym momencie ważną sprawę. Nieco burkliwie powiedział:

— Proszę wejść.

Chwilę potem pożałował swojego opryskliwego tonu, bo do biura weszła Judith Kellerman z prze-wieszoną przez ramię torbą na obrazy. Miała zaczer-wienione od mrozu policzki, mały kapelusik wciś-nięty na sięgające ramion ciemne włosy i błyszczące oczy, którymi zachwycił się, gdy po raz pierwszy w nie spojrzał.

— Nie przeszkadzam? — zapytała bardzo uprzej-mie, co było pewną nowością, bo zwykle panna Kel-lerman traktowała go dość oschle.

— Tak... Nie. Niespecjalnie — wydukał.

— Więc mogę wejść? — Uśmiechnęła się pro-miennie.

— Oczywiście. Przepraszam za bałagan, mam masę roboty.

— W takie wielkie święto? — zapytała z ironią.

— Święto? — zdziwił się. — Dzisiaj jest poniedziałek, normalny dzień pracy.

— Hitler został kanclerzem — mruknęła.

— Tak... — powiedział przeciągle. — Naziści dostali Ministerstwo Spraw Wewnętrznych, a każda zmiana władzy jest w przypadku naszego zawodu bardzo niepożądana, bo prawie zawsze niesie za sobą czystki w takich resortach jak policja. Więc ja nie mam szczególnych powodów do radości.

— Ja tym bardziej — westchnęła.

— Ale cóż cię do mnie sprowadza? — zapytał, szczerząc zęby.

— Rudolfie, śledztwo w sprawie morderstwa mojego ojca umorzono. Komisarz Kluge sugeruje, że to mogła być robota brunatnych koszul, ale ja w to nie wierzę. A ty?

— Ja również. — Zasępił się. — Nie prowadziłem, co prawda, tej sprawy, ale jestem przekonany, że to morderstwo związane jest w jakiś sposób ze sprawą Wackera. On jest poza podejrzeniami, moi chłopcy mieli na niego oko i tego wieczoru Otto siedział w domu, ale myślę, że miał wspólników. I oni właśnie mogliby być kluczem do rozwiązania zagadki. Tymczasem ty milczałaś. Proszę więc mieć pretensje do komisarza Kluego i do siebie, a nie do mnie.

— Nie przyszłam do ciebie z pretensjami — żachnęła się. — Po prostu sądziłam, że mnie lubisz i opowiesz coś o sprawie, bo przecież mnie nic nie powiedzieli.

Rudolf uspokoił się, zresztą nie potrafiłby się chyba złościć na Judith. Durniał przy niej.

— No cóż ja ci mogę powiedzieć? Twój ojciec wyszedł od Reussów o dziewiątej, a dalej... Czarna dziura. Wacker zaprzecza, jakoby znał Ismaela Kellermana, alibi na wieczór morderstwa ma i tyle. Marszandzi, z którymi pracował Ismael, wyrazili głębokie ubolewanie, a każdy z nich potrafił dokładnie powiedzieć, co tego wieczoru robił i z kim. Poza tym oni nie mieli motywu, by pozbawiać twojego ojca życia. Żadnych podejrzanych kobiet także nie stwierdziliśmy, sąsiedzi powiedzieli, że odkąd zmarła małżonka, żył jak mnich. Koniec historii. Ciało zostało znalezione na skraju lasku Grunewald. Nikt niczego nie widział i nie słyszał. Zresztą to dość odludny teren, więc trudno się dziwić. Kluge nie miał nic. Żadnego punktu zaczepienia, oprócz własnoręcznie robionych farb, ale i to się wyjaśniło, bo Wilhelm von Reuss zażyczył sobie, aby portret jego córki został właśnie takimi namalowany. Nie powiedziałaś, gdzie je przygotowywał, ewentualnie kto dla niego je zrobił. A to mogłoby wiele wyjaśnić, bowiem takich farb używają fałszerze. Tylko pytanie, co takiego mógł sfałszować twój ojciec, jeśli sprawa nie wypłynęła? A może był tak dobry, że do tej pory nikt się nie połapał?

— Nie to, co Wacker — powiedziała złośliwie Judith, gdy Rudolf skończył swój wywód.

— Właśnie, a mimo to znalazło się wielu speców, którzy kilka obrazów z jego galerii uznali za autentyczne. Na przykład *Drzewa oliwne*.

To była dosłownie sekunda, kiedy przez twarz Judith przemknął ledwo dostrzegalny uśmiech. Tak jakby wcale nie zamierzała tego zrobić, a jednak jej usta mimowolnie się wygięły. Był niemal pewny, że Judith Kellerman wiedziała coś na ten temat. Nie zamierzał jednak jej o to nagabywać. Sprawa była zakończona, on otrzymał nawet awans na komisarza, a Wacker siedział w więzieniu.

— Doprawdy? Wciąż szli w zaparte? Eksperci... — Prychnęła.

— No cóż, *Drzewa oliwne* zostały w istocie podrobione perfekcyjnie i tylko zbyt szybkie suszenie obnażyło prawdę.

— Bo pęknięcia były zbyt równe? — Uniosła brwi.

— Właśnie... — Rudolfa zaczęła bawić ta rozmowa. Zwłaszcza teraz, gdy nic z niej nie mogło już wyniknąć dla śledztwa.

— To nie jest żaden dowód. Jeśli nabywca albo sam artysta powiesił świeżo namalowany obraz w zbyt ciepłym miejscu, chociażby w pobliżu pieca albo kominka, krakelura mogła pojawić się szybciej i wyglądać tak, jakby została poddana celowo zbyt szybkiemu suszeniu. Bo w istocie tak było, tylko w sposób niezamierzony — odparła.

— To pójdziemy razem do galerii? — wypalił nagle Dorst.

— A co z moim narzeczonym? — Uśmiechnęła się.

— Myślę, że on ma teraz ważniejsze sprawy na głowie — mruknął.

— To znaczy? — Zmarszczyła czoło.

— Należy, jak mi wiadomo, do KPN-u, a ta partia znalazła się dzisiaj w wyjątkowo niekomfortowej sytuacji — odparł.

— Nawet jego sprawdzałeś? — jęknęła.

— Każdego, kto miał kontakt z twoim ojcem. No, może nie ja konkretnie, ale komisarz Kluge. Ja tylko przejrzałem akta sprawy.

— Dlaczego? Sądzisz, że Johann miał związek ze sprawą Wackera? Przecież to niedorzeczne...

— Nie, nie dlatego. Chciałem wiedzieć, z kim przegrałem.

— Nie mów tak! To nie wyścigi. Znam Johanna od dawna. I od dawna...

— ...jestem w nim zakochana po uszy — dokończył za nią Rudolf.

— Chyba nie możesz mieć o to do mnie żalu?

— O to nie mogę, ale o coś innego, owszem. Myślę, że jesteś małą kłamczuchą, Judith. — Uśmiechnął się.

— Ja? Nie okłamałam cię. — Rozzłościła się.

— Tak, to prawda. Źle się wyraziłem. Ale zataiłaś przede mną wiele faktów i dlatego w więzieniu siedzi jedynie Wacker, zaś jego wspólnicy i morderca twojego ojca są na wolności. Ale cóż, jeśli potrafisz z tym żyć...

— Chodźmy więc do tej galerii, zanim się pokłócimy. Może do Cassirera, ona wystawia prawdziwe obrazy van Gogha?

— Poświęcisz się dla mnie?

— Tak. Poświęcę się dla ciebie. — Uśmiechnęła się.

Tym jednym uśmiechem Judith Kellerman kolejny raz rozbudziła jego nadzieje.

ℰℴ

Szli w kierunku Viktoriastrasse, gdzie znajdowała się galeria Cassirera i patrzyli na ludzi, którym nazwisko nowego kanclerza nie schodziło z ust. Większość okazywała zadowolenie i jedynie nieliczni sarkali, że Hindenburg oddał władzę w ręce szaleńca. Jakaś grupka komunistycznych działaczy maszerowała z transparentem „Precz z faszyzmem" i nawoływała do ogólnonarodowej rewolucji, mającej na celu zaprowadzenie rządów ludu. Judith popatrzyła na grupę młodych ludzi, jakby chciała sprawdzić, czy wśród nich nie ma Johanna lub Serafina.

— I co? — zapytał trochę złośliwie Rudolf. — Wypatrzyłaś swojego narzeczonego?

Pokręciła przecząco głową.

— Nie. Wiesz, ja wciąż mu mówię, żeby z tym skończył. Przegrali. Wszyscy przegraliśmy. I nie mogę zrozumieć, jak mogło do tego dojść. Teraz, gdy Hitler został kanclerzem, już nikt ich nie zatrzyma.

— To proste. Bezrobocie, wszechobecna bieda i rozgoryczenie kolejnymi przepychankami i wyborami organizowanymi co chwilę sprawiło, że postawili na czarnego konia. Wierzą, że zmiana władzy w końcu odmieni ich życie. NSDAP po prostu wykorzystała frustrację ludzi — odparł Rudolf.

Naprawdę tak uważał. Kiedy po dwudziestym trzecim roku kryzys zaczynał odpuszczać, partia Hitlera z roku na rok traciła poparcie. Po Wall Street, kiedy Republikę Weimarską dopadła kolejna fala bezrobocia i nędzy, ponownie zaczęli rosnąć w siłę. Chcieli wierzyć, że Hitler zmieni ich życie. A że bali się komunizmu jak zarazy, pomni słów niektórych komentatorów, iż bolszewizm niesie za sobą jeszcze większą biedę i poddaństwo wobec Związku Radzieckiego, postawili na nacjonalistów.

— Ja myślę, że świetnie zadziałała u nich propaganda — westchnęła Judith. — Hitler i Goebbels są mocni w gębie, że tak to ujmę.

— Widzę, że bardzo interesujesz się polityką.

— Trudno się nią nie interesować, jeśli mam w domu dwóch działaczy partyjnych. Sądzili, że komuniści sami sobie poradzą i nie chcieli połączyć swoich sił z socjaldemokracją, a teraz triumfy święcą naziści.

— Prawdę mówiąc, komunistom też nie wierzę za grosz. I sam nie wiem, czy nie wolę Hitlera i jego kwiecistych przemówień.

— Ale przecież sam mówiłeś, że obawiasz się czystek w policji?

— Judith, nie bądź dzieckiem. Gdyby dzisiaj wygrali komuniści, zrobiliby jeszcze większe czystki, a moje miejsce zająłby jakiś niepiśmienny chłop ze wsi pod Berlinem — prychnął.

— Oni przynajmniej nie żywią nienawiści do Żydów...

— No tak, to jest argument. — Uśmiechnął się i dodał: — Słuchaj, Judith, wiem, że to mało eleganckie, ale zamierzam temu twojemu komuniście odbić dziewczynę.

— Naprawdę myślisz, że ci się uda? — zakpiła.

— Muszę wierzyć, że tak — mruknął.

Judith zatrzymała się i odwróciła w jego stronę. Stali już przed drzwiami galerii i chyba uznała, że powinni o tym porozmawiać, zanim wejdą do sali wystawowej.

— Rudolfie, proszę, poszukaj sobie kobiety. Lubię cię i chciałabym, żebyśmy zostali przyjaciółmi. Nie chcę, żebyś żył złudzeniami — powiedziała ciepło.

— Przyszłaś do mnie, więc mam powód, by mieć nadzieję. — Puścił do niej oczko.

Przygryzła wargę.

— Przecież powiedziałam ci, dlaczego do ciebie przyszłam, ale ty uparcie odbierasz opacznie moją wizytę. Chciałam wyciągnąć od ciebie jakieś nazwiska i informacje o śledztwie w sprawie morderstwa mojego ojca. Teraz mam jednak skrupuły. Zresztą ty i tak milczysz, jakbyś przejrzał mnie na wylot i bawił się tą sytuacją.

Doskonale zdawał sobie sprawę, po co Judith do niego przyszła, zresztą sama mu o tym powiedziała. Ale przyszła... Złapał ją za ramiona i pocałował w usta.

— Jedyne, co mnie złości, to fakt, że uważasz mnie za głupszego, niż jestem. Ja po prostu cieszę się, iż mogę spędzić z tobą trochę czasu i pokazać ci, że jestem całkiem miłym mężczyzną. Powiem więc, co wiem. Jedyny trop to von Reussowie i Stolzman. Ale Stolzman ma na tamten wieczór alibi. Podobnie jak von Reussowie. Tylko ci drudzy są na tyle bogaci, że mogli wynająć kogoś do brudnej roboty. Ale jaki mieliby motyw? Jedynie rasistowski. Może stary von Reuss uznał, że podobna znajomość i goszczenie w domu Żyda może zaszkodzić jego karierze politycznej, chociaż to trochę naciągane. Resztę tajemnic twój ojciec zabrał do grobu. Gdybym miał coś więcej, nie nękałbym cię pytaniami. Ale nie mam. I Kluge też nie ma. Trop urywa się na Bellevuestrasse. Nie mam też powodu, by coś przed tobą ukrywać, bo zarówno sprawa morderstwa Ismaela Kellermana, jak i oszustw Ottona Wackera są zamknięte. I jestem pewny, że ty wiesz więcej ode mnie. I to wszystko, Judith. A teraz możesz wejść ze mną do tego budynku albo pójść do domu. Twój wybór — powiedział chłodno Rudolf. Miał dość tej sytuacji, bo zabierała mu radość przebywania z Judith.

Patrzyła na niego, trochę zawstydzona, jak dziecko przyłapane na gorącym uczynku. Po chwili cmoknęła go w policzek i westchnęła:

— Przepraszam, Rudolfie. A teraz chodźmy zobaczyć, czym się tak zachwycasz.

3.

Tʋ było wielkie święto. Hitler został kanclerzem Rzeszy i NSDAP w końcu weszła na prostą drogę do zwycięstwa. A Max Geyer znalazł się w odpowiednim momencie swojego życia, by zrobić karierę u ich boku. Co prawda do przekonania Wilhelma von Reussa, by ten oddał mu swoją córkę za żonę, było jeszcze bardzo daleko, ale Max wierzył, że coś wymyśli, by ojciec Marity zmienił zdanie. Niestety, nadzieje von Reussa na tekę ministra spraw zagranicznych legły w gruzach, nie było też wiadomo, czy mianują go ambasadorem i zapewne stąd brało się jego nieprzejednanie i zły humor, który okazywał nawet swojemu astrologowi. Ten bowiem zapewniał go, że układ gwiazd mu sprzyja i w nowym rządzie zajmie eksponowane stanowisko, tymczasem nadal był szeregowym posłem. To było jak potwarz i von Reuss nie krył swojego rozgoryczenia, co odbijało się na jego rodzinie, ponieważ torpedował każdy pomysł, jaki podsuwali mu jej członkowie. Nie docierało do niego, że naziści dostali tylko dwa ministerstwa, no i oczywiście ten najważniejszy urząd. Natomiast następne wybory powinny umocnić pozycję NSDAP i dopiero wtedy władze pomyślą o stanowisku godnym jego osoby.

Marita nie była ładna i wbrew temu, co sądził Wilhelm von Reuss, nie ustawiła się kolejka do jej serca. Oczywiście dotyczyło to znakomitych nazwisk i majętnych kawalerów, bo inni z pewnością zawarliby podobny mariaż, nawet gdyby dziewczyna miała garb, bielmo na oku i krzywe zęby. Pozostali członkowie rodziny von Reussów byli bardzo urodziwi, nawet Wilhelm von Reuss, więc rola rodzinnego brzydkiego kaczątka musiała Maricie bardzo ciążyć. Może nie należała do szpetnych dziewcząt, ale w porównaniu z Agnes prezentowała się nad wyraz nieciekawie. Max sądził, że w końcu stary von Reuss przejrzy na oczy i przestanie sobie wmawiać, iż spłodził księżniczkę. A kiedy to nastąpi, zrozumie, że Geyer trafił mu się jak ślepej kurze ziarno — miał doskonałą aparycję, był inteligentny i chciał ożenić się z jego córką. Tymczasem nestor rodu czekał na mannę z nieba, bo jego astrolog powiedział mu, że Marita wyjdzie za mąż za człowieka z wielkim nazwiskiem. Kiedy jeszcze doszła do tego pomyłka dotycząca jego politycznej kariery, sfrustrowany Wilhelm zwolnił swojego proroka i oznajmił, że pewnego dnia wsadzi go do więzienia.

Odziany w swoje najgorsze ubranie Max wszedł do sutereny jednej z kamienic w jego starej dzielnicy, przy Krögel Strasse. Znajdowała się tam mała pralnia, która niechybnie by splajtowała, gdyby nie dodatkowa działalność jej właściciela. Ludzie mieszkający w okolicy niekiedy nie mieli nawet na chleb, więc korzystanie z usług pralniczych należało do luksusów.

Samuel Globe pochodził z mieszanej rodziny. Matka była Żydówką, zaś ojciec Niemcem od wielu pokoleń, dlatego mężczyzna wychował się na Krögel, a nie w dzielnicy, gdzie zwykle Żydzi prowadzili swoje interesy. Niegdyś pracował w firmie produkującej broń, Deutsche Waffen- und Munitionsfabriken, która jakiś czas temu miała swoją siedzibę w Berlinie-Charlottenburgu. Kiedy jednak linia produkcyjna przeniosła się do Oberndorfu, a do tego doszły obostrzenia dotyczące produkcji broni, Globe zasilił szeregi bezrobotnych. Jako że mężczyzna miał przedziwną narośl na czole, zaczęto nazywać go „Rogaczem". Wściekał się, że nadano mu taką ksywkę, bo nieodparcie kojarzyła się ze zdradą małżeńską, ale potem przywykł i w zasadzie już mało kto pamiętał prawdziwe imię Globego.

— Geyer! — wykrzyknął uradowany „Rogacz". — Całe wieki cię nie widziałem, chłopaku. Twoja matka mówiła, że strasznie się wyżarłeś, ale patrząc na twoje ubranie, wcale bym tego nie powiedział.

— Witaj, kolego. Dla matki każdy, kto ma pracę, zrobił karierę. Nawet jeśli czyści kible. — Roześmiał się.

— Potrzebujesz wyprać palto? — „Rogacz" puścił do niego oko.

— Tak. — Geyer wyszczerzył zęby. — W iperycie.

— Rewolucję robisz, żeby obalić Hitlera? — Globe zarechotał.

— Nie, podobno pomaga na raka. Znajomy jest zdesperowany...

— Wiesz, że nie testowali działania tego świństwa na ludziach.

— Wiem, ale jeśli pomógł zwierzętom, może pomóc też ludziom. I tak facet stoi nad grobem, więc chwyta się wszystkiego. Niedużo potrzebuję.

— Da się zrobić. Sto marek za setkę. Wystarczy ci tyle.

— Koledze... — mruknął Geyer

— Tylko ostrożnie, za dużo dasz i po kumplu. Trzeba bardzo uważać. I mieć czułą wagę.

— Nie martw się, nie jestem idiotą. I wezmę pięćdziesiątkę na początek. Jak pomoże, przyjdę po więcej. Na kiedy mi załatwisz?

— Poczekaj... Tyle to ja będę miał na miejscu — odparł „Rogacz" i zniknął na zapleczu.

Po kilku minutach przyniósł mu fiolkę, szczelnie zamkniętą korkiem, zainkasował pieniądze i podał Geyerowi. Ten zawinął ją w szary papier i ostrożnie włożył do kieszeni.

— Tylko teraz nie przytulaj się do żadnej panny, Geyer. — Zarechotał.

— Nie zamierzam. Mam narzeczoną — odparł z godnością Max i wyszedł z sutereny.

Wcale nie miał narzeczonej, ale nie dopuszczał myśli, by jego plan się nie powiódł. Po prostu przez ostatnie kilka lat żył w przekonaniu, że osiągnie każdy cel, jaki sobie wyznaczy. Bez względu na poniesione koszty. Uznał, że dla niego najważniejszym człowiekiem na ziemi jest on sam. Sztuki magiczne opierały się nie tylko na rytuałach, ale też na silnej wierze. W siebie i swoje marzenia. Ta ostatnia miała nawet większe znaczenie, zaś cała reszta mogła ją jedynie wzmocnić. A najlepszym sposobem było silne przekonanie, że cel został już osiągnięty. Dlatego w jego myślach Marita już stała się jego narzeczoną, a Święty Graal leżał ukryty w jakiejś jaskini i czekał na niego.

Jednym z takich celów było wejście do rodziny von Reussów. Wilhelm zasiadał w parlamencie, brat jego synowej, Manfred Sebottendorf, stał wysoko w hierarchii SA, Herbert prowadził firmę, powiększając majątek, zaś przyszła teściowa znała każdego, kto liczył się w Berlinie. Po śmierci berlińskiego dowódcy SA, Horsta Wessela, którego zupełnie niesłusznie okrzyknięto męczennikiem zamordowanym przez komunistów, wszyscy liczyli, że jego następcą zostanie młody Sebottendorf. Jednak Hitler postanowił ściągnąć z Boliwii banitę, Ernesta Röhma, a ten postawił na zupełnie innego konia. Prawdą było, że Wessel zginął z rąk bojówki komunistycznej, ale cała sprawa dotyczyła kwestii niepłacenia czynszu przez berlińskiego przywódcę SA i jego kochankę, prostytutkę. Zdesperowana właścicielka mieszkania poprosiła o pomoc komunistów i doszło do jatki. Jednak partia omijała skrzętnie ten wątek, a z Wessela zrobiono bohatera. Niemniej jednak Manfred wciąż pełnił ważną rolę w berlińskim SA.

Agnes von Reuss dbała o życie towarzyskie rodziny i właściwe kontakty, a Herbert przejął pieczę nad finansami. Tego ostatniego polityka interesowała o tyle, o ile można było na niej zarobić, a do SS wstąpił tylko dlatego, że jak twierdził, dobrze skrojony mundur motywująco działał na potencjalnych klientów. Zwłaszcza w chwili, gdy NSDAP stało się znaczącą siłą, a niemieckie firmy zaczęły z lubością pompować kasę w Hitlera i jego świtę. Max nie wyobrażał sobie, że w tym tyglu bogactwa, władzy i prestiżu on miałby odgrywać jakąś poślednią rolę znajomego pani domu. On chciał żyć w tym domu. Ogrzewać się w cieple wielkich pieniędzy i równie wielkiej władzy. Kompletnie nie interesowało go, jak do niej wejdzie. Równie dobrze mógł ożenić się z nieładną Maritą, jak i zostać adoptowanym przez Wilhelma von Reussa.

CB

Pod wieczór włożył galowy mundur SS i udał się na zbiórkę niedaleko pałacu Radziwiłłów, gdzie znajdowała się oficjalna rezydencja Hindenburga, przy Wilhelmstrasse 77. Pochód składał się z żołnierzy SS i Stahlhelm, jednak na przedzie mieli iść oni — arystokraci bojówek NSDAP.

Każdy z nich chwycił pochodnię i ruszył przed siebie w zwartym, uporządkowanym szyku. Zanim dotarli przed pałac, z setek gardeł wydobywała się *Pieśń Koszul Szturmowych i Pieśń Horsta Wessela*. Dumnie przemaszerowali pod oświetlonym oknem pałacu, gdzie obok staruszka Hindenburga stanął Adolf Hitler. Na ulicę wylęgły tłumy, z radia płynął głos Josepha Goebbelsa, który mówił o wielkim święcie, milionach ludzi na ulicach, fecie przed hotelem Kaiserhof, gdzie zawsze nocował Hitler, oraz o tym, że następne wybory NSDAP wygra w cuglach.

Max Geyer czuł silne podniecenie całym wydarzeniem, a płonąca pochodnia trzymana w dłoni sprawiła, że mógł sobie bez trudu wyobrazić, że jest członkiem wielkiego zakonu na miarę templariuszy i uczestniczy w czymś doniosłym i mistycznym. Tak jakby nagle wszystko pięknie się dopełniło, jego mrzonki o duchowej fecie pomieszane z przyziemnymi pragnieniami władzy i pieniędzy. Już nie widział w tym sprzeczności ani też zdrady swoich dawnych ideałów. Jak widać, można było mieć wszystko. I tak jak powiedział Goebbels, czekał ich ostatni akord, by rządzić krajem. Dla niego było to proroctwo, że i jego czeka ten ostatni, bodaj najważniejszy krok. Ślub z Maritą von Reuss.

Gdzieś w tłumie żołnierzy mignął mu Herbert, a potem zobaczył stojącą przy palenisku, w którym podpalano wygasłe pochodnie, Agnes von Reuss. Podeszła do niego i przekrzykując wiwatujący tłum, powiedziała:

— Będę na ciebie czekała w twoim mieszkaniu. Daj mi klucze.

— To nie jest miejsce dla damy — odpowiedział ze śmiechem.

— Dzisiaj nie będę damą — odparła i wyciągnęła rękę.

Wyjął z kieszeni klucze i podał Agnes, a potem na nią popatrzył. Jej chuć była ponad wszystko i nie zważała, że Max stara się o rękę jej córki. To był wielki dzień. I piękny. A miał zakończyć się znakomicie. Uwielbiał Agnes, zwłaszcza gdy w jego objęciach robiła się taka krucha, bezbronna i w niczym nie przypominała apodyktycznej gospodyni willi przy Bellevuestrasse.

∽

Dotarł do swojego mieszkania grubo po północy i poczuł radość, gdy ujrzał światło w oknie swojego pokoju. Przez cały czas towarzyszyło mu przyjemne napięcie i wiedział, że za chwilę je rozładuje pomiędzy nogami eleganckiej i pachnącej dobrymi perfumami pani von Reuss. Zapewne Agnes czuła coś podobnego, gdy oglądała paradę na ulicy i całe morze pięknych, młodych i ubranych w mundury młodzieńców.

— A co powiedziałaś Wilhelmowi, moja droga? — zapytał podejrzliwie.

— Wilhelm świętuje w hotelu Kaiserhof i pewnie będzie to robił do świtu. Powiedziałam, że wolę bawić się na ulicy, z innymi mieszkańcami Berlina — powiedziała, przeciągając się.

— Uwierzył? — Max się roześmiał.

— Tak, znowu coś mu obiecano, gdy tym razem wygrają wybory i przejmą całą władzę. Uwierzyłby nawet, że właśnie postanowiłam polecieć na Księżyc. — Uśmiechnęła się.

— Polecisz, moja napalona damulko. Wystrzelisz w kosmos, a ja razem z tobą. — Naprawdę miał ochotę, by kochać się z Agnes jak ostatni wariat.

— Ale to ostatni raz — mruknęła.

— Oczywiście, najostatniejszy. — Zarechotał i zaczął zdejmować z siebie mundur.

— A może przestań się starać o Maritę? Zostaniemy wtedy kochankami na zawsze — wypaliła.

— Nie interesuje mnie rola kochanka w twojej rodzinie — odparł zimno.

— A mnie to bardzo odpowiada. — Zachichotała, jakby miała dwanaście lat.

Przypomniał sobie słowa Belli Fromm, że Agnes jest niczym modliszka. Jak się wyżyje, wtedy odgryzie mu głowę. Pomyślał, że pani von Reuss nie zdąży, bo on zrobi to pierwszy.

Ze swoich planów zwierzył się tylko Rudolfowi Dorstowi. Jego przyjaciel nie pochwalał ani romansu z żoną Wilhelma von Reussa, ani ożenku z dziewczyną, która nawet mu się nie podobała. Nie ekscytował się też jego wstąpieniem do SS. Jednak to nie zmieniło stosunku Rudolfa do niego i ich przyjaźni. Max powiedział mu kiedyś, że sumienie należy w sobie zajebać. I on to zrobił. Miało to swoje dobre strony, bo nie zastanawiał się nad uczuciami innych. Wierzył, że jego przyjaciel także do tego dojrzeje. A jeśli nie, on pokaże mu drogę.

Rudolf Dorst był jedynym człowiekiem, do którego Max żywił sympatię i szacunek, bo nigdy się na nim nie zawiódł. Nawet własnego ojca uważał za frajera i głupca, który wciąż wierzy w żydowskiego Boga. Ale Rudolf był inny i Geyer był nawet skłonny mu wybaczyć nadmierną słabość do pewnej Żydówki. Tak bardzo go lubił, że chciał, aby jego przyjaciel dostał to, czego pragnie. Max Geyer postanowił, że pewnego dnia przyniesie mu tę żydowską sukę na tacy. A ona będzie skamlała, by Rudolf zechciał na nią chociaż spojrzeć łaskawym wzrokiem.

4.

Wielka feta wykończyła Herberta von Reussa, który nie cierpiał parad, marszów i gremialnego świętowania. Kiedy więc po wszystkim trafił na przyjęcie do ciotki Daisy, bolała go głowa i marzył tylko o tym, żeby jak najszybciej położyć się do łóżka.

W dniu, w którym posłuchał słów Judith Kellerman, Daisy spełniła swoją groźbę, a on kolejny raz musiał czuwać w szpitalu przy jej łóżku i zapewniać ją o swojej dozgonnej i wielkiej miłości. Po tym fakcie coś się w nim zmieniło. Jakby pogodził się z pewnymi sprawami i przestał narzekać na swoje życie z Daisy. Jakby wypełniła go kompletna pustka. Czuł obojętność. Poddał się i przestał walczyć z żoną i z własnymi uczuciami. Być może nie najlepiej świadczyło to o jego męskości, ale nie miał zamiaru pewnego dnia ponownie zobaczyć zbroczonej krwią małżonki. Być może Judith Kellerman była od niego silniejsza, a może uważała, że tego typu groźby są tylko blefem, bo nigdy nie spotkała na swojej drodze człowieka podobnego do Daisy.

— A gdzie twój adorator? — zapytał Herbert siedzącą obok siostrę.

— Świętuje z kolegami. A co, stęskniłeś się za nim?

— Wcale, ale ten chłopak, który siedzi naprzeciwko nas, nie odrywa od ciebie oczu — szepnął.

— Zauważyłam. — Zachichotała. — A kto to w ogóle jest?

— To jakiś kuzyn Sebottendorfów. Przyjechał do Berlina z rodzicami Daisy.

— Przystojny...

— Podobno skończył architekturę i prowadzi z ojcem i bratem biuro architektoniczne w Breslau. Ma na

imię Zygfryd. Pomyśl, że możesz nazywać się Sebottendorf. Chyba ładniej brzmi niż Geyer, prawda?

— Widzę, braciszku, że jesteś gotów stanąć na
głowie, bylebym nie wyszła za Maxa — westchnęła.

— Ja mam niewiele do powiedzenia, ale znasz
ojca...

Ich rozmowę przerwał teść Herberta, Peter Sebottendorf.

— I co o tym myślisz, Herbercie?

Nie miał pojęcia, co myśli, bo nie usłyszał wcześ-
niejszego pytania.

— Przepraszam, zagadałem się z siostrą — odparł.

— Teraz znowu czeka was kampania, a Daisy pew-
nie nudzi się w Berlinie, kiedy już skończyła studia.
Chcemy, żeby przyjechała do nas na kilka tygodni.
Może Marita też by nas odwiedziła?

— Cudowny pomysł. Ojciec będzie zajęty, ja będę
miał na głowie całą firmę, więc w istocie może wyjazd dobrze zrobiłby Daisy.

— Nie chcę jechać — fuknęła małżonka Herberta.

— Przestań, Daisy — warknął na nią stary Sebottendorf. — Każdej parze przydaje się odrobina rozłąki.

Daisy zrobiła naburmuszoną minę i Herbert miał
wrażenie, że zaraz się rozpłacze. Po chwili w ogóle
przestała się odzywać.

— A co z Maritą? Jeśli opuści kilka tygodni w szkole, chyba dziury w niebie nie będzie? Tym bardziej że
nazywa się von Reuss... — dopytywał Sebottendorf.

— Będzie mogła przyjechać za jakieś dwa tygodnie, sam ją przywiozę do Breslau, a przy okazji

spotkam się z żoną. Oczywiście, że świat się nie zawali, jeśli opuści zajęcia. Prędzej w szkole zawaliłby się sufit, bo to nasza firma go remontuje. I za darmo — odparł ze śmiechem Herbert.

— A dlaczego nie mogę od razu? — szepnęła mu do ucha Marita.

— Skarbie, Judith Kellerman musi skończyć twój portret.

— No tak, biedna Judith. Na pewno potrzebuje pieniędzy. Dobrze więc, wszystko ustalone.

Do końca przyjęcia Daisy prawie z nim nie rozmawiała i wiedział, że w domu czeka go noc wyrzutów, że tak łatwo zgodził się na jej wyjazd. Marita zajęła się przystojnym Zygfrydem, co bardzo ucieszyło Herberta, bo nie chciał, by jego siostra dojadała resztki po swojej matce. Był bowiem przekonany, że jej adorator, Max Geyer, sypiał z Agnes von Reuss. Co prawda nigdy ich nie przyłapał *in flagranti*, ale widział to w spojrzeniach, jakie między sobą wymieniali. Najchętniej stłukłby tego łowcę posagów na kwaśne jabłko, ale miał wystarczająco dużo problemów ze swoją nadwrażliwą i zaborczą małżonką, by mieszać się w tę sprawę. Jednak myśl, że pozbędzie się Daisy na kilka długich tygodni, sprawiła, iż był gotów nawet znieść jej kolejny wybuch histerii.

Gdy zamierzał już opuścić mieszkanie ciotki Daisy, teść wziął go pod rękę i zaprowadził do jednego z pokoi.

— Herbercie, dziękuję ci, że jesteś przy mojej córce. Wiem, że potrafi być nieznośna, bo jeśli chociaż w połowie podobna jest do swojej matki, mogę ci jedynie współczuć. Postaram się wpłynąć na nią. Mam nawet umówioną wizytę u jednego z najlepszych psychiatrów. Wierzę, że mojej małej Daisy można pomóc — powiedział niemal szeptem Peter Sebottendorf.

— Cieszę się, że chociaż ty mnie nie obwiniasz — westchnął Herbert.

Teść poklepał go po ramieniu, ale niczego więcej nie powiedział. Herbertowi ulżyło, że chociaż Peter jest po jego stronie. Najpewniej dlatego, że stary Sebottendorf podobne historie przeżył ze swoją małżonką. A może nadal przeżywał, bo matka Daisy przez cały czas była spięta, czujna i miała ponurą minę. Peter wytrzymał ze swoją żoną trzydzieści lat. Kiedy Herbert o tym pomyślał, stwierdził, że obaj dostali dożywotnie wyroki. Z tym że jego odsiadka dopiero się rozpoczęła. Myśl, ile lat jeszcze przed nim, doprowadzała go do rozpaczy.

80

Nazajutrz, gdy odpowiednie służby sprzątały miasto po wielkiej fecie, jaka miała miejsce poprzedniego wieczoru, a w domu przy Bellevuestrasse wszyscy odsypiali zarwaną noc, o poranku zjawiła się Judith Kellerman z ogromną torbą, w której przynosiła farby, pędzle i inne specyfiki, których nazw nawet nie potrafiłby wymówić.

— Dzisiaj chyba nic z tego nie będzie, panno Kellerman. Świętowaliśmy prawie do rana — powiedział ze śmiechem.

On nawet nie zmrużył oka po wybuchu histerii Daisy, a może nie mógł zasnąć, bo perspektywa wyjazdu żony wzbudziła w nim zbyt wielką ekscytację.

— Właśnie widzę. — Popatrzyła na niego z grymasem.

Najpewniej nieprzespana noc odcisnęła na jego twarzy swoje piętno, a on nawet nie zdążył się ogolić.

— Napije się pani herbaty? — zaproponował, zmieszany jej spojrzeniem.

— Nie, dziękuję. Pójdę w takim razie do siebie, a potem na uczelnię.

— Szkoda, wszyscy śpią, a mnie przydałoby się towarzystwo.

Dziewczyna, która już zmierzała w kierunku wyjścia, odwróciła się nagle i zapytała nieśmiało:

— Czy to nie będzie nietaktem, jeśli poproszę, aby pokazał mi pan waszą kolekcję obrazów? Podobno jest imponująca.

Herbert rozejrzał się, czy na pewno nikt z jego rodziny jeszcze się nie obudził i zaprowadził Judith do salonu.

— Obrazy wiszą właściwie w każdym pokoju, jak pani widzi, nawet w holu, ale tutaj jest ich najwięcej. Ze zrozumiałych względów tych w sypialniach teraz nie mogę pani pokazać — odparł przepraszająco, gdy weszli do przestronnego salonu, umeblowanego z przepychem, ale i ze smakiem.

Stare dębowe komody, wyściełane kwiecistym materiałem obszerne kanapy i aksamitne zasłony w oknach nie przytłaczały w najmniejszym stopniu. Nie znajdowało się tam także zbyt wiele bibelotów, a jedyną ozdobą była kolekcja obrazów w prostych ramach. Zaczęła przyglądać się każdemu z nich po kolei. Podeszła do ściany, gdzie umiejscowiono masywny kominek, a tuż nad nim wisiał duży obraz przedstawiający białego rumaka z siedzącym na nim mężczyzną w rycerskiej zbroi.

— Piękny — westchnęła.

— To *Samotny jeździec* — oznajmił. — Prawdopodobnie namalowany przez jednego z uczniów Rubensa, najpewniej wzorowany na *Świętym Jerzym walczącym ze smokiem.*

Dziewczyna wpatrywała się w płótno, a jej oczy błyszczały jak dwa akwamaryny. Chyba nawet na ukochanego mężczyznę nie patrzyła z takim zachwytem jak na ten obraz.

— A może to sam Rubens namalował? — zagadnęła. — Taka wprawka przed *Świętym Jerzym walczącym ze smokiem?*

— Niewykluczone. Nasz marszand, co prawda, nie znalazł go w żadnym katalogu dzieł Rubensa, ale przecież nie od dzisiaj wiadomo, że Rubensowi zdarzało się malować obrazy w duecie. — Herbert chciał pochwalić się swoją wiedzą, bo w żadnej dziedzinie nie lubił uchodzić za ignoranta.

— Pan Stolzman? — zapytała cicho.

— Tak. To najbardziej wiarygodny marszand w Berlinie. Inni podążają za szybkim zarobkiem, ale on woli mieć dobrą opinię. — Uśmiechnął się.

Niezbyt lubił Stolzmana, bo nie akceptował ludzi, którzy uważali się za nieomylnych, ale w istocie temu marszandowi trudno było zarzucić nieuczciwość. W każdym razie nie znał nikogo, kto kiedykolwiek źle się wyraził o fachowości Stolzmana.

Dziewczyna nic nie powiedziała, a jedynie pokiwała głową i zapytała:

— Czy to on będzie oceniał moją pracę?

— Zapewne. No i oczywiście my. — Kolejny raz się uśmiechnął.

— Bardzo się denerwuję tym swoistym egzaminem. Na pigmenty wydałam wszystkie oszczędności — westchnęła. — Martwi mnie tylko jedno. Aby obraz wyglądał, jakby miał kilkaset lat, należy wysuszyć go w odpowiedni sposób. Inaczej krakelura nie będzie wyglądać naturalnie. A jak ja to zrobię w państwa domu?

— A u siebie da pani radę to zrobić?

— U siebie tak, ale jak ja go przeniosę na Bregenzer? To bardzo duży obraz… Muszę o tym pomyśleć.

Przygryzła wargę, jakby obliczała w myślach, jak długo będzie musiała czekać na opinię eksperta, a wreszcie na wynagrodzenie. Marita wspominała, że ojciec Judith nie zostawił jej żadnych pieniędzy, a ona bardzo liczyła na zapłatę od von Reussów.

— Proszę się nie martwić, przywiozę go pani samochodem. Pani, oczywiście, sama go zapakuje, żebym czegoś nie zepsuł.

— Bardzo pan łaskawy. Potrafi pan być bardzo miły.

— Zdarza mi się, chociaż nieczęsto. — Puścił do niej oko.

Niedługo potem Judith Kellerman opuściła willę i zapowiedziała się na następny dzień. Obiecała także, że będzie przychodziła teraz codziennie, aby Marita mogła jak najszybciej wyjechać do Breslau. Na odchodne zapytała tylko:

— A pamięta pan może, kiedy pana ojciec kupił *Samotnego jeźdźca* i za jaką kwotę? O ile nie jest to jakaś straszna tajemnica?

— Nie, to żadna tajemnica, panno Kellerman. Obraz został kupiony w dwudziestym dziewiątym. Chyba w maju. Kosztował czterdzieści pięć tysięcy marek. A skąd to zainteresowanie?

— To chyba jednak nie Rubens. Jego obrazy kosztują fortunę...

— Mam nadzieję, że jednak okaże się Rubensem, a ja pewnego dnia go sprzedam za dziesięciokrotnie wyższą kwotę. — Roześmiał się.

— Nie lubi pan obrazów? — Zmarszczyła czoło.

— Kiedy liczę, ile pieniędzy wisi na ścianach, mam do nich coraz mniej sympatii — wycedził i pożegnał się z córką Ismaela Kellermana.

5.

*M*arita von Reuss paplała przez cały czas. Jak kiedyś Johann, którego portret Judith namalowała kilka lat temu, a który to wisiał teraz w jej sypialni. Johann stwierdził, że niedługo i tak się pobiorą, i zamieszkają razem na Bregenzer, więc niech jego portret poczeka na niego, zwłaszcza że coraz częściej spędzał noce u Judith. Niekiedy nawet żartował, że gdy jeden Johann się z nią kocha, drugi się temu bezwstydnie przygląda, zaś kiedy Judith śpi sama, pilnuje, by nikt nie zajął jego miejsca. Jednak ślub wciąż odkładali, bo cały rok trzydziesty drugi przypominał w Berlinie wyborczy tygiel. I chuligański, bo demokracja w Rzeszy przeistoczyła się w walkę wręcz.

— I nie wiem już, który z nich bardziej mi się podoba. Max to moja miłość, ale ten Zygfryd zrobił na mnie bardzo dobre wrażenie — szczebiotała Marita.

— Pojedziesz do Breslau i poznasz lepiej tego całego Zygfryda. Wtedy łatwiej ci będzie podjąć decyzję — westchnęła Judith, bo Marita wciąż ją rozpraszała swoimi opowieściami.

— Ty nie masz takich dylematów — mruknęła.

— Mam. Kocham Johanna i jest mi bliski, a jednak spodobał mi się pewien policjant, który za mną szaleje. Ale jedyny wniosek, do jakiego doszłam, to taki, że żaden z nich nie jest tym jedynym. Myślę sobie, że jeśli takiego spotkam, nie będę miała żadnych wątpliwości.

— A teraz masz? Przecież mówiłaś, że Johann jest tym jedynym? — zaciekawiła się Marita.

— Tak mi się wydawało. Jeśli jednak zdarza mi się rozmyślać o innym, to może żyłam w błędzie. Ten drugi podoba mi się i nawet go polubiłam, ale nie aż tak, by przekreślać swój związek z Johannem.

— I uważasz, że jeśli to będzie ten jedyny, pożegnasz się z Johannem bez żalu?

— Myślę, że w takim przypadku będę gotowa, by bez żalu pożegnać się ze wszystkim. — Judith się roześmiała. — Wiesz, sądzę, że w takich chwilach człowiek dokładnie wie, co ma zrobić i stawia wszystko na jedną kartę, nie zastanawiając się, że za rok, dwa albo dziesięć może tego żałować.

— Wobec tego ja nie kocham żadnego z nich.

— Zachichotała, a po chwili spoważniała i dodała: — Ale muszę się zdecydować, bo nie jestem taka piękna jak ty i być może już nikt więcej się mną nie zainteresuje.

Judith podniosła głowę i powiedziała:

— Marito, podejdź. Skończyłam. I popatrz, jaka jesteś piękna. Masz w sobie tyle wdzięku i tak piękną duszę, że zawsze będziesz miała powodzenie.

Dziewczyna podeszła do obrazu, zaczęła piszczeć, klaskać z radości, a potem wybiegła z pokoju jak oparzona.

W istocie młoda panna von Reuss nie była klasyczną pięknością i Judith musiała nieco poprawić dziewczynie urodę podczas malowania portretu, ale Marita posiadała wiele innych pięknych cech, których próżno byłoby szukać w duszy Judith. Była dobra, szczera i pogodna. Aż trudno było uwierzyć, że uchowała się taka w rodzinie von Reussów. Nawet w jej uprzejmym i dystyngowanym zazwyczaj bracie był jakiś fałsz. Coś, co nakazywało trzymać się z dala od niego. A jednocześnie z Herbertem von Reussem było tak, jak z jej nauką fałszowania obrazów. Zdawała sobie sprawę, że jeśli kiedyś sprzeda taki obraz jako prawdziwy, stanie się przestępcą, a jednak w tym fachu było coś ekscytującego. Być może miała zbyt dużą skłonność do ryzyka i z jednej strony lubiła chodzić na linie ze świadomością, że może za chwilę runąć w dół i nie przeżyć upadku, z drugiej zaś — ciągnęło ją do przezwyciężania własnych słabości.

Chciała, by kiedyś jakiś szalenie ważny ekspert popatrzył na obraz przez nią namalowany, a potem krzyknął z entuzjazmem, że oto właśnie odkrył kolejne dzieło Rembrandta. Mogło być, oczywiście, zupełnie inaczej i ów specjalista powiedziałby, że to tylko marna podróbka dzieł wielkiego mistrza. Tak samo zastanawiała się kiedyś, jak by to było, gdyby nagle młody von Reuss zaczął traktować ją z wielkim szacunkiem i sympatią i przestałoby mieć dla niego znaczenie, że jest Żydówką. W obu przypadkach mogłaby chełpić się skrycie, że dokonała niemożliwego.

Przestała się jednak nad tym zastanawiać, bo chwilę potem Marita przyprowadziła do pokoju Herberta. Ten spojrzał na obraz i jakby odruchowo chciał go dotknąć, ale Judith w porę złapała go za rękę.

— Przepraszam. — Zmieszała się. — Jest jeszcze zupełnie mokry.

— Proszę nie przepraszać. — Uśmiechnął się. — To ja z głupoty mogłem zniszczyć kawałek pani pracy.

— Mogłoby to być nawet zabawne. Portret Marity von Reuss z odciskiem palca jej starszego brata. — Roześmiała się.

— Wie pani, że nie jestem Stolzmanem, ale ten portret jest doskonały, a moja siostra wygląda na nim jak bogini. Uchwyciła pani na nim jej piękną duszę.

॰ﬆ

Kiedy drewniana skrzynia znalazła się w przedpokoju jej mieszkania, Judith myślała tylko o tym,
by Herbert von Reuss jak najszybciej poszedł sobie do diabła. Nie chciała, by zaczął ją wypytywać
o atelier, sposób suszenia obrazu ani o słynny sklep
Winsor & Newton przy Rathbone Place 38 w Lon-
dynie, gdzie kupowała pigmenty. Obawiała się, że
może domyślić się, iż swoją wiedzę, przekazaną jej
przez ojca, wykorzystuje do innych celów. Co prawda nie weszła jeszcze na przestępczą ścieżkę, ale
być może niebawem będzie zmuszona, by na nią
wkroczyć.

— Wejdzie pan na herbatę? — zapytała chłodno.
Może nawet lodowato. Dawała tym samym do zrozumienia młodemu von Reussowi, że nie ma ochoty
na jego towarzystwo.

— Chętnie. — Wyszczerzył zęby i wpakował się
wprost do salonu. Rozejrzał się po wnętrzu i oznajmił: — Ładnie pani mieszka.

— I to mówi człowiek, który zajmuje tak ogromną i pełną przepychu willę — zadrwiła.

— Mieszkamy w niej z całą rodziną. I jest jeszcze
służba...

— Doprawdy to straszne. Posiadanie służby... —
Zaśmiała się, a potem dodała: — Ja także nie mieszkam sama. Na razie tylko z bratem, ale kiedy wyjdę
za mąż, przybędzie kolejna osoba. A jeśli pojawi się
na świecie dziecko, ten lokal wcale nie będzie wydawał się taki obszerny.

— Nie powiedziałem, że jest duży, ale urządzony ze smakiem — mruknął.

— Bardzo pan łaskawy — odparła i poszła do kuchni, aby przygotować herbatę.

— Pokaże mi pani, gdzie pani pracuje?! — krzyknął.

Udawała, że nie słyszy. Zalała herbatę wrzątkiem, ustawiła dzbanek na tacy obok dwóch filiżanek i wróciła do pokoju.

— Pan coś mówił? — zapytała z westchnieniem.

— Tak, pytałem, czy pokaże mi pani swoją pracownię.

— Szanowny panie, ja nikomu nie pokazuję swojej pracowni, chyba że ktoś mi pozuje do obrazu. Tak więc jeśli ma pan chęć obejrzenia mojego atelier, musi pan zamówić u mnie portret. — Wydęła usta.

— A ja myślałem, że to ja mam głowę do interesów. — Roześmiał się. — Aż tak wielkiej ochoty na to nie mam. Mógłbym w istocie zamówić u pani portret, ale nie wiem, czy wysiedziałbym w jednym miejscu przez tyle godzin. Poza tym kiedy ostatnio się nad tym zastanawiałem, stwierdziłem, że to jest takie… snobistyczne.

— Pan nie jest snobem? — Kolejny raz w głosie Judith pojawiła się drwina.

— Nie. Moi rodzice, owszem, są nimi, ale na mnie i Maritę to nie przeszło.

— To chyba dobrze. A czym się pan zajmuje? — zapytała nie tyle z ciekawości, co za wszelką cenę chciała ominąć temat jej osoby i miejsca, w którym zazwyczaj maluje.

— Prowadzimy z ojcem firmę budowlaną, chociaż ostatnio wszystko jest tylko na mojej głowie. Z wykształcenia jestem prawnikiem i najwięcej czasu w firmie zajmują mi właśnie tego typu sprawy. Umowy, nowe kontrakty, paragrafy i inne mało frapujące sprawy. Zajmuję się też zakupem dzieł sztuki do wnętrz naszych budynków, ale raczej hobbystycznie, bo mam za dużo innych zajęć.

— Umarłabym z nudów.

— Dlatego jestem nudziarzem. Tak mi się wydaje.

— Nie wiem, nie znam pana. — Uniosła brwi.

— Może nawet nie warto mnie poznawać…

— Nie zamierzam. Pana świat jest zupełnie inny niż mój — powiedziała cicho.

— A jaki jest mój świat? — zapytał, trochę zdziwiony.

— Przepych, bogactwo, władza oraz niechęć do Żydów i komunistów.

— O nie, nie. Nie wciągnie mnie pani w polityczne dyskusje, mam tego w domu pod dostatkiem.

— Ale niech mi pan zdradzi pewną tajemnicę. Czy to prawda, że astrolog Hitlera, Erik Hanussen, jest Żydem?

— Nie mam pojęcia — powiedział konspiracyjnym szeptem. — Ale jeśli się dowiem, na pewno panią o tym poinformuję.

— Myślę, że nie będzie ku temu okazji — dodała chłodno.

Zapadła między nimi dość niezręczna cisza. Herbert sączył herbatę małymi łyczkami, co doprowadzało ją do szału i zerkał na nią od czasu do czasu, co podobało się jej znacznie bardziej, niż powinno. Nie chciała, żeby tak na nią patrzył. On naprawdę był z innej bajki i nie tylko dlatego, że był bogaty i na pewno zmanierowany. Jednak ona nie byłaby w stanie zaakceptować w swoim gronie znajomych kogoś, kto trzymał z nazistami. Dla niej to byli faszyści, nacjonaliści i brutale. Była przekonana, że ich rządy doprowadzą kiedyś do jakiejś tragedii. A na pewno do dramatu komunistów i Żydów.

A to dobitnie pokazał poprzedni dzień. Kiedy bojówki komunistyczne chciały zorganizować kontrdemonstrację w Charlottenburgu, doszło do regularnej bitwy. Niestety, jeden z członków SA został zastrzelony, a jeszcze tej samej nocy koledzy z brunatnych koszul wpadli do biura oddziału partii w ich dzielnicy i kompletnie go zdemolowali, zabierając przy okazji wszystkie dokumenty. Kiedy inni świętowali, tak jak rodzina von Reussów, ona opatrywała rany Johanna i Serafina. Gdy Herbert się cieszył, ona płakała. I doskonale zdawała sobie sprawę, że w czasie rządów Hitlera wyleje jeszcze wiele łez. Nie uspokajały ją artykuły w gazetach, że Hitler nie stworzył Trzeciej Rzeszy, ale co najwyżej „Rzeszę Dwa i Pół", a zapowiedziane na marzec wybory zakończą się fiaskiem jego partii. Nie wierzyła także, że komuniści zdobędą większą liczbę mandatów niż dotychczas. Hitler miał w ręku Ministerstwo Spraw Wewnętrznych, a Göring Prusy i pruską policję, więc na pewno obaj zechcą to wykorzystać, by zdławić protesty komunistów, a nawet zdelegalizować ich partię. Johann i Serafin upatrywali szansy w ogólnonarodowym strajku generalnym, ale któż będzie chciał strajkować przy tak kolosalnym bezrobociu? Poza tym wybory odbyły się w sposób demokratyczny, więc przeciw czemu mieliby strajkować? Przemysłowcy zaś pchali pieniądze w NSDAP w takich ilościach, o jakich komuniści mogli jedynie pomarzyć. Komintern, bojówki komunistyczne, a nawet socjaldemokracja zdawały się bezradne wobec rosnącej popularności NSDAP.

— Czy ten drogi pigment lapis-lazuli ma taki kolor, jak pani oczy? — zapytał nagle Herbert. — Doprawdy nigdy wcześniej nie widziałem u nikogo takiej barwy tęczówek.

— Moje oczy mają zwyczaj zmieniania odcienia w zależności od światła i nie są tak intensywne, jak lapis-lazuli, ale mniej więcej to właśnie taki kolor.

— Zatem trudno się dziwić, że jest tak kosztowny.

— Jego cena jest taka wysoka, bo kamień, z którego robi się ten pigment, wydobywa się w jednym miejscu na świecie. W Badachszan, w Afganistanie. Dzisiaj, oczywiście, taką barwę otrzymuje się z syntetyków, ale kiedyś... Znany był już w starożytności i ozdabiano nim królewskie groby w sumeryjskim Ur, a także egipskie sarkofagi. A wie pan, że Rembrandt w ogóle go nie używał? Był dla niego za drogi, dlatego nie znajdzie pan tego koloru na jego obrazach.

— Niech pani opowiada dalej, a ja będę patrzył w pani oczy i zapamiętywał, jakim kolorem ozdabiano grobowce faraonów — powiedział.

Zmieszała się. Jeszcze jej do szczęścia brakowało wielbiciela faszysty. Mogła robić z nimi interesy, ale gardziła nimi zbyt mocno, by w którymś z nich dostrzec zwykłego człowieka. Owszem, mała Marita była wolna od uprzedzeń, ale chwaliła się, że jej brat wstąpił do SS, bo to pomaga mu w robieniu interesów. Nie obchodził jej powód, dla którego wstąpił do tej formacji, bo ona całym sercem popierała socjaldemokrację, a nawet, trochę z sentymentu, komunistów, zaś nazistów nienawidziła, podobnie jak ich bojówek.

Zerknęła znacząco na zegar.

— Obawiam się, że to niemożliwe. Zaraz przyjdzie mój narzeczony i raczej nie będzie zadowolony, jeśli zastanie tu pana wpatrzonego w moje oczy — burknęła.

Zaczął się śmiać.

— Pani sądzi, że panią uwodzę? Jestem żonaty, a moja żona jest piękną, dystyngowaną kobietą, chociaż nie ma tak oryginalnego koloru oczu.

Chciała wbić mu szpilkę, ale on wcale nie był jej dłużny. Herbert von Reuss na pewno nie był Rudolfem Dorstem, któremu mogła powiedzieć, co jej się podobało, a on i tak ją uwielbiał. Po chwili von Reuss zerwał się z kanapy, podziękował za herbatę i oznajmił, że za kilka dni jego rodzina będzie czekała na prezentację obrazu. I nie tylko rodzina, bo zjawić się miał także najlepszy specjalista od malarstwa siedemnastowiecznego, Heinrich Stolzman.

„Specjalista" — kpiła w duchu Judith. Tak wielki, że wziął *Samotnego jeźdźca* za oryginalne siedemnastowieczne płótno, gdy tymczasem obraz powstał kilka lat temu w tym samym miejscu, w którym Herbert von Reuss raczył się herbatą.

Po wyjściu Herberta wyjęła ostrożnie obraz ze skrzyni i udała się do swojej tajemnej pracowni. Nastawiła piec i włączyła go. A potem, czekając, aż nagrzeje się do ponad stu stopni, zaczęła raz jeszcze przeglądać zeszyt ojca, znaleziony za szafką pod zlewem. Zatrzymała wzrok na nazwie obrazu, który poprzedniego dnia oglądała w saloniku von Reussów. I nagle zrozumiała większość zaszyfrowanej wiadomości. Część liter oznaczała nazwisko malarza, którego kopiował ojciec, cyfry zaś kolejno kwotę oraz miesiąc i rok sprzedaży obrazu. Informacje zdobyte od syna Wilhelma bardzo jej pomogły w odgadnięciu tych oznaczeń. Potem popatrzyła na literę S i doszła do wniosku, że może ona oznaczać marszanda Stolzmana.

Jednak coś jeszcze ją zaniepokoiło. Przy ciągu liter i cyfr widniała czerwona plamka, najpewniej zrobiona farbą. W innych miejscach ojciec namalował zieloną, a w niektórych widniały kropki w obu kolorach. Pomyślała, że być może w ten sposób Ismael Kellerman oznaczał osoby, które winne mu były pieniądze za obraz i takie, które już się z nim rozliczyły. Czyżby więc szacowny marszand i właściciel znanej w całym Berlinie galerii nie zapłacił ojcu za obraz, który zdobił ścianę nad kominkiem w willi przy Bellevuestrasse? Poszukała innych literek S i ze zdziwieniem stwierdziła, że prawie wszędzie widnieje tam czerwona kropka. Podliczyła kwotę i gdyby w istocie miała słuszność i dobrze odgadła zaszyfrowaną informację, Stolzman był winny ojcu około trzystu tysięcy marek. Prawdziwą fortunę. A więc

Stolzman miałby motyw, by zamordować jej ojca. Ludzie potrafili zabijać za dużo mniejsze kwoty, a co dopiero za takie. Dziwiła się tylko, że przez bez mała pięć lat ojciec dla niego malował bez wynagrodzenia.

I nagle dotarło do niej, że Stolzman mógł być zwykłym oszustem. Doskonale musiał zdawać sobie sprawę, że oryginalne siedemnastowieczne obrazy w rzeczywistości są podróbkami wykonanymi w perfekcyjny sposób przez Kellermana. Tylko jak miała to udowodnić, żeby nie zniszczyć dobrego imienia ojca? I to, że Stolzman zabił jej tatę, bo miał ku temu powody? I dlaczego, u diabła, zanim ojciec został zamordowany, był tak okrutnie torturowany, co zupełnie nie pasowało do statecznego i dystyngowanego Stolzmana? A w końcu jak miała odzyskać te potężne pieniądze, które, gdy w Rzeszy zrobi się gorąco, pozwolą Judith i jej bliskim uciec z kraju i urządzić się w innym miejscu?

Postanowiła, że za wszelką cenę musi zbliżyć się do Stolzmana i nawet wiedziała w jaki sposób.

6.

Myśl o Judith sprawiała, że Rudolf miał mniej czasu na to, by się bać zwolnienia ze służby. Co prawda naziści jeszcze nie przejęli władzy, bo wybory miały odbyć się w marcu, ale dostali do ręki wielki oręż, jakim było Ministerstwo Spraw Wewnętrznych oraz stanowisko kanclerza. Resztę tek objęli ludzie von Papena. Hitler, posiadając resort siłowy, mógł już bez skrępowania wysyłać swoich osiłków, by rozprawili się z ich największą konkurencją — komunistami. Demokracja wisiała na włosku i Dorst zastanawiał się, kiedy i z jakiego powodu ów włosek pęknie.

Niekiedy zastanawiał się także, jak to się stało, że Wacker, który dorobił się fortuny na fałszywych obrazach van Gogha, nagle stał się goły jak święty turecki. Być może ukrył gotówkę, by mieć na godne życie po opuszczeniu więzienia, ale wszelkie próby wyśledzenia tych pieniędzy spełzły na niczym. Istniała także druga opcja... Może naprawdę Wacker był jedynie podstawionym człowiekiem, któremu przekazano niewielkie środki za fatygę, a potem rzucono na pożarcie opinii publicznej i wymiarowi sprawiedliwości. Ten ktoś, kto za nim stał, musiał należeć do bardzo wpływowych ludzi, jeśli Wacker, Kellerman czy doktor de la Faille milczeli jak zaklęci, a człowiek pokroju antykwariusza Zallandera wciąż upierał się jak osioł, że obrazy są oryginałami. Zwłaszcza Baart de la Faille wyglądał na człowieka przerażonego i gotów był się przyznać nawet do tego, że sam namalował te wszystkie falsyfikaty. Ojciec Judith, mimo że był lojalny do samego końca, przypłacił udział w tym procederze życiem. Przynajmniej tak podpowiadał Rudolfowi jego policyjny nos.

Powinien już zapomnieć o tej sprawie i skoncentrować się na tych, które teraz leżały na jego biurku, ale sprawa śmierci Kellermana nurtowała go ze względu na Judith. Przede wszystkim dlatego, że był niemal pewny, iż dziewczyna zechce sama poszukać mordercy swojego ojca. Obawiał się, że tym samym narazi się na niebezpieczeństwo, podobnie jak Ismael Kellerman. Na razie węszyła u von Reussów, ale to był chyba ślepy zaułek. Von Reussowie byli bogaci, mieli kilkanaście kamienic w Berlinie, firmę budowlaną i udziały w kilku innych spółkach. Nawet kryzys, który nadszedł w dwudziestym dziewiątym, nie dotknął ich tak bardzo. Po co mieliby się bawić w podobne rzeczy, jeśli byli jedynie kolekcjonerami i raczej potencjalnymi ofiarami oszustwa? Stary von Reuss skupił się na karierze politycznej, poza tym był ekscentrykiem, ale na pewno nie tego typu przestępcą. Jego było stać na to, by oszukiwać ludzi przy otwartej kurtynie i w zgodzie z literą prawa. Herbert był bystry, ale raczej kpił z kolekcjonerów dzieł sztuki, a jego siostra, Marita, zapewne rozglądała się za potencjalnym mężem, a nie fałszerzami obrazów. Jedyne, co łączyło von Reussów z Wackerem, to osoba Heinricha Stolzmana, ale to była nikła poszlaka, chociaż ten sam policyjny nos podpowiadał mu, że ten ostatni może mieć ze sprawą Wackera jakiś związek.

Odgrzebał akta sprawy Wackera i poszukał kogoś, kto do samego końca upierał się, że obrazy są autentyczne. Przesuwał palcem po nazwiskach i w końcu zatrzymał się na jednym. Erich Zallander miał około sześćdziesiątki, niewielki wąsik i chodziły słuchy, że lubi mężczyzn. A raczej dobrze umięśnionych młodzieńców. W zamożnej dzielnicy Schöneberg wynajmował ponadstumetrowy lokal, w którym od niemal trzydziestu lat prowadził antykwariat. Handlował nie tylko obrazami, ale także monetami, starymi meblami i równie wiekową porcelaną.

Rudolf zerknął na zegarek. Jego dzień pracy dobiegał właśnie końca, dlatego postanowił odwiedzić podstarzałego amatora twardych tyłków.

℘

Dotarł do Schönebergu i kilka minut później stanął przed witryną z napisem „Antykwariat Ericha Zallandera. Rok założenia 1900". Wszedł do środka i rozejrzał się. Przeszklone witryny świeciły pustkami, na ścianach zaś wisiało zaledwie kilka dziewiętnastowiecznych landszaftów.

— Dzień dobry — powiedział dość głośno Rudolf, bo nie zobaczył nikogo z obsługi, mimo że po otwarciu drzwi zabrzęczał fikuśny dzwoneczek.

— Dzień dobry — usłyszał cichy głos.

Odwrócił się. Zallander nie wyglądał już tak elegancko, jak na sali sądowej. Wąsy miał znacznie dłuższe, niż powinien, a wielodniowy zarost świadczył, że ostatnio elegancki pan antykwariusz przestał o siebie dbać.

— Nie wiem, czy pan mnie poznaje... Nazywam się Rudolf Dorst i jestem komisarzem, który prowadził sprawę Ottona Wackera.

— Czego pan jeszcze chce? Winny siedzi w więzieniu, sprawa skończona — fuknął antykwariusz.

— Przepraszam za najście, ale pewne kwestie wciąż nie dają mi spokoju.

— To pana zmartwienie — mruknął Zallander.

— Oczywiście — odpowiedział uprzejmie Rudolf.

— Ale widzę, że i pana chyba coś trapi.

— Proszę mnie zostawić w spokoju. Nie mam już nic. Jedynie potężne długi. Jestem nikim, panie komisarzu. — Mężczyzna mówił drżącym głosem.

— Dlaczego, panie Zallander?

— Naprawdę chce pan wiedzieć? Zniszczyła mnie miłość, rozumie pan? A może to była jedynie chora namiętność... Sam już nie wiem. Kochałem Ottona i byłem gotowy nawet przed katem krzyczeć, że obrazy w jego galerii są autentyczne. Ale on... On chyba nigdy nikogo nie kochał — odparł rozżalony Zallander.

— A jak pan poznał Wackera? — zapytał Rudolf, korzystając z chwili słabości nieszczęśliwie zakochanego antykwariusza.

— Otto był kiedyś męską dziwką. Chodziłem do lokali, gdzie się rozbierał, a potem zabierał mnie do obskurnych pokoików na godziny i oddawał mi się za pieniądze. A ja zakochałem się. Jak wariat. Chciałem, żeby z tym skończył, pożyczyłem mu nawet pieniądze na udziały u Kratkowskiego i rzeczywiście zrezygnował z puszczania się na prawo i na lewo. Problem w tym, że ja chciałem mieć go tylko dla siebie, a on wcale nie zamierzał być mi wierny. Miał jeszcze innych kochanków. Zamożnych i dyskretnych. Wie pan, takich, co w domu mają żonę i dzieci, ale pod podłogą trzymają zdjęcia i listy od kochanków. Ale ja go tak kochałem, że byłem gotów się nim dzielić.

Tylko w pewnym momencie on mnie zostawił i powiedział, że spotkał kogoś, kto jest na tyle dla niego ważny, by zrezygnować z pozostałych mężczyzn.

— Zna pan tego człowieka?

— Którego? — prychnął Zallander.

— Tego ostatniego...

— Nie... Wiem tylko, że jest młody, przystojny i nosi mundur.

— A ci dyskretni, zamożni kochankowie? O nich coś pan wie?

— Tylko tyle, że jednym z nich był jakiś dystyngowany marszand.

Wacker w pewnym momencie obracał się w tym środowisku, więc utajonym homoseksualistą mógł być każdy z szanowanych znawców dzieł sztuki. Jedynie Zallander właściwie nie ukrywał swoich preferencji i o jego skłonnościach wiedzieli wszyscy w tej branży.

— Nie jest pan w stanie sobie niczego przypomnieć? Kocha pan Ottona, a może to wcale nie on powinien teraz siedzieć w więzieniu? — Dorst spróbował z innej beczki.

— Nie... Na tego swojego ostatniego kochanka mówił czasami „mój Mann", no, wie pan, z pewnością dlatego, że uznawał go za mężczyznę swojego życia. I tak przeciągał to słowo... Mój Mann...

— Nie pokazywał żadnych zdjęć, nic kompletnie o nim nie mówił? — Rudolf miał nadzieję, że Zallander jednak coś sobie przypomni.

— Mówił, ale nic, co nadawałoby się do powtórzenia i mogło panu w jakikolwiek sposób pomóc —

wysyczał antykwariusz, po czym ze łzami w oczach pożegnał się z Rudolfem i zniknął na zapleczu.

Dorst nie miał pojęcia, czy Zallander zubożał, bo przestał dbać o interes, czy może klienci przestali go traktować poważnie, gdy szedł w zaparte i opowiadał, że obrazy Wackera są autentyczne. A może młody kochanek wydrenował jego kieszenie, a potem poszedł do swojego „Manna"?

Nie pytał antykwariusza, czy brał udział w procederze fałszowania obrazów, bo od razu było widać, że mężczyzna nie należał do wygranych tego świata i stał się poniekąd ofiarą tego skandalu. I chorej namiętności.

ॐ

Wracając do domu, próbował podsumować swoją wiedzę. Na czoło osób podejrzanych wyszło dwóch tajemniczych mężczyzn. Pierwszy — stateczny żonaty marszand, który pragnął za wszelką cenę ukryć swoje skłonności. I drugi, do którego przestępca zapałał uczuciem. Jednym mógł być Heinrich Stolzman, a drugim? Czyżby młody i nad wyraz przystojny Herbert von Reuss? A może stary Wilhelm, mimo wieku wciąż atrakcyjny, czego w żaden sposób nie można było powiedzieć o Stolzmanie?

Postanowił spotkać się ze swoim przyjacielem, Maxem Geyerem i wyciągnąć od niego trochę informacji, bowiem ten ostatnio był częstym gościem w willi przy Bellevuestrasse i nawet posuwał panią tego domu.

Max zdziwił się wizytą Rudolfa. I chyba nie był z niej zbyt zadowolony.

— Przeszkadzam? — zapytał Dorst.

— Nie — odparł, ale jego mina mówiła zupełnie coś innego. Tak jakby Rudolf przeszkodził mu w czymś ważnym, a może wstydliwym.

— Bawiłeś się swoim fiutem i cię nakryłem? — Dorst zarechotał.

— Nie muszę — mruknął. — Po prostu od kilku dni tyle się dzieje, że mało śpię. I jakoś tak się zdrzemnąłem. Słuchałem w radiu przemówień Hitlera i Goebbelsa, no i tak mi głowa opadła.

— Max, jak mogłeś zasnąć, gdy oni tak strasznie wrzeszczą? — Uśmiechnął się i dodał: — Nie zajmę ci dużo czasu, potem będziesz mógł spać dalej. Potrzebuję od ciebie kilku informacji o von Reussach.

— Nie wygłupiaj się, napijemy się i pogadamy. Pytaj więc.

— Czy to możliwe, że któryś z von Reussów, młody albo stary, mają takie upodobania, jak twój koleżka, Klaus Fisher?

Geyer popatrzył na niego jak na wariata.

— Stary od dawna już nie dogadza żonie, więc może mu się coś poprzestawiało, ale nie sądzę. On żyje tylko polityką i okultyzmem — powiedział dość stanowczo Max.

— Za to ty jej dogadzasz.

— Człowieku, ona jest niesamowita. Gdyby Marita była taka, to byłbym jej wierny jak pies. — Geyer przewrócił oczami.

— Ale to chyba o rękę Marity się starasz?

— Bo o Agnes nie mogę. — Puścił do niego oko.

— Sprytnie.

— Nie jest tak, jak myślisz. Jeśli ożenię się z Maritą, nie będę sypiał z jej matką. Nawet taki skurwiel jak ja ma swoje zasady.

— A pani von Reuss?

— Ona też podjęła podobną decyzję, dlatego nie ułatwia mi zanadto tego ożenku. Ale ja i tak dopnę swego.

— Pewności siebie ci nie brakuje. — Rudolf pokręcił głową. — No, a młody von Reuss?

— Wykluczone — odparł Max.

— Skąd taka stanowczość?

— Bo gdyby był, na pewno zacząłby za mną wodzić oczami. — Zarechotał. — Już szybciej posądziłbym o to jego szwagra.

— A kim on jest? — zainteresował się Rudolf.

— Szychą w SA. Przyjechał z Breslau. A możesz powiedzieć, skąd twoje zainteresowanie sodomitami?

— Drążę wciąż temat Wackera.

— Po co, u licha? — zdziwił się Geyer.

— Bo zginął człowiek. Ojciec tej dziewczyny, za którą szaleję.

— Jednego Żyda mniej. — Max prychnął i dodał: — A może to ojczulek lubił się w podobny sposób zabawić?

— Prześwietliliśmy go, ale kto wie… Żadnej ewentualności nie można wykluczyć — westchnął Rudolf.

— Powiem ci tylko jedno. Nie szukaj sprawcy na Bellevuestrasse, bo tam go nie znajdziesz. Nie ta półka, przyjacielu.

— Chyba masz rację, ale wolałem się upewnić.

— I daj sobie spokój, Żyda mogli utłuc chłopcy z SA, to się zdarza.

— A ciebie to nie oburza?

— W żadnym razie. Powiedziałem ci, wybiłbym wszystkich, co do jednego. No, może oprócz tej twojej panienki. Ale tylko z uwagi na ciebie. — Max poklepał go po ramieniu.

Rudolf wyszedł z mieszkania Geyera i pomyślał, że chyba naprawdę powinien odczepić się od von Reussów. Oni nie potrzebowali zarabiać na podrabianych obrazach ani też nie mieli motywu, by zamordować Kellermana. Założenie, że nie chcieli przyznać się do konszachtów z Żydami, upadło, bo teraz obraz kończyła Judith i jakoś nie widzieli w tym większego problemu. Pozostał jeszcze Stolzman. Ale o nim wiedział jedynie tyle, że ma nieprzyjemną córkę, dość sympatyczną małżonkę, zajmującą się domem, galerię wiekowych obrazów w Mitte, a Wilhelm von Reuss jest jednym z jego najlepszych klientów.

7.

Kiedy Max usłyszał pukanie do drzwi, o mały włos nie rozbiłby fiolki z oleistym płynem, którą nabył od „Rogacza". Schował ją pośpiesznie do szuflady i otworzył gościowi. W normalnych okolicznościach ucieszyłby się z wizyty przyjaciela, ale nie tym razem. Właśnie obmyślał swój szatański plan i zastanawiał się, czy się powiedzie. Gdyby osobiście to robił, nie miałby obaw, ale zamierzał zlecić zadanie pewnemu człowiekowi ze swojej starej dzielnicy, który desperacko potrzebował pieniędzy i był gotowy na wszystko, by zarobić trochę marek. Niestety, jego dawny kolega nie nacieszy się nimi zbyt długo.

Nazajutrz spotkał się w parku Tiergarten z Maritą. Wracała z Uniwersytetu Fryderyka Wilhelma, w którym zamierzała jesienią podjąć studia.

— Wyjeżdżam do Breslau — powiedziała. — Na dwa, może trzy tygodnie. Właściwie to pod Breslau, gdzie Sebottendorfowie mają posiadłość. Czyż nie wspaniale?

— A szkoła? — warknął Max, bo usłyszana informacja bardzo mu się nie spodobała.

— Zrobię sobie przerwę. Daisy też jedzie.

— Daisy już skończyła studia, a ty ich nawet nie zaczęłaś.

— Przestań, nawet jeśli opuszczę tydzień czy dwa w szkole, nic się nie stanie. Mój ojciec pompuje w tę pensję mnóstwo pieniędzy. — Roześmiała się.

— Marito, ja po prostu będę tęsknił. — Ścisnął jej dłoń.

Wyswobodziła ją i odwróciła wzrok.

— Max, wiesz, że mój ojciec nigdy nie zgodzi się na nasz ślub. Co innego przyjaciel domu czy mój, ale ślub to dla ojca ważna kwestia. Wręcz polityczna.

— Przecież należę do SS — mruknął. — A tam nie przyjmują byle kogo.

— Wiesz, że chodzi o pieniądze i nazwisko.

— I ty się na to godzisz? — zapytał jadowicie. — Żeby ojciec handlował tobą jak prostytutką? Po prostu pobierzmy się, nie pytając go o zgodę.

Marita zrobiła rozgniewaną minę.

— Mogę się nie godzić. Uciec z tobą i wziąć potajemny ślub. Zapewne dasz radę utrzymać nas oboje ze swojej dziennikarskiej pensji — prychnęła. — Max, wiesz, że cię uwielbiam, ale tak samo kocham luksus, jaki zapewnia mi mój ojciec. Nie nadaję się do życia w biedzie, a ojciec nie da mi w takim przypadku nawet marki... Ale to słodkie, że mi coś takiego proponujesz. Wtedy czuję, że naprawdę zależy ci na mnie, a nie na moim posagu.

Było dokładnie odwrotnie, ale oczywiście Max Geyer nie zamierzał się do tego przyznawać.

— I pomyśleć, że jest w NSDAP — mruknął.

— A ja myślę, że on po prostu się boi. No, wiesz, że ktoś taki jak ty zechce się ze mną ożenić nie dla mnie samej, ale dla pieniędzy naszej rodziny. Prawdę mówiąc, sama się tego obawiam.

— Nie wierzysz, że kocham ciebie, a nie twoje pieniądze? Jakoś sobie radzę. Nie jestem taki, jak mój ojciec. Walczę o siebie. W istocie, nie mógłbym zaoferować ci takiego życia, jakie teraz wiedziesz, ale posądzanie mnie o jakieś podłe intencje jest dla mnie krzywdzące — obruszył się Max.

— Posłuchaj, wrócę niebawem i wtedy zobaczymy. Muszę to sobie przemyśleć. A przede wszystkim zastanowić się, jak przekonać tatę.

Nie spodobało mu się to jeszcze bardziej. Marita zaczynała się wahać, a to nie wróżyło zbyt dobrze.

Żałował chwilami, że dziewczyna nie jest podobna do żony Herberta, która miała dziwne tendencje do podcinania sobie żył. I to tak, żeby przypadkiem nie przenieść się na tamten świat. Gdyby Marita zrobiła coś podobnego, jej ojciec na pewno by skapitulował. Ale ona nie była aż tak zdeterminowana. W przeciwieństwie do niego.

Pożegnał się z Maritą, nieco obrażony na nią, i udał się wprost na Krögel. Nie cierpiał tam wracać. Wszystko przypominało mu parszywe dzieciństwo, które spędził w smrodzie i brudzie. Wciąż chodził głodny i zawszawiony. I może dlatego nabrał tężyzny i podrósł dopiero wówczas, gdy zaczął sam na siebie zarabiać. A że miał ładną twarz, przyciągał do siebie i kobiety, i mężczyzn, oprócz Rudolfa Dorsta.

Lubili się i ufali sobie, ale o pewnych sprawach już nie mógł z nim rozmawiać. Rudolf nigdy by go nie zrozumiał. I pewnie dlatego do końca życia będzie niezbyt zamożnym policjantem, jak jego ojciec, a wieczorami będzie wzdychał do jakiejś Żydówki, która go nie chciała. Max miał nadzieję, że chociaż dostanie tę dziwkę. Przynajmniej po to, żeby ją przelecieć. A potem może przejrzy na oczy i wybierze sobie za życiową partnerkę prawdziwą Niemkę.

℘

Bruno Rothe wyglądał, jakby zbliżał się do czterdziestki, mimo że był w wieku Maxa. Zapewne to trudy życia, tani alkohol i równie tanie szlampy sprawiły, że jego twarz poorana była bruzdami, zaś jej koloryt nasuwał myśl o górniku, który właśnie zszedł z szychty.

— Pamiętaj, Bruno. Nie znasz mnie i dzisiaj też mnie tutaj nie widziałeś — zastrzegł Max, gdy spotkali się późnym wieczorem w jednej z bram przy Krögel.

— Masz mnie za durnia? — prychnął ochrypłym głosem Rothe i splunął na ziemię.

— Ty lepiej uważaj, bo jak masz jakieś świństwo, to możesz mnie zarazić.

— Aleś się wydelikacony zrobił, Max.

— Inne życie, inny świat — mruknął.

— Dobra, dawaj to świństwo i setkę.

Geyer podał mu kartkę.

— Tu masz dokładną datę i godzinę oraz numer peronu. Zapamiętaj i spal to, jasne? Lehrter Bahnhof.

— Jasne, jasne. Dworzec znam dobrze, niejednego pozbawiłem tam portfela. — Rothe zarechotał.

— I pamiętaj, nie ryzykuj bez potrzeby. Jeśli uznasz, że nie dasz rady, wycofaj się. Znajdziemy inną okazję. Na przykład, gdy będzie wracała. Po wszystkim dostaniesz drugą setkę. Jeśli jednak mnie zakapujesz albo oszukasz, znajdę cię, Bruno. Wykopię cię spod ziemi, ale cię znajdę — powiedział złowrogo.

— Przecież mnie znasz — mruknął i zakasłał.

— Kiedyś cię znałem, teraz już nie…

— To ja, Max. Wciąż ten sam Bruno.

Geyer wyszedł z sieni. Żałował, że został zmuszony do zrobienia czegoś podobnego, ale odniósł wrażenie, że rodzinka von Reussów nie pozostawiła mu wyboru. A on przecież świetnie do nich pasował. Pozostałby lojalny bez względu na okoliczności, no i załatwiałby za nich sprawy, do których obaj panowie von Reussowie byli zbyt delikatni. Co prawda pałętał się tam szwagier Herberta, osiłek Manfred Sebottendorf, ale Max także uważał go za prostaka i durnia, którego jedyną zaletą była bezwzględność. Aż dziw, że miał taką kruchą siostrę. A może Daisy von Reuss była po prostu cwana i chciała uwiązać swojego przystojnego męża na smyczy? Wszystko było możliwe.

෨

Wrócił do domu, położył się na łóżku i oczami wyobraźni przechadzał się po wypolerowanych podłogach willi von Reussów, a potem po ich eleganckich biurach przy Leipziger Strasse. W końcu zaś otrzymał od teścia fundusze na swoją podróż marzeń. Miał nadzieję, że udałoby się mu odnaleźć Świętego Graala i zagrać na nosie nie tylko Klausowi, ale całej napuszonej rodzince von Reussów.

Fisher wciąż do niego pisał i relacjonował, co odkrył. Nie miał jednak środków, by rozpocząć prawdziwe poszukiwania. Max skrzętnie zapisywał miejsca i nazwiska osób, które posiadały jakąś wiedzę na ten temat, i zamierzał to wykorzystać. Potem zaś to on będzie pisał listy do Klausa, chwaląc się swoimi osiągnięciami. Naprawdę czuł, jakby przyjaciel go zdradził. Na początku starał się zrozumieć jego postępowanie i to, że chciał o nim zapomnieć. Ale im częściej się nad tym zastanawiał, tym większa złość go ogarniała. I chociaż nie było to uczciwe, życzył Fisherowi porażki.

Tymczasem pokaże von Reussom, do jakich poświęceń jest zdolny, bo niebawem Wilhelm uzna, że Max jest doskonałym kandydatem na męża Marity. Może dlatego, iż nie będzie miał już żadnego wyboru. A on zjawi się niczym rycerz na białym koniu i udowodni, że dla niego najważniejsza jest dusza córeczki starego von Reussa. Marita także doceni jego gest i będzie mu dozgonnie wdzięczna za to, co chce dla niej zrobić i jak bardzo się poświęcić, żeniąc z nią.

8.

Stolzman chodził wokół obrazu namalowanego przez Judith Kellerman, jakby ten za chwilę miał ożyć albo zacząć świecić. Podchodził do niego, po czym oddalał się, a na końcu wyciągnął lupę zakończoną żaróweczką i zaczął studiować każdy centymetr deski.

— Panie Stolzman, niechże pan w końcu coś powie — zniecierpliwił się Herbert.

— To wymaga czasu, synu. Nie przeszkadzaj — upomniał go ojciec.

Herbert nie lubił, gdy ojciec go strofował. Zwłaszcza przy obcych. Nie był już głupim chłoptasiem, a właściwie przejął po Wilhelmie prowadzenie wszystkich rodzinnych interesów i radził sobie świetnie, więc wypadało, by ojciec zaczął go szanować.

— Judith Kellerman powinna być przy tym — syknął.

— Ale jej nie ma — burknął Wilhelm.

— Umówiłeś się z nią na dziewiętnastą. — Herbert spojrzał znacząco na zegarek i dodał: — A nie ma jeszcze osiemnastej.

— Bo mam pewien chytry plan. Zobaczysz jaki i może się czegoś ode mnie nauczysz — syknął ojciec.

— Umieram z ciekawości — wycedził Herbert i nie mogąc darować sobie pewnej złośliwości w stosunku do ojca, zapytał: — Masz zamiar posłać po swojego astrologa albo zapytać duchy, czy na pewno wszyscy uwierzą, że jest to dzieło z siedemnastego wieku?

— Kpisz z tego, synu, a to są poważne sprawy — mruknął niemal obrażony ojciec, po czym sam zaczął się niecierpliwić i ponaglać Stolzmana.

— Wybaczcie panowie, ale chciałem zdobyć pewność.

— Więc? — zapytał Wilhelm von Reuss.

— Ten obraz jest zrobiony doskonale. Krakelura wykonana perfekcyjnie, pociągnięcia pędzlem, pigmenty... Doprawdy, znakomicie. Na pierwszy, a nawet na drugi rzut oka nikt nie rozpozna, że to dzieło, bo tak mogę nazwać ten portret, powstało współcześnie — oznajmił z emfazą Stolzman.

— A na trzeci? — Herbert zarechotał.

— Mówi pan o rentgenie? A po cóż go robić? Nikt przecież nie będzie was odwiedzał z tą ogromną maszyną. Jest idealne, panie von Reuss. Niedaleko padło jabłko od jabłoni. Nawet jeśli panna Kellerman kończyła jedynie laserunki i nanosiła impasty, zrobiła to doskonale. Nawet ja miałbym problem, by odgadnąć, że nie malowała tego jedna ręka — stwierdził marszand.

— W takim razie wszystko jasne. — Herbert klasnął. — A ty, tato, szykuj gotówkę dla panny Kellerman.

— Pamiętasz, że jutro po południu odwozisz Maritkę na dworzec?

— Oczywiście, tato.

— Ja po obradach w Reichstagu będę do późna przebywał w siedzibie partii. To ostatni akord przed wyborami.

— Ileż ty już tych wyborów przeżyłeś, tato. — Roześmiał się. — I tym razem zdobędziesz mandat, nie obawiaj się. A jeśli NSDAP rozłoży na łopatki konkurentów, na pewno zaproponują ci jakieś eksponowane stanowisko.

— Ufam, synu. I mam nadzieję, że to będą ostatnie takie wybory — westchnął Wilhelm.

Pożegnali Stolzmana, bo ojciec uznał, że jego obecność nie będzie konieczna, gdy w domu zjawi się córka Kellermana.

Herbert nie miał pojęcia, dlaczego spociły mu się dłonie, gdy pomyślał, że za chwilę zobaczy Judith. Nie miał zamiaru komplementować jej talentu, bo

ostatnio potraktowała go jak nachalnego podrywa-
cza. Może w istocie coś zaiskrzyło między nimi,
tymczasem ona z hukiem sprowadziła go na ziemię,
udając, że z jej strony nic takiego nie miało miejsca.
No cóż, jeśli panna Kellerman chciała zagrać w podobną grę, powinna dowiedzieć się, że on jest w niej
równie dobry. Potem pomyślał, że zachowuje się jak
pies spuszczony ze smyczy. Ledwie Daisy zdążyła
opuścić Berlin, a jemu zachciało się flirtu z żydowską malarką.

Judith zjawiła się punktualnie i była bardzo stre-
mowana. Stanęła przed nimi, jak uczennica przed
dyrektorem pensji, i wyłamywała sobie palce ze sta-
wów. Czekała na werdykt. Herbert milczał i jedynie wbijał w nią swój wzrok. Czekał, aż spojrzy na
niego. Tak jak wtedy, gdy siedzieli u niej na kanapie
i pili herbatę. Nie potrafił jeszcze czytać z jej oczu,
ale wiedział, że Judith nie patrzy na niego tak, jak na
ojca albo na Maritę. Nie miał pojęcia, co to oznaczało, ale bardzo chciał się tego dowiedzieć.

Usłyszał głos ojca. I nie rozumiał, co mówi. Był tak
zszokowany, że przestał patrzyć na pannę Kellerman,
a zaczął wgapiać się z otwartymi ustami w Wilhelma
von Reussa.

— Przykro mi, panno Kellerman. Na pewno bardzo się pani starała, ale opinia pana Stolzmana była
druzgocąca. Będę brutalnie szczery, według niego
wyszedł z tego tani obrazek z jarmarku — zakomu-
nikował.

— Słucham? — zdziwiła się Judith. — Tani?
Z całym szacunkiem dla pana Stolzmana, ale chcia-

łabym wiedzieć, na którym jarmarku sprzedają takie obrazy.

— Przykro mi, panno Kellerman. Ja się na tym nie znam, mnie się nawet podoba, ale będę mógł go powiesić co najwyżej w piwnicy.

— Rozumiem, że pan mi nie zapłaci? — syknęła.

— Mogę pani zwrócić pieniądze za farby. Pięćset marek wystarczy? No, niech będzie moja strata, dam pani tysiąc.

— Wobec tego zabieram ten... Jak to pan nazwał? Tani obrazek! — warknęła. — A ten tysiąc marek niech pan sobie zostawi. Deska, na której namalowaliśmy z ojcem ten obraz, jest więcej warta.

Wilhelm zmieszał się.

— Jak może go pani zabrać, jeśli jest na nim wizerunek mojej córki? Nie życzę sobie, żeby jej portret, nawet tak marny, jak ten, zdobił ścianę mieszkania jakiegoś robotnika albo sprzedawcy śledzi.

— Bez obaw. Zmyję malowidło, a deskę i grunt wykorzystam do czegoś innego — prychnęła.

— Nie ma mowy! — burknął.

Judith Kellerman zacisnęła zęby. Miała łzy w oczach, ale starała się za wszelką cenę nie dopuścić, by popłynęły jej po policzkach. Herbert otworzył usta, by zaproponować ojcu rozmowę na osobności, ale w tym momencie Judith odwróciła się na pięcie i wybiegła z pokoju. Zerwał się z fotela, ale usłyszał tylko głośne trzaśnięcie drzwiami wejściowymi. Odwrócił się w stronę ojca i zapytał zimno:

— Tato, co ty wyprawiasz? Wystawiasz nas na pośmiewisko z powodu dwudziestu pięciu tysięcy marek? Przecież ona zaraz poleci do Stolzmana i dowie się prawdy.

— Z Heinrichem już to załatwiłem. Powie jej to samo, co ja. No, chyba nie żal ci tej Żydówki?

— Nie w tym rzecz. Dokończyła obraz i zrobiła to po mistrzowsku. Zarobiła te pieniądze.

— Tylko dokończyła... — fuknął ojciec.

— To tego miałem się od ciebie nauczyć, tato? Oszukiwania w interesach? — powiedział cicho Herbert, a potem wyszedł z pokoju.

Udał się do sypialni, zdjął ze ściany obraz przedstawiający staw z łabędziami i pokrętłem otworzył znajdujący się pod nim sejf. Wyciągnął z niego dwadzieścia pięć tysięcy, po czym zamknął i odwiesił obraz. Kilka minut później jechał już z kierowcą w kierunku Bregenzer Strasse.

⌘

Otworzyła mu zapłakana. Miała zaczerwienione oczy i wielki zawód wymalowany na twarzy.

— Czego pan chce?! — zapytała ostro. — Niech się pan wynosi i zostawi mnie w spokoju. Nie chcę mieć z waszą rodziną nic wspólnego.

Chciała zatrzasnąć drzwi, ale wsunął w nie stopę i popchnął do środka. Wszedł do korytarza i powiedział zimno:

— Oczywiście nie dopuszcza pani myśli, że mogła coś zepsuć i że nie jest tak dobra, jak się pani wydaje? Może naprawdę ten obraz nie wyszedł tak doskonale, jak pani sądzi?

Popatrzyła na niego wzrokiem gorszym od obelżywych słów. Herbert już nie chciał się dłużej nad nią pastwić, dodał więc:

— I ma pani rację. Jest doskonały. Bez względu na to, co mówi mój ojciec.

— Pana ojciec zna się na malarstwie jak ja na hodowli świń — warknęła.

— A Stolzman?

— No, na pewno lepiej niż pana ojciec, ale też bywa omylny.

— Stolzman bardzo się starał, by panią na czymś przyłapać, ale nie udała mu się ta sztuka. Uznał, że wykonała pani swoją pracę perfekcyjnie, a ja nie wiem, co strzeliło mojemu ojcu do głowy, żeby...

Przerwała mu:

— To akurat jest proste. Strzeliło mu dwadzieścia pięć tysięcy. Przecież wiadomo, że teraz nawet nie miałabym się komu poskarżyć. Żydówka miałaby posądzić posła do Reichstagu z ramienia NSDAP o oszustwo? Dobrze pan wie, jaką atmosferę wprowadzacie. Nieufności, niechęci i nienawiści do wszystkiego, co wiąże się z Żydami. Zrobił świetny interes. I pewnie jeszcze jest z tego dumny. — Judith kipiała jadem.

— Panno Kellerman, ja jestem z tego mniej dumny.

— I przyszedł mi pan o tym powiedzieć? Doprawdy wzruszające! To już pan powiedział i może się wynosić. Jest pan taki sam, jak pana ojciec.

Nie chciał już tego słuchać. Wyciągnął z kieszeni plik banknotów i położył na komodzie w przedpokoju.

— Może pani przeliczyć, ale jak wyjdę, bo nie mam ochoty spędzić z panią ani minuty dłużej.

Odwrócił się na pięcie i wyszedł z mieszkania Judith Kellerman. Cały trząsł się z wściekłości. Chciał naprawić obrzydliwy czyn swojego ojca, a ona potraktowała go jak śmiecia. Po chwili usłyszał, że zbiega ze schodów, ale nie zatrzymał się. Chwyciła go za rękaw płaszcza.

— Dziękuję, panie Herbercie.

— No i...?

Popatrzyła na niego, jakby nie rozumiała, o co mu chodzi. A potem zmrużyła oczy i powiedziała cicho:

— No i przepraszam...

— No, właśnie — wycedził. — A teraz proszę puścić moją rękę.

Odskoczyła jak oparzona, a potem odwróciła się i pobiegła na górę. Herbert wyszedł na zewnątrz i wziął głęboki oddech. Po chwili szepnął do siebie:

— Kiedyś cię ujarzmię, wredna złośnico.

9.

Otrzymane za portret Marity von Reuss pieniądze nie cieszyły Judith tak, jak się spodziewała. Może dlatego, że zaczęła zastanawiać się, czy przypadkiem Herbert nie przyniósł ich i nie dał jej z litości. Czy w istocie dokończyła obraz w sposób doskonały, czy może tylko tak się jej zdawało? Gdyby okazało się, że spaprała sprawę a wynagrodzenie w rzeczywistości było jałmużną od bogatego i rozpuszczonego młodzieńca, który akurat miał dzień dobroci dla Żydów, nie przeżyłaby tego. Jedynym sposobem, by poznać prawdę, była rozmowa ze Stolzmanem. Ów człowiek, chociaż popierał nazistów, nie był do niej nastawiony negatywnie. O ojcu wyrażał się w samych superlatywach i widać było, że bardzo przeżył śmierć znajomego malarza. Jedynie owe czerwone kropki przy obrazach oraz wiszący w domu von Reussów *Samotny jeździec* nakazywały jej trzymać dystans. A jeśli się pomyliła? Czerwona kropka mogła oznaczać cokolwiek, zaś obraz namalowany przez jej ojca mógł został sprzedany von Reussom jako oryginał, a Stolzman najnormalniej w świecie nie odkrył, iż ma do czynienia z falsyfikatem.

Założyła płaszcz, kapelusz i botki, po czym wyszła z domu i tramwajem udała się do Mitte, na Friedrichstrasse, gdzie Stolzman prowadził swoją galerię.

Młoda kobieta o naburmuszonej minie siedziała za bogato rzeźbionym biurkiem i wpisywała do ogromnej księgi kolumny liczb. Okulary w cienkich jak pajęczyna oprawkach co rusz zsuwały się jej z nosa. Judith zapytała o marszanda.

— A pani kim jest? — Prychnęła, podnosząc głowę i patrząc znad okularów. Swoim opryskliwym tonem chyba dawała do zrozumienia, że Stolzman nie spotyka się z byle kim.

— Judith Kellerman — odparła stanowczo.

Być może nazwisko coś mówiło owej kobiecie, a może sprawił to ton głosu Judith, ale zerwała się zza biurka i wyszła na zaplecze. Po kilku minutach pojawił się Stolzman. Dziewczynie wydawało się, że jest podenerwowany.

— Panna Kellerman — wycedził, jakby jej wizyta była ostatnią rzeczą, na jaką miał w tym momencie ochotę.

— Tak, to ja — warknęła i nie bawiąc się w kurtuazyjne pogawędki, poprosiła prosto z mostu: — Panie Stolzman, niechże mi pan powie prawdę.

Mężczyzna zrobił się czerwony jak burak i przez chwilę patrzył z przerażeniem na Judith.

— Jaką prawdę? — wymamrotał.

— Wilhelm von Reuss stwierdził, iż uznał pan mój portret za kicz średniej klasy, zaś jego syn powiedział zupełnie coś innego. Zatem?

Stolzman machnął ręką.

— Panno Kellerman, myślę, że pani sama doskonale wie, jak namalowała, a raczej jak wykończyła portret panny Marity. To był kiepski żart ze strony pana Wilhelma von Reussa, bo w istocie wykonała pani swoją pracę perfekcyjnie.

— Żart? Wart dwadzieścia pięć tysięcy marek? Naprawdę, ubawiłam się do łez — syknęła.

— Proszę nie mieć do mnie żalu... Doprawdy nie mam pojęcia, dlaczego pan von Reuss postanowił....

— Zrobić mi psikusa? — zapytała jadowicie, nie czekając, aż Stolzman dokończy zdanie.

— Właśnie — odparł jakby z ulgą marszand, nie wyczuwając chyba głębokiej ironii w głosie Judith.

— Czyli potwierdza pan, że pracę wykonałam zgodnie ze sztuką i dorównałam swojemu ojcu, a zatem pieniądze słusznie mi się należały, zaś pan Reuss postanowił zaoszczędzić, bo jestem Żydówką?

— Co do intencji szanownego pana von Reussa nie mogę ferować wyroków, zaś obraz w istocie wyszedł doskonale i został wykonany tak, że nawet ja miałbym problem, by orzec, kiedy został namalowany — oznajmił Stolzman.

Najpewniej trochę wstydził się układu z von Reussem, zwłaszcza gdy Herbert wyjawił jej prawdę. Być może Stolzman obawiał się, że może stracić reputację, gdyby świat sztuki dowiedział się o podobnych machinacjach. Ale przecież wiedział, że Judith była w tym świecie nikim i na pewno nie byłaby w stanie zniszczyć mu opinii.

— Dziękuję, panie Stolzman — oznajmiła Judith i nawet się uśmiechnęła, bo właśnie zrzuciła z duszy wielki ciężar. I nie chodziło nawet o pieniądze, chociaż one pozwolą jej na dalsze kształcenie, ale o to, czy jest naprawdę dobra w swoim fachu.

Odwróciła się i ruszyła w stronę drzwi, kiedy Stolzman zagadnął niepewnie:

— Panno Kellerman, czy możemy porozmawiać?

— Oczywiście — odparła.

Stolzman zaprowadził ją do eleganckiego biura, gdzie pyszniły się meble pamiętające siedemnasty wiek, podobnie jak obrazy wiszące na ścianach. Usiadła na krześle i czekała, aż marszand zacznie mówić, bo przez kilka chwil milczał, jakby wahał się, czy zrobił dobrze, zapraszając Judith na rozmowę.

— Pani ojciec czasami dla mnie pracował...

— Przecież wiem, panie Stolzman. Rozmawiali-śmy o tym zaraz po śmierci mojego ojca.

— Więc na pewno pani wie, jak bardzo mi go bra-kuje, bo malarzy o tak wprawnym oku i dłoniach nie ma zbyt wielu.

Domyśliła się, do czego zmierza Stolzman.

— Panie Heinrichu... — powiedziała słodko.

— Chętnie go zastąpię. Miał pan okazję się przekonać, że potrafię być równie dobra, co mój ojciec.

Zdawała sobie sprawę, że być może wchodzi na niebezpieczną ścieżkę. Wciąż nie miała pojęcia, kto mógł skrzywdzić jej ojca, zaś Stolzman zajmował na jej liście podejrzanych bardzo wysoką pozycję. Potem zganiła się za podobne myśli, bowiem nie miała żadnych powodów, by podejrzewać Stolzmana. Po co bowiem stary marszand miałby mordować Ismaela Kellermana, jeśli ten był mu bardzo potrzebny? Wilhelm von Reuss i zapewne wielu innych klien-tów Stolzmana znało się na sztuce jak ona na bu-dowie dróg, czyli wcale. Wciśnięcie im za niemałe pieniądze obrazów uchodzących za szesnasto- albo siedemnastowieczne nie stanowiło dla kogoś takie-go problemu. Nawet jeśli dzielił się z Ismaelem po połowie i tak był to złoty interes. Te trzysta tysięcy w porównaniu z tym, ile mogli razem zarobić, prze-stało wydawać się tak dużą kwotą.

— Ma pani jakieś inne obrazy swojego autorstwa? Wie pani... — Nie dokończył.

— Imitujące obrazy dawnych mistrzów? Za kil-ka dni skończę jeden z autoportretów Rembrandta i mam gotowego Świętego Jerzego w więzieniu tegoż samego artysty. Chętnie je panu zaprezentuję. Takie wprawki... Jeśli bowiem mam się uczyć, to tylko od najlepszych. — Uśmiechnęła się.

Stolzman potarł ręce i powiedział, już zupełnie rozluźniony:

— A zatem proszę się pojawić, gdy obraz będzie gotowy. I, oczywiście, właściwie wysuszony. Myślę, że się dogadamy. I jeszcze raz przepraszam za pana Wilhelma. Rozumie pani, to mój najlepszy klient.

— Rozumiem — odpowiedziała, chociaż, prawdę mówiąc, miała ochotę nawrzeszczeć na tego drania, bo gdyby nie Herbert von Reuss, wciąż żyłaby w poczuciu, iż nigdy nie będzie tak utalentowana, jak jej ojciec.

ॐ

Po wyjściu z galerii Stolzmana, udała się do najdroższego sklepu na Friedrichstrasse, gdzie nabyła wiktuały, jakie w Berlinie jadali tylko nieliczni. W domu przygotowała polędwicę i wraz z innymi frykasami zapakowała do torby, potem zaś udała się do siedziby partii, w której ostatnio większość czasu spędzali Johann z Serafinem.

— Wybacz, kochanie, ale przed wyborami mamy tu urwanie głowy. — Johann ucałował ją w policzek.

— Wiem, dlatego jeśli Mahomet nie mógł przyjść do góry, to góra przyszła do Mahometa. — Roześmiała się. — Mogę tu z wami posiedzieć, aż skończycie.

— Zapewne będzie już wtedy głęboka noc, skarbie — powiedział strapiony Johann.

— Mogę tu zostać aż do rana. Chyba że będę wam przeszkadzać, wtedy sobie pójdę — odparła.

Była w wyśmienitym nastroju po wizycie u Stolzmana i miała ochotę, by z kimś uczcić ten ważny dzień. Dla niej to było niczym pasowanie na rycerza. Jeśli Stolzman chciał nawiązać z nią współpracę, musiała być naprawdę dobra w swoim fachu.

— Możesz. Będziesz przepisywała na maszynie odezwy i przemowy naszych kandydatów do wyborów. Zgadzasz się? — zapytał Johann.

Tego dnia była gotowa zgodzić się na wszystko. Nawet gdyby miała pozamiatać w biurze partii podłogę.

— Pewnie, ale najpierw zjedzcie — powiedziała.

W istocie, pracy było co niemiara. Około północy odnosiła wrażenie, że palce jej odpadają, bo nie miała zbyt wielkiej wprawy w pisaniu na maszynie i stukanie w klawisze maszyny Olivetti przez osiem godzin wykończyło ją. Johann chyba także był zmęczony, bo w pewnym momencie usiadł na kanapie, przykrył się kocem i zasnął jak zabity. Judith dokończyła przepisywać ostatnie przemówienie, po czym usiadła obok Johanna, przytuliła się do niego i również zaczęła drzemać. Gdzieś z oddali usłyszała tylko słowa swojego brata, że wyglądają z Johannem niczym dwa gołąbki, po czym zasnęła jak kamień.

Nie miała pojęcia, która była godzina, gdy usłyszała huk rozbijanej szyby, a po chwili poczuła zimne powietrze wdzierające się do wnętrza. Zerwała się na równe nogi, podobnie jak Johann. Usłyszała krzyki Serafina:

— Johann, bierz pistolet! To te gnoje od Sebottendorfa. Jest ich chyba z setka. Podobno ktoś podpalił Reichstag i oni uważają, że to nasza sprawka. Ty, Judith, schowaj się w toalecie i ani się waż wychodzić.

— Może trzeba zadzwonić na policję? — jęknęła oszołomiona i przerażona Judith.

— Siostrzyczko, teraz to oni są policja... — westchnął Serafin i wybiegł do korytarza.

Ukryła się w niewielkiej toalecie i zamknęła drzwi. Potem pochyliła się nad dziurką od klucza i usiłowała dojrzeć, co dzieje się w biurze. Najpierw usłyszała wyzwiska, potem odgłosy bicia i kilka strzałów. Po kilku minutach ujrzała czterech mężczyzn z SA, którzy zaczęli niszczyć meble, maszyny do pisania i radio. Potem zaś zbierali wszystkie papiery i wrzucali do drewnianej skrzyni. Cała się trzęsła ze strachu. I nie dlatego, że ci brutale demolowali biuro, ale bała się o Johanna i brata.

W końcu zobaczyła, jak jeden z osiłków prowadzi jej narzeczonego. Johann miał zakrwawioną twarz, ale krzyczał, że są bandziorami i na pewno przegrają wybory, bo to niepodobne, by tacy prostacy mogli rządzić wszystkimi krajami związkowymi Niemiec.

— Zamknij mordę! Bandytami to jesteście wy. Zachciało wam się podpalać Reichstag, to my teraz podpalimy wam tę budę! — krzyknął jeden z nich i roześmiał się szyderczo.

Po chwili podszedł do Johanna i wymierzył mu cios w brzuch. Jej narzeczony stracił chyba przytomność, bo gdy osiłek, który go przyprowadził, przestał go przytrzymywać, ten osunął się na podłogę. Chciała wybiec, ale bała się, że jedynie pogorszy sytuację, bo także oberwie. Jeśli zaś ci oprawcy spełnią swoją groźbę i w istocie podpalą biuro, nie będą mieli siły uciec i wszyscy spłoną.

Po chwili dwóch mężczyzn chwyciło skrzynię z papierami i opuściło pokój. Za nimi wyszli pozostali. Judith wybiegła z łazienki i pochyliła się nad Johannem. Na szczęście żył i ocknął się.

— Kochanie, wstań, musimy uciekać, bo oni chcą spalić biuro. I musimy poszukać Serafina — jęknęła.

Johann podniósł się z trudem z podłogi. Kiedy ruszyli w stronę wyjścia, usłyszeli warkot odjeżdżających samochodów. Było po wszystkim i na szczęście te bandziory nie odważyły się wzniecić pożaru. Wkrótce Judith i Johann odnaleźli poturbowanego Serafina.

— Hans i Friedrich nie żyją, reszta jakoś się trzyma. Judith, zabierz Johanna do domu, my musimy...

— Brat Judith miał łzy w oczach. Nie tylko z powodu śmierci kolegów, ale także dlatego, że teraz dane członków ich partii znalazły się w rękach SA. Podobnie jak nazwiska członków Czerwonego Związku Bojowników Frontowych. — Złapali podpalacza Reichstagu. I jest nim podobno jakiś cholerny komunista. A raczej wariat udający członka naszej partii.

— Serafin... Uważaj na siebie — jęknęła Judith i wraz z Johannem opuścili biuro Komunistycznej Partii Niemiec.

ℰↃ

W domu, gdy dziewczyna przemywała rany swojemu narzeczonemu, ten powiedział nagle:

— Pobierzmy się, Judith.

— Teraz? — Uśmiechnęła się niepewnie.

— Nie, ale w tym roku. — Johann także próbował się uśmiechnąć, ale nie bardzo mu to wychodziło, bo miał spuchniętą twarz.

— Dobrze, kochanie, chociaż to najbardziej dziwaczne oświadczyny, o jakich słyszałam.

— W ogóle nie jesteś romantyczką. Ileż to razy padały podobne propozycje na łożu śmierci kochanka.

— To prawda, jestem wyprana z romantyzmu. Chyba dlatego, że mój chłopak jest cholernym komunistą. — Poklepała go po dłoni i powiedziała: — Jasne, możemy się pobrać, jak tylko wydobrzejesz. W końcu się do mnie wprowadzisz i będę mogła co noc się do ciebie przytulać.

Chciała wyjść za Johanna, bo od lat o tym marzyła. Dręczyła ją jednak pewna kwestia. Wprawdzie Serafin w ogóle nie interesował się atelier i wciąż mogła przed nim ukrywać istnienie tajemniczego pomieszczenia, ale co będzie, gdy Johann się wprowadzi na stałe? Gdyby korzystała z niego sporadycznie, byłoby łatwiej, ale zdawała sobie sprawę, że jeśli zacznie współpracować ze Stolzmanem, będzie spędzała tam całe popołudnia i wieczory, a może nawet i noce. Postanowiła, że i Johann, i jej brat wkrótce się dowiedzą, co kryje się za jedną ze ścian pracowni. Przecież nawet jeśli domyślą się, do czego owo tajemne miejsce jej służy, nie pójdą na policję i nie wydadzą jej.

A zatem miała zostać niebawem żoną Johanna... Cieszyła się i nie rozumiała, dlaczego, gdy o tym myślała, miała przed oczami zakochanego w niej Rudolfa Dorsta, a nade wszystko zimnego drania, Herberta von Reussa.

10.

Rudolf, jak wielu innych mieszkańców Berlina, przybył nocą w pobliże Reichstagu. Budynek płonął, wszędzie kręciło się mnóstwo umundurowanych policjantów, a wozy strażackie przybywały pod gmach jeden po drugim.

— Złapali tego gnojka! Nazywa się Marinus van der Lubbe! — krzyknął do niego kolega z komendy, który pół godziny wcześniej poszedł zobaczyć, co ustalili przybyli na miejsce zdarzenia śledczy.

— Holender? — zdziwił się Rudolf. — Co on, do cholery, ma do naszego Reichstagu?

— Podobno bredzi coś o masach proletariackich, Leninie i bolszewickiej Rosji. Widziałem go. Wygląda, jakby był obłąkany.

— To komuniści?

Dorst zdziwił się jeszcze bardziej, bo taki czyn mógł pogrzebać ich szansę na zdobycie większości w wyborach. Nie mówiąc o tym, że Hitler będzie mógł ich zdelegalizować w majestacie prawa. Przecież w tym momencie podsunęli mu idealny pretekst, by działaczy komunistycznych powsadzać do więzień, nie mówiąc już o ich paramilitarnych oddziałach.

Jego kumpel, Andreas Linz, uśmiechnął się półgębkiem.

— Myślę, że to gówno prawda. Naziści znaleźli kozła ofiarnego, na wpół szalonego fanatyka, i kazali mu czekać, aż zatrzyma go policja.

— A tam był ktoś jeszcze? — dopytywał Rudolf, bo sprawa zaczęła wyglądać sensacyjnie.

Linz pokręcił przecząco głową.

— Więc twoja teoria spiskowa nie trzyma się kupy — wytknął mu.

— Pod Reichstagiem są podziemne przejścia. Podobno dochodzą aż do rezydencji Göringa. Czy to nie jest podejrzane? Przecież komuniści nie mieli żadnego interesu, by coś takiego zrobić. Chyba zdają sobie sprawę, że teraz zacznie się piekło.

— Ty jak zawsze wątpisz w rzeczy oczywiste.

— Rudolf zaśmiał się, ale i w nim obudził się policjant.

I pierwsze, o czym myślał w takich przypadkach, to motyw. Mieli go naziści. Oczywiście pod jednym warunkiem — wszyscy powinni myśleć, że to robota komunistów.

Postanowił wrócić do domu na Taubenstrasse, bo zaczęły marznąć mu stopy. Przez całą drogę zastanawiał się, jakie reperkusje dla komunistów przyniesie pożar, który tej nocy wzniecono w Reichstagu. Nawet jeśli ów szaleniec, Lubbe, działał sam i miał jakieś urojone powody, by dopuścić się podobnego czynu, konsekwencje będą dramatyczne dla wszystkich członków partii komunistycznej.

Pomyślał o Judith i jej narzeczonym. Być może Johanna Ebelinga wsadzą do więzienia na długie lata, a wtedy on zajmie się jego ukochaną. Co prawda nie w taki sposób, jakby sobie ten człowiek życzył, ale Dorst w tym momencie nie potrafił się nad nim użalać. Było mu nawet wstyd, że życzy temu mężczyźnie jak najgorzej, ale Judith naprawdę namieszała mu w głowie tak skutecznie, iż nie był w stanie myśleć o nikim innym. Stała się jego obsesją, a uczucie do niej ciążyło mu tak bardzo, że chwilami zdawało mu się, iż oszaleje.

৪১

Następnego wieczoru, mimo że w mieście wciąż wrzało, a policja i SA dostały wścieklizny, Rudolf poszedł do swojej ulubionej prostytutki, Helgi. Miał nadzieję, że napięcie, jakie czuł wciąż w swoich lędźwiach, w końcu ustąpi, chociaż jego marzeniem było, by znaleźć się między nogami zupełnie innej kobiety. Młodziutkiej Judith Kellerman. Nie raz i nie dwa wyobrażał sobie jej niebieskie oczy w chwili, gdy przeżywa ekstazę. Oczywiście to on doprowadziłby Judith do takiego stanu. Na razie musiał jednak zadowolić się Helgą.

Gdy skończyli już baraszkować, Helga zapaliła papierosa i powiedziała:

— No i widzisz, co to się porobiło. Żeby Reichstag podpalać? To się w głowie nie mieści.

Kobieta bardzo przeżywała ostatnie wydarzenia, podobnie jak wszyscy berlińczycy.

— Podobno to jakiś obłąkany z nienawiści komunista — westchnął.

— I dobrze, że go złapali. Powinni ich wszystkich pozamykać — odparła mściwie.

— Nie mów, że jesteś nazistką? — Rudolf zarechotał.

Był w doskonałym humorze, bo właśnie wielodniowe napięcie, jakie odczuwał po spotkaniu z Judith, zostało zniwelowane podczas igraszek z długonogą blondynką. Miał nadzieję, że jego szaleństwo na punkcie pięknej malarki chociaż na chwilę przestanie go dręczyć.

— A żebyś wiedział, że na nich zagłosuję — prychnęła.

— A cóż ci się tak w nich podoba? Mundury Sturmabteilungen i Schutzstaffel? — zakpił.

— Nie. — Machnęła ręką. — Tylko przez to marksistowskie wyzwolenie tracę klientów. Po co mają wydawać kilkadziesiąt marek na dziwkę, jeśli teraz każda panna rozkłada przed nimi nogi za darmo.

— To prawda, teraz nie opłaca się chodzić na dziwki. Widzisz, jakim jestem dobrym klientem. Nie zostawiłem cię.

— Ty nie, ale inni... Coraz paskudniejsi do mnie przychodzą. A jak Hitler weźmie się za moralność panienek, wrócą do mnie wszyscy ci, którzy mnie opuścili. No i ci przystojniacy w mundurach. Tak więc myślę praktycznie.

— A może naziści w ogóle zakażą prostytucji?

— Nikt nie jest aż tak głupi.

Rudolf podpalił papierosa, zamyślił się i w końcu zapytał:

— Helgo, wiem, że bardzo dobrze znasz ten światek. Wiesz, gdzie teraz można złowić męską dziwkę?

— Przerzuciłeś się na chłopców? Proszę, nawet mi tego nie mów. — Zrobiła urażoną minę.

— Nie. Szukam takiego jednego niemiłego pana. A może nawet kilku. I wiem, że lubili sobie poderwać ślicznych chłopców i uczynić z nich stałych kochanków.

— Klientów zapewne nie znam, bo nie jestem w kręgu ich zainteresowań, już szybciej tych, którzy pracują w tym samym fachu, co ja.

— A może zetknęłaś się z kimś, na kogo mówiono Olindo Lovaël? Był tancerzem erotycznym, ale nie tylko. — Rudolf zapytał bez większej nadziei na odpowiedź, bo Wacker parał się tym zajęciem jakieś dziesięć lat temu. Jednak z tego, co mówił Zallander, nie do końca zrezygnował ze swoich kochanków.

— Mówisz o Wackerze? Słynnym berlińskim oszuście, który naciął w tym mieście na grubą forsę same szychy? — Zaczęła się śmiać.

— Znasz go? Przecież musiałaś mieć wtedy z szesnaście lat? — Dorst aż usiadł na łóżku.

— Miałam osiemnaście, kotku. W tym zawodzie zaczyna się szybko, bo wejść na rynek tuż przed trzydziestką jest bardzo trudno — odparła takim tonem, jakby prowadziła sklep z narzędziami.

— Wiesz o nim coś więcej? — dopytywał.

— Tylko tyle, że pewnego dnia zniknął. Chodziły słuchy, że został utrzymankiem pewnego zamożnego marszanda i skończył z szybkimi numerkami. Pamiętam, że wszyscy mu tego zazdrościli. Inflacja szalała, bieda zajrzała wszystkim w oczy, to i klientela się przerzedziła. Poza tym na ulicę wyszło mnóstwo młodych dziewczyn i chłopców, niekiedy dwunastoletnich dzieciaków, które puszczały się za bochenek chleba. A taki stały kochanek to było coś…

— Pamiętasz może, jak nazywał się ten marszand? Pokręciła przecząco głową.

— Chyba nie myślisz, że tacy mężczyźni przychodzą do klubów dla pedałów i wszystkim się przedstawiają? Wiem za to, jak wyglądał. Był niski, gruby, z widoczną łysiną i podkręconymi wąsami. Miał może ze czterdzieści lat, ale wyglądał niezbyt frapująco. Widziałam ich kiedyś razem na Friedrichstrasse…

Opis idealnie pasował do Stolzmana. Poza tym jego galeria od wielu lat miała swoją siedzibę właśnie przy tej ulicy.

— Jeśli pokazałbym ci zdjęcie…

— Posłuchaj, ptaszku — przerwała mu. — Lubię cię i tak dalej, ale ty mnie w te swoje sprawy kryminalne nie mieszaj. Zepsuję sobie reputację.

— Helgo, przecież sprawa jest zamknięta. Poza tym nie chcę, żebyś złożyła zeznanie do protokołu czy poszła do sądu jako świadek. To jest tylko dla mojej informacji.

— A co ja będę z tego miała? — zapytała zadziornie.

— Jak ci coś obiecam, to każdego rozpoznasz, nawet jeśli zobaczysz go pierwszy raz w życiu — zadrwił.

— Cwany z ciebie lisek. I w dodatku lisek chytrusek. Dobra, przynieś następnym razem te zdjęcia. Ale jakby co, to wyprę się wszystkiego.

— Przyniosę ci je jutro.

— Chyba dawno nie miałeś kobiety, jeśli codziennie masz ochotę na harce.

— Nie, jutro tylko przyniosę zdjęcia. — Wyszczerzył zęby.

— Szkoda, zawsze trochę marek by wpadło.

— Zobaczymy. Jak mnie rozgrzejesz, to kto wie. — Roześmiał się.

෴

Jednak następnego dnia nie miał ochoty na igraszki, zwłaszcza że Helga wśród kilku zdjęć wybrała fotografię Heinricha Stolzmana. A zatem szacowny marszand siedział w całej sprawie po uszy. Zmylił Rudolfa tym, że niemal od razu opowiedział wszystkim dookoła, iż obrazy z galerii Wackera są falsyfikatami. Podobnie zachował się Kellerman, chociaż Judith podczas ich pierwszego spotkania powiedziała, iż ojciec wyśmiał podejrzenia Rudolfa, który głośno wyraził swoją opinię na temat wystawionych u Wackera dzieł. A zatem tak to działało — wystarczyło stanąć po właściwej stronie. Tylko co on miał teraz zrobić z tą wiedzą i jaki związek mógł mieć Stolzman ze śmiercią Ismaela Kellermana? Znali się, obaj twierdzili, że od razu wpadli na to, iż rzekome dzieła van Gogha w rzeczywistości wcale nie są jego autorstwa, zaś Wacker był kochankiem Stolzmana.

Mąciło mu się w głowie. Tak jakby był bardzo blisko rozwiązania zagadki, ale wciąż brakowało mu jakiegoś ogniwa. Nawet jeśli Stolzman wpadł na pomysł, by uczynić ze swojego młodego kochanka kozła ofiarnego i wzbogacić się na fałszywych obrazach, po co miałby pozbywać się Kellermana, który milczał jak grób i marszand musiał doskonale o tym wiedzieć? W końcu przyznanie się do preparowania falsyfikatów narażało malarza na odpowiedzialność karną. No, może nie samo malowanie, ale cel, jaki temu przyświecał. Problem tkwił w tym, że Kellerman specjalizował się w zupełnie czymś innym, w siedemnastowiecznych obrazach. Potrafił także tworzyć dzieła, które wyglądały jak okazy z tamtego okresu. Do podrabiania van Gogha nie musiałby używać specjalnie przygotowywanych imprimitur, starych werniksów, zapraw czy wreszcie farb. Zresztą Judith miała rację, jej ojciec namalowałby te falsyfikaty w sposób bardziej profesjonalny. Zatem Stolzman, uznawany za człowieka na wskroś uczciwego, wcale nie był taki kryształowy i zapewne numer z van Goghami nie był jedynym, który wykręcił. Tylko pozostałe nie wyszły na jaw i być może nigdy nie wyjdą. Połaszczył się na łatwą forsę, tylko że i ryzyko było ogromne.

Po chwili Rudolf pomyślał, że może i de la Faille doskonale zdawał sobie sprawę, że wystawione obrazy są podróbkami, a został zaszantażowany ujawnieniem informacji o jego skłonnościach do mężczyzn. To była jedynie hipoteza i Dorst doszedł do wniosku, że jeśli nobliwy doktor nie przyznał się do tego, że był szantażowany, zanim Wacker wylądował w więzieniu, teraz tym bardziej tego nie zrobi.

Miał wielką ochotę odwiedzić Judith i opowiedzieć jej o wszystkim, ale obawiał się, że wówczas dziewczyna wpadnie w szał, pobiegnie do Stolzmana i narobi głupstw. Rozumiał ją, kierowała się emocjami, on zapewne zachowałby się podobnie, jednak ogarnął go lęk na myśl, że córka Kellermana mogłaby ściągnąć na siebie kłopoty. Postanowił więc, że wykorzysta ją w inny sposób. Pójdzie śladami transakcji Stolzmana, a potem poprosi Judith, by pomogła mu zidentyfikować, czy sprzedany przez marszanda obraz jest prawdziwy, czy też może być sfałszowany. Zdawał sobie sprawę, że panna Kellerman może mieć zbyt małą wiedzę, by ocenić daną pracę pod kątem jej autentyczności, ale wystarczy mu, że będzie miała wątpliwości. Być może jedynie oszukiwał się i szukał pretekstu, by móc ponownie się z nią spotkać, ale w końcu chciał, żeby zostawiła tego swojego narwanego komunistę i związała się z nim. A jakże miał ją do siebie przekonać, jeśli nie będzie jej widywał?

Postanowił, że gdy tylko sytuacja się nieco uspokoi, odwiedzi ją. Na samą myśl miał dreszcze. Nie chciał żadnej innej kobiety i wolał korzystać z usług Helgi niż wiązać się z kimś na stałe. No, chyba że byłaby to niebieskooka Judith Kellerman.

11.

To było wydarzenie, o którym rozmawiali wszyscy berlińczycy. Prawie tak samo, jak wówczas, gdy kanclerzem Rzeszy został Adolf Hitler. I mimo że ów wypadek należał do tych tragicznych, stał się punktem zwrotnym na drodze NSDAP do władzy. Jakby jakaś siła wyższa wspierała nazistów i pewnego dnia podarowała partii prezent w postaci fanatycznego komunisty, Lubbego. Oczywiście, po mieście krążyły plotki, że Reichstag podpalili sami naziści, by zdobyć pretekst do ograniczenia swobód obywatelskich, ale nawet jeśli tak było, pomysł okazał się strzałem w dziesiątkę. Dla Maxa Geyera był to jednak znak, że NSDAP musiało wygrać marcowe wybory, wcześniej zaś urządzić w mieście coś, co on nazwał igrzyskami śmierci. I bez względu na to, co sądzili niektórzy, nic nie wskazywało, by Lubbe był człowiekiem podstawionym przez nazistów. Wcześniej ów mężczyzna próbował podpalić biuro opieki społecznej w Neukölln, potem ratusz i dawny pałac królewski. Zarzekał się także, że działał sam i nikt nie miał pojęcia o jego szatańskim planie.

To, co działo się w Berlinie po ustanowieniu klauzuli numer jeden do specjalnego dekretu, ograniczającego swobody obywatelskie, który zawieszał najważniejsze prawa konstytucji weimarskiej, przypominało dantejskie piekło, a może raczej początek wojny domowej. Aresztowano czołowych działaczy komunistycznych, potem tych z drugiego szeregu, by wkrótce dobrać się do skóry pozostałym członkom partii. Nie oszczędzono także socjaldemokratów, tym samym torując sobie drogę do pełnego zwycięstwa w wyborach i przejęcia całej władzy.

Max Geyer był dumny jak paw, bo nagle został częścią nowego systemu. Czuł się, jakby właśnie to on stał się władzą. I została mu do załatwienia tylko jedna sprawa, która miała raz na zawsze uśmiercić zakompleksionego, ubogiego Maxa Geyera i zamienić go w zięcia jednego z najbliższych współpracowników Josepha Goebbelsa. Stary von Reuss co prawda liczył po cichu na objęcie teki ministra spraw zagranicznych, ale po jakimś czasie doszedł do wniosku, że dzięki Goebbelsowi zbliży się do Hitlera, który do tej pory zdawał się go ignorować. Zadowolił się więc stanowiskiem sekretarza stanu w Ministerstwie Propagandy i Oświecenia Publicznego.

Plan Maxa posiadał wiele luk i niedoskonałości. Począwszy od wyboru miejsca, gdzie miał zostać przeprowadzony atak, a skończywszy na Brunonie Rothem, którego uważał za półgłówka pozbawionego sprytu. Nie znał jednak nikogo innego, komu mógł powierzyć zadanie, od którego zależało jego dalsze życie. Dlatego wycofał się z przeprowadzenia go w dniu wyjazdu Marity von Reuss do Breslau. Szyki popsuł mu Herbert, który postanowił odprowadzić siostrę na dworzec. Młody von Reuss był bystry, silny i za swoją siostrę oddałby życie. Bruno w starciu z nim nie miałby szans.

Tego dnia jednak, gdy Marita wracała z trzytygodniowej podróży, okazja była niepowtarzalna i Geyer uznał, że wszystko mu sprzyja. Nawet sytuacja polityczna, bowiem zdawał sobie sprawę, że podejrzenia padną na bojówki komunistyczne, które po tym, co zgotowała im władza, często uciekały się do sabotażu, wszczynania burd i przestępstw czysto kryminalnych.

— Posłuchaj, Bruno, musisz powtórzyć wszystko, co ci powiedziałem. Krok po kroku. Teraz to ja będę towarzyszył Maricie von Reuss, więc zadanie masz ułatwione. — Geyer mówił stanowczo i pukał palcem w tors Rothego, jakby pragnął podkreślić znaczenie swoich słów.

— Więc po co mam kolejny raz to powtarzać? — prychnął Bruno.

— Bo tam, na dworcu, będzie pełno ludzi i jeśli ta cipa, żona von Reussa, narobi szumu, ktoś może od razu za tobą pobiec. Musisz mieć chociaż kilkadziesiąt sekund, by wmieszać się w tłum i uciec — warknął Max.

— Dobrze, niech będzie — westchnął Rothe i kolejny raz zaczął powtarzać instrukcje przekazane przez Geyera.

I tak jak naziści skorzystali z faktu, że jakiś obłąkany człowiek podpalił Reichstag, tak Max Geyer wykorzystał okazję, że brat Marity miał jakieś arcyważne spotkanie służbowe w dniu jej przyjazdu do Berlina i nie mógł osobiście powitać siostry i małżonki na dworcu. Max zadeklarował, że zrobi to za niego, co Herbert przyjął z dużą ulgą.

Ani przez chwilę nie zastanawiał się, jak podłe jest to, co chce zrobić. Myślał jedynie, by sprawa nigdy nie wyszła na jaw. Byłby wówczas skończony. Jednak wierzył, że ryzyko, jakie podjął, opłaci mu się.

&

Max czekał na peronie, aż pociąg wjedzie na tor. Kątem oka dostrzegł stojącego pod jednym z filarów Brunona Rothego. Mężczyzna nie wyróżniał się spośród pozostałych ludzi oczekujących na przybycie swoich bliskich. A to za sprawą nowych ubrań, jakie sprawił mu Geyer. Jego kumpel odwiedził także fryzjera i nawet się ogolił. Był idealnym „panem nikt".

Usłyszał gwizd i cichy pomruk zbliżającego się składu, który z każdą sekundą stawał się coraz głośniejszy, i w końcu ujrzał światła lokomotywy. Kiedy wagony przesuwały się przed jego oczami, dostrzegł w oknie kobiety, na które czekał. Maritę von Reuss i żonę Herberta, Daisy. Wkrótce obie wysiadły. Marita patrzyła na niego roziskrzonym wzrokiem, ale nie potrafił odgadnąć, czy to z powodu jego osoby, czy po prostu jej podróż należała do udanych. Postanowił dać Maricie ostatnią szansę.

— Kochanie, jak ja za tobą tęskniłem. Nie zniosę tego dłużej. Pobierzmy się natychmiast — westchnął z emfazą.

Nie powiedziała, że także cierpiała z powodu tak długiej rozłąki ani też nie przyklasnęła jego pomysłowi.

— Wiesz, że to nie takie proste. — Nachmurzyła się i odwróciła wzrok.

Nie było dobrze, Max Geyer stracił najwyraźniej uwielbienie panny von Reuss, którym go dotychczas darzyła. Chwycił walizkę Marity, a potem wypuścił ją z rąk.

— Ależ ze mnie niezdara — mruknął i pochylił się, by podnieść ją z ziemi.

I wtedy usłyszał krzyk Marity. Odliczył do pięciu i dopiero odwrócił się w jej stronę. Zakrywała twarz i darła się wniebogłosy.

Nagle odezwała się ta idiotka, Daisy:

— Tam! Tam uciekł! Trzeba go gonić. Widziałam jego twarz, rozpoznam go bez trudu...

— Najpierw trzeba sprawdzić, co z Maritą — warknął Max. — Pomóż mi. Albo najlepiej idź na dworzec i poszukaj telefonu. Trzeba wezwać ambulans.

Po chwili zwrócił się do panny von Reuss:

— Skarbie, co ci jest? — zapytał, usiłując oderwać dłonie od jej twarzy.

— Piecze, pali... Max, moje oczy — panikowała Marita.

Wyciągnął z kieszeni chustkę, zamoczył ją pod kranem, który znajdował się na peronie, i zaczął przemywać twarz Marity. Doskonale zdawał sobie sprawę, że to niewiele pomoże, bo ów kwas, którym oblał ją Bruno Rothe, prawie nie rozpuszczał się w wodzie. Wokół nich zgromadził się tłumek ludzi. Jedni chcieli pomóc, jakiś mężczyzna ruszył w pościg za sprawcą, choć ten zdążył już zniknąć w tłumie, a jakaś kobieta lamentowała, że to mógł być zamach sterowany przez bojówki komunistyczne. Zrobiło się zamieszanie, które było bardzo na rękę Geyerowi i właśnie na nie liczył, bo odciągnęło uwagę od osoby sprawcy.

಄

Wieczorem, gdy Marita znalazła się w szpitalu, pod opieką najlepszych specjalistów, Max udał się na spotkanie z Brunonem Rothem, by wręczyć mu drugą połowę wynagrodzenia. Umówili się w jednej z ciemnych bram ulicy Krögel. Było zupełnie ciemno i Max odnalazł kumpla tylko dlatego, że ten zapalił zapałkę.

— Dobra robota — powiedział Max cicho.

— Bruno nigdy nie nawala. — Rothe zarechotał i zakasłał.

— W rzeczy samej — mruknął Geyer, a potem poklepał Brunona po ramieniu i powiedział: — Zapal jeszcze jedną zapałkę, nic nie widzę, a muszę wyciągnąć dla ciebie pieniądze. Zasłużyłeś na nie. I na premię.

Rothe zrobił, co mu kazał Geyer, zapewne nie spodziewając się tego, co zaraz nastąpi. Oświetlił postać kumpla, a potem wydukał:

— No co ty, Max...

Po chwili w bramie rozległy się strzały, a Bruno Rothe osunął się na ziemię. Geyer dla pewności strzelił jeszcze dwa razy. Zapałka zgasła, więc zrobił to trochę na oślep, a po chwili wybiegł z bramy i udał się wprost do domu. Postanowił, że zanim pojedzie do willi von Reussów, sprawdzi, czy nie ma na sobie żadnych śladów krwi. W istocie jego mundur, dłonie i twarz pokryte były małymi kroplami. Zmył je pośpiesznie, przebrał się i złapał dorożkę.

— Gdzie się, u licha, podziewałeś? — przywitał go Herbert.

— Szukałem tego bydlaka, który to zrobił. Pytałem obsługę dworca, włóczęgów... Wszystkich pytałem. A potem pojechałem do szpitala — jęknął Max z udawaną troską.

— Naprawdę spodziewałeś się, że o tej godzinie będziesz mógł wejść do szpitala? Nas wygonili już dwie godziny temu — prychnął młody von Reuss.

— Chciałem sprawdzić, jak się czuje Marita. — Max był gotów nawet się rozpłakać, byle wypaść wiarygodnie.

— Przeżyje, ale jej twarz... Lekarze robią, co mogą, ale Marita nie będzie już wyglądała jak kiedyś — usłyszał zapłakany głos Agnes.

— A czy policja coś wie? — dopytywał Geyer.

— Niestety, na razie nic. Ich poszukiwania na dworcu przyniosły ten sam efekt, co twoje. Ale na głowie stanę, by dopaść szubrawca. I osobiście wpakuję w niego cały magazynek — syknął Herbert.

— To na pewno komuniści — wybełkotał Wilhelm. — To na pewno oni. Wszystko przeze mnie, bo zachciało mi się władzy. A teraz moja córeczka będzie oszpecona na całe życie. Jest taka młoda, mogła wyjść dobrze za mąż, a teraz... To te cholerne czerwone gnoje chciały się na mnie zemścić.

Łkanie Agnes, zawodzenia Wilhelma i przekleństwa Herberta zostały przerwane przez Franza, który wszedł do salonu i oznajmił, że znowu przybyła policja, tym razem, by przesłuchać Daisy i Maxa. Geyer przełknął ślinę. Spodziewał się i policji, i przesłuchania, ale jednak w głębi duszy czuł lęk, chociaż nie miał powodu, by się bać. Sprawca ataku na Maritę już nie żył i nie mógł nic powiedzieć na temat swojego zleceniodawcy.

Po chwili do pokoju weszło dwóch policjantów, w tym jeden dobrze mu znany, Rudolf Dorst. Z jednej strony ucieszył się, bo nie sądził, by jego przyjaciel wysunął wobec niego jakiekolwiek podejrzenia, z drugiej — Rudolf należał do bardzo bystrych śledczych. Dotychczas zajmował się kradzieżami i oszustwami związanymi z dziełami sztuki, więc jego pojawienie się na Bellevuestrasse było dość zadziwiające. Jak się okazało, nie tylko dla niego.

— Pan prowadzi takie sprawy? — zapytał Herbert, marszcząc czoło, i wyciągnął dłoń w kierunku Dorsta.

— Teraz wszyscy zajmujemy się podobnymi przypadkami, bo nasi koledzy nie są w stanie wszystkiego ogarnąć — odparł Rudolf i chyba dopiero w tym momencie dostrzegł siedzącego pod ogromnym fikusem Maxa.

— Więc niech pan czyni swoją powinność — westchnął Wilhelm.

— Najpierw może kilka słów wyjaśnienia. Wracamy właśnie ze szpitala. Rozmawialiśmy z lekarzem Marity, Klausem Biermannem. Substancja, jaką oblano twarz Marity, to najprawdopodobniej gaz musztardowy.

— Przecież to gaz bojowy — prychnął Wilhelm.

— A ona została oblana płynem.

— Tak, ma pan rację. Iperyt siarkowy jest stosowany jako gaz, ale wytwarzany z oleistej cieczy. I takim właśnie płynem potraktowano Maritę. Najpewniej dla uzyskania szybszego efektu. I bardziej drastycznego — westchnął Rudolf. — Mój kolega przesłucha teraz osoby, które były w towarzystwie Marity, a ja porozmawiam z państwem, bo chciałbym zadać kilka pytań, które być może ułatwią nam złapanie tego gnoja.

Max popatrzył na przyjaciela, ale ten zachowywał się tak, jakby znali się krótko i słabo. Potem uspokoił się. Rudolf Dorst był profesjonalistą w każdym calu. Nawet jego przesłuchanie powierzył koledze, by nie być posądzonym o stronniczość.

Mężczyzna o zwalistej budowie ciała i ziewający niemal bez przerwy zabrał go do drugiego pokoju, wyciągnął z teczki notatnik i zaczął zadawać mu rutynowe pytania. Nie wykazywał się ani podejrzliwością, ani specjalną czujnością i Max pomyślał, że dobrze się stało, iż trafił właśnie na niego, a nie na Rudolfa. Ten byłby w stanie rozpoznać, kiedy Geyer kłamie. W końcu znali się jak łyse konie. Podczas rozmowy z policjantem, bo Max nawet nie nazywał tego poważnym przesłuchaniem, skręcał się z ciekawości, co Rudolf zdołał ustalić. I jakie wysnuł hipotezy. Stwierdził, że nazajutrz pójdzie do swojego przyjaciela i wypyta go o wszystko.

℃

Najpierw jednak postanowił odwiedzić Maritę. Leżała z opatrunkami na twarzy i nawet przez chwilę było mu żal dziewczyny, potem jednak doszedł do wniosku, że sama jest sobie winna. Gdyby była bardziej uparta i zdeterminowana, już dawno byliby po słowie, jej ojciec i brat pogodziliby się z faktem, że wyjdzie za ubogiego chłopaka z Krögel, a ona wciąż miałaby nieokaleczoną twarz.

— Nie patrz na mnie. — Odwróciła głowę i zaczęła płakać.

Odgarnął jej z czoła kosmyk włosów i powiedział ciepło:

— Dla mnie byłaś, jesteś i będziesz najpiękniejsza na świecie. Kocham twoją duszę, dobroć i mądrość. Twoja twarz jest dla mnie mniej ważna.

— Teraz… Teraz wszystko się skończyło. Nikt nie będzie chciał mieć takiej żony. Nawet ty. Mówisz mi te piękne rzeczy, żeby mnie pocieszyć, ale lekarze twierdzą, że blizny pokryją połowę mojej twarzy. I kiedy mnie taką zobaczysz, uciekniesz. Każdy ucieknie. — Marita znowu zaczęła łkać.

— Kochanie, jeśli wszystko się zagoi, doktorzy zrobią ci operację i blizn prawie nie będzie widać.

Ale żeby ci udowodnić, iż to nie ma dla mnie znaczenia, ożenię się z tobą, jak tylko wyjdziesz ze szpitala — oznajmił stanowczo.

— Max... Jesteś taki kochany dla mnie. Jak mogłam kiedykolwiek pomyśleć, że ktoś inny zajmie twoje miejsce...

— To znaczy? — Zmarszczył czoło.

— Nieważne, Max. Już nieważne — powiedziała cicho.

A zatem pojawił się poważny konkurent, dla którego Marita była gotowa go porzucić. To była zła wiadomość. Jednak był przekonany, że teraz fatygant usunie się w cień, bo nie zechce ożenić się z kobietą, której połowa twarzy będzie pokryta paskudnymi bliznami.

— Kto to jest? — zapytał zimno.

— Ma na imię Zygfryd i jest z rodziny Sebottendorfów — wychlipała.

— Marito... Pomyśl, jakie dzieci mogłyby się wam urodzić. Przecież ta rodzina to jacyś obłąkańcy. Daisy zachowuje się jak żandarm i co pięć minut chce pozbawiać się życia, a jej braciszek to sadysta i psychopata. Ich matka też ma coś z głową, bo przecież także kiedyś chciała się powiesić z zazdrości o męża — prychnął pogardliwie.

— Jesteś zazdrosny. — Uśmiechnęła się niepewnie i pierwszy raz, odkąd Max przekroczył próg sali szpitalnej.

— Oczywiście, że jestem. Tak bardzo, że mam ochotę obić gębę temu fircykowi — wycedził.

— Teraz już nie musisz być zazdrosny. — Uśmiech w jednej chwili zniknął z twarzy Marity.

— Muszę czy nie muszę, ale jestem — odparł i pogłaskał ją po głowie.

— Wiesz, ja chyba chcę, żebyś został moim mężem. Bo ci wierzę. A Zygfrydowi, niestety, nie.

— Wolałbym, żebyś mnie kochała — mruknął.

— A czym byłaby miłość bez zaufania? Poza tym od czternastego roku życia jestem w tobie zakochana.

— Jednak zastanawiałaś się nad panem Sebottendorfem — warknął.

— Bo ojciec, brat... Mama też była przeciwna naszemu związkowi. Ona chyba najbardziej, ale teraz nie będą potrafili mi niczego odmówić...

„Na to liczę" — pomyślał Max i ogarnęła go wściekłość na Agnes. Miała być sprzymierzeńcem w drodze do jego małżeństwa z Maritą, tymczasem okazała się największym wrogiem. Ciekawe, co by poczuła, gdyby dowiedziała się, że to przez nią jej córka będzie musiała prezentować poparzoną przez iperyt twarz. Rozmówienie się z nią postanowił jednak pozostawić sobie na deser. A może w ogóle nie będzie wdawał się z nią w dyskusje i ją zignoruje? Tak, to byłaby dla Agnes największa kara, bo tej kobiecie wciąż zdawało się, że tylko ona ma prawo pociągać w rodzinie von Reussów za sznurki.

— Panno von Reuss... — Usłyszeli za plecami głos pielęgniarki. — Czas na zmianę opatrunków.

— Pójdę już, kochanie — powiedział Max i nachylił się nad Maritą, by ucałować jej czoło.

Lubił tę dziewczynę i lubiłby ją nawet, gdyby nie nazywała się von Reuss, a jej oszpecona twarz wcale mu nie przeszkadzała. Wierzył, że zostaną przyjaciółmi, a do łóżka znajdzie sobie bardziej urodziwą kochankę. I na pewno nie będzie nią Agnes von Reuss.

ဢ

Pod wieczór dotarł do mieszkania Rudolfa. Jego przyjaciel wyściskał go i powiedział:

— Stary, tak mi przykro, że to musiało spotkać akurat Maritę.

— Tak, to straszne — westchnął Max i zrobił strapioną minę.

— Uwierz, robimy, co możemy. I dopadniemy gnoja.

— Myślisz, że to robota komunistów? Taka mała zemsta na pośle do Reichstagu i prawej ręce Goebbelsa? — zapytał Geyer.

— Bzdura! Stary von Reuss może i tak myśli, ale mój niezawodny nos podpowiada mi, że to nie ma nic wspólnego ani z jego polityczną działalnością, ani też z komunistami.

Max przełknął ślinę. Wolałby, żeby Dorst był przekonany o winie komunistów. Wówczas śledztwo skupiłoby się na tym aspekcie.

— Więc kto? — zapytał z wyczuwalną trwogą w głosie.

Rudolf wzruszył ramionami.

— Nie wiem tego, przyjacielu. Ale zleciłem, aby każdego rzezimieszka zatrzymanego kiedykolwiek za sprzedaż broni przesłuchać i sprawdzić, czy nie handlował iperytem siarkowym. To nie jest środek, który można kupić w aptece czy delikatesach, tylko specyfik, z którego wytwarza się gaz bojowy.

— Komuniści mają mnóstwo broni i zapewne podobne środki także — bąknął przerażony Max.

Nie miał pojęcia, czy „Rogacz" był kiedykolwiek zatrzymany za nielegalny handel bronią. A jeśli Rudolf dotrze do niego, ten zapewne przyzna się do sprzedaży pięćdziesięciu miligramów iperytu. Jak również wyjawi, kto go nabył.

Poczuł, jak zaciska się pętla na jego szyi.

12.

Wszystko działo się w zawrotnym tempie, chociaż nic tego nie zapowiadało. Herbert wrócił z Breslau w doskonałym nastroju, bo jego żona zdawała się spokojna i wyciszona. Zapewne zadziałał na nią przepisany jej przez lekarza luminal. Wierzył jednak, że z czasem lek przestanie być potrzebny i Daisy stanie się normalną, kochającą i niezaborczą małżonką. Naprawdę zależało mu na tym, by między nimi wszystko się poukładało, chociaż nie sądził, by kiedykolwiek pokochał żonę miłością namiętną i dziką.

Był samcem, wojownikiem i to on pragnął zdobywać kobietę. Zazdrość i zaborczość granicząca z obsesją mogły uchodzić porywczym mężczyznom na początku związku, ale kobieta według niego powinna zachować w pewnych sytuacjach powściągliwość, a wręcz chłód, by być pożądaną i ujarzmianą. Daisy, słaniająca się u jego stóp, nie wydawała mu się atrakcyjna. Wolał czasy, gdy musiał o nią zabiegać, a ona sprawiała wówczas wrażenie, jakby tego nie zauważała. Dla niego wyzwaniem mogła być kobieta pokroju Judith Kellerman, ale nie rozhisteryzowana Daisy, która mówiła mu piętnaście razy dziennie, jak bardzo go kocha. W pewnym momencie te piękne i ważne słowa stały się tak powszednie, jak kurtuazyjne „dziękuję", które wymawia się odruchowo, gdy ktoś częstuje papierosem.

Potem zaś powinny pojawić się pomiędzy kochającymi się ludźmi przyjaźń i zaufanie, by przejść w zgodzie i miłości przez życie. Między nim a Daisy nie było ani żaru, który na początku rozpala do czerwoności, ani długich rozmów o wszystkim, ani też owej przyjaźni, która pozwala wierzyć, że istnieje na świecie chociaż jedna osoba kochająca człowieka bezgranicznie i bezwarunkowo. Musiał jednak zadowolić się chociaż tym, że Daisy nie straszyła go codziennie samobójstwem i nie dostawała spazmów, gdy rozmawiał z jakąś kobietą. Wrócił więc uspokojony i zabrał się do pracy, bo ojciec nie miał ani chwili, by zająć się interesami, bowiem szykował się do marcowych wyborów.

Tymczasem pod koniec lutego jakiś szaleniec podpalił Reichstag, a w mieście zapanował chaos. Zaraz potem odbyły się wybory, dzięki którym NSDAP mogła niepodzielnie rządzić, a staruszek Hindenburg poddał się i właściwie podpisywał wszystko, co podsunął mu pod nos Hitler. Obsada stanowisk w nowym rządzie wprowadziła w willi von Reussów nerwową atmosferę, a liczni magowie, astrolodzy, tarociści, medium czy chiromanci niemal bez przerwy kręcili się po domu. Dosłownie drzwi się nie zamykały. Herbert zalecał ojcu, by jego dziwaczni znajomi przybywali do nich nieco rzadziej i dyskretniej, bowiem NSDAP, chociaż sama uwikłana w podobne historie, odcinała się od tego typu „szarlatanów".

Kiedy już wszystko okazało się jasne, a Wilhelm von Reuss przełknął gorzką pigułkę, że nie został mianowany ministrem spraw zagranicznych, a jedynie sekretarzem stanu w Ministerstwie Propagandy i Oświecenia Publicznego, ktoś napadł na jego siostrę. Marita wracała wraz z Daisy z Breslau, gdy jakiś szaleniec podbiegł do niej i oblał ją żrącą, oleistą cieczą, która pozbawiła ją skóry na twarzy i podrażniła jedno oko tak silnie, że lekarze obawiali się, czy w ogóle będzie na nie widzieć. Rozpoczęło się śledztwo i musiał przyznać, że Rudolf Dorst zabrał się za nie bardzo rzetelnie, mimo iż nie była to jego działka. Teraz jednak w policji panowało zamieszanie związane z obsadzaniem stanowisk według klucza partyjnego, a poza tym zatrzymywano wszystkich, którzy mieli jakikolwiek związek z komunistami, więc każdy śledczy miał ręce pełne roboty, niekoniecznie zgodnej z jego wcześniejszymi zadaniami.

Komisarz Dorst odrzucił jednak hipotezę, jakoby zaatakowano Maritę z uwagi na jej ojca. Już prędzej przygotowano by zamach na niego samego, ale obecnie, gdy bojówkarze i działacze komunistyczni wręcz walczyli o życie, było to mało prawdopodobne. Jednak ani komisarz Dorst, ani też on sam nie potrafili odgadnąć motywu, jakim kierował się przestępca i w końcu Herbert doszedł do wniosku, że Marita była przypadkową ofiarą jakiegoś szaleńca. Dorst jednak stwierdził, iż jego nos podpowiada mu coś innego.

Kiedy kolejny raz przyjechał na Bellevuestrasse 13, powiedział:

— Panie Herbercie, był pan najbliżej ze swoją siostrą. Proszę przypomnieć sobie może jakichś jej znajomych, którzy ostatnio was odwiedzali. Wszystko może okazać się istotne dla rozwikłania tej zagadki. Ktoś nabył ten iperyt, bo chciał, by Marita została oszpecona. Cały czas idziemy tym śladem, ale z czarnym rynkiem niestety bywa o tyle trudno, że nikt nie chce puścić pary z gęby.

— Panie komisarzu, spróbuję, ale ostatnio Marita przebywała u rodziców mojej żony pod Breslau i właśnie stamtąd wracała. Tutaj poznała Zygfryda Sebottendorfa, ale on mieszka w Breslau i tam się z nim także widywała. W domu spotykała się jedynie z pana kolegą, Maxem Geyerem, ale on jest raczej poza podejrzeniami. Tego wieczoru, gdy Marita wróciła z Breslau, odbierał ją z dworca. Może i pomyślałbym o nim, bo Marita zaczynała skłaniać się ku innemu fatygantowi, ale na dworcu była także moja małżonka i setki innych osób. I każdy z nich widział tego człowieka, który ją zaatakował. Poza tym kto jeszcze... Tuż przed wyjazdem moja siostra widywała się jedynie z Judith Kellerman, która kończyła malować jej portret.

— Lubiły się z panną Kellerman? — zapytał komisarz.

— No, chyba nie podejrzewa pan Judith Kellerman? — Herbert prychnął, choć sam się zastanawiał, dlaczego się wzburzył, gdy komisarz go o to zapytał.

— Nie, nie podejrzewam — mruknął pod nosem Dorst, a potem dodał oficjalnym tonem: — Na razie muszę podejrzewać każdą osobę.

— To niech pan zapomni o Judith.

Rudolf Dorst popatrzył na niego i powiedział cicho:

— Niestety, panie von Reuss. Nie mogę zapomnieć o Judith...

Von Reuss nie wiedział, co miał na myśli Dorst. Być może miał jakieś podstawy, by i ją wziąć na celownik.

— Niech więc pan robi, co musi i sprawdzi pannę Kellerman. Jednak ja uważam, że powinien ją pan wykluczyć z grona podejrzanych. Marita była chyba jedyną osobą, którą Judith Kellerman naprawdę lubiła. My... to znaczy ojciec i ja nie byliśmy dla niej zbyt mili. Jeśli miałaby kogoś potraktować iperytem, to prędzej nas — westchnął.

— Im szybciej ją wyeliminuję z kręgu podejrzanych, tym lepiej — wymamrotał Rudolf Dorst.

Po jego wyjściu Herbert zamyślił się. Nie miał pojęcia, kto mógłby być tak okrutny i podły, żeby skrzywdzić najlepszą osobę, jaką znał. Marita była dobrym człowiekiem. Pamiętał, że przed wyjazdem dzielnie znosiła wizyty fryzjera i wbijała się w ciężką suknię, bo zależało jej, by Judith otrzymała jak najszybciej wynagrodzenie za swoją pracę. Ona jedyna wiedziała, jak jej ukochany brat męczy się w swoim małżeństwie i zawsze miała dla niego dobre słowo. Była miła dla Daisy, Manfreda, rodziców i dla niego. Niekiedy się zastanawiał, czy Marita na pewno jest córką Wilhelma i Agnes. Nawet do służby odnosiła się z szacunkiem i zawsze dokładała trochę marek do ich pensji ze swoich pieniędzy. Maritę kochali wszyscy, nawet bezpańskie psy. Któż więc, do cholery, chciałby ją skrzywdzić? Nie mógł tego zrozumieć ani też znaleźć w kręgu otaczających ją osób nikogo, kto źle by jej życzył.

* * *

Po południu pojechał do szpitala. Usiadł na taborecie przy łóżku siostry i pogłaskał ją po dłoni.

— Jak się czujesz, Maritko? — zapytał czule.

— Jak najbrzydsza dziewczyna na świecie — szepnęła.

— Nie mów tak. Poszukamy sposobu, żebyś odzyskała swoje słodkie, śliczne oblicze.

— Ale ten lekarz powiedział, że na razie nie wiadomo kiedy...

— Zygfryd chce przyjechać. Dzwonił wczoraj. Co mam mu powiedzieć?

— Żeby nie przyjeżdżał. Ani teraz, ani nigdy...

— Maritko... — jęknął Herbert.

— Ja już podjęłam decyzję. Max poprosił mnie o rękę. Powiedział, że ożeni się ze mną, jak tylko opuszczę szpital, bo kocha mnie nie za moją twarz, ale za moją duszę... — powiedziała.

Herbert już chciał dodać, że pewnie także za majątek i nazwisko, ale nie chciał sprawiać siostrze przykrości. Zresztą co on mógł wiedzieć o Geyerze, oprócz tego, że kiedyś miał romans z jego matką. Ożenek z oszpeconą dziewczyną wymagał nie lada odwagi, nawet jeśli narzeczona była bogata. A za Maxem uganiały się kobiety równie majętne. Więc może naprawdę zakochał się w Maricie, porzucając dla niej matkę? Nie miał pojęcia, co powinien o tym wszystkim sądzić. Nawet zaczynał zastanawiać się nad tym, czy w istocie Max i Agnes byli kochankami, czy tylko mu się tak wydawało, a chłopak próbował sobie po prostu zjednać teściową, która za nic w świecie nie chciała zgodzić się na jego ślub z Maritą.

— Jeśli tak postanowiłaś, zaakceptuję Maxa jako szwagra. To twój wybór i twoje życie. I cokolwiek postanowisz, będę cię wspierał — odrzekł.

— Porozmawiasz z rodzicami?

— O twojej decyzji? Dobrze, porozmawiam z nimi, jeśli tego chcesz.

— Chcę. Ja nie mam na to siły.

Wprost ze szpitala pojechał do Kaiserhofu, gdzie przebywał ojciec. Wolał porozmawiać z każdym z rodziców osobno. Zwłaszcza że gdyby matka oponowała, będzie musiał wyciągnąć najcięższe działo — jej rzekomy romans z Geyerem.

Ojciec był tak przybity wypadkiem Marity, że gdy Herbert wyjawił mu, z czym przychodzi, zgodził się na ślub z Maxem niemal od razu.

— Cóż znaczą pieniądze, jeśli nie mogę teraz pomóc mojej kochanej córce. Jeśli małżeństwo jej pomoże, niech się pobiorą — westchnął.

— Za jakiś czas nasze pieniądze sprawią, że jej twarzą zajmą się najlepsi chirurdzy. Jeśli nie w Rzeszy, to za granicą — odparł Herbert.

— O ile taka operacja będzie w ogóle możliwa...

— Miejmy nadzieję. Musimy ją mieć, ale także uważam, że Marita powinna wyjść za Maxa, bo wciąż popada w przygnębienie z powodu wyglądu swojej twarzy i mówi, że jest teraz najbrzydszą dziewczyną na ziemi. Max zdołał poznać jej charakter i wie, jak dobrym człowiekiem jest Marita. Poradzi sobie z tym problemem i mam nadzieję, że pomoże Maricie odzyskać równowagę i uwierzyć w siebie.

— Nie wiem, co z matką — zatroskał się Wilhelm von Reuss.

— Porozmawiam z nią, jak tylko wrócę do domu.

— A gwiazdy mówiły, że wydarzy się coś strasznego. Myślałem, że chodziło o pożar Reichstagu. Teraz wiem, że one przepowiadały napaść na moją malutką córeczkę — jęknął Wilhelm.

Herbert nic nie powiedział, bo od dawna przestał rozmawiać z ojcem na te tematy. Wilhelm von Reuss wierzył w te wszystkie bzdury, zaś Herbert ani trochę i w tym momencie żadna dyskusja nie miała najmniejszego sensu.

＆

Agnes von Reuss dostała szału, gdy Herbert przekazał jej decyzję Marity. Chodziła nerwowo po pokoju i mocno zaciągała się papierosem.

— Ale o co chodzi, mamo? — zdenerwował się Herbert. — Przecież to ty przyprowadziłaś Maxa Geyera do naszego domu. A może o to, że z nim sypiasz i obawiasz się, iż stracisz kochanka?

Agnes przestała w końcu kręcić się nerwowo i popatrzyła zimno na syna.

— Max nie jest moim kochankiem — wysyczała. — A chodzi o to, że jest biedny jak mysz kościelna i obawiam się, iż wcale nie kocha Marity.

— Mamo, oświadczył się jej po tym strasznym napadzie. Z pełną świadomością, jak będzie wyglądała kobieta, która stanie przy nim podczas przysięgi małżeńskiej — powiedział Herbert.

— No, właśnie. Nie wydaje ci się to dziwne, synu? Kto chciałby ożenić się z tak szpetną dziewczyną? Tylko łowca posagów.

— Jak możesz tak mówić o Maricie? — Herbert był coraz bardziej wzburzony.

— Jestem realistką. Mężczyźni kochają tylko piękne kobiety — powiedziała cicho. — A Marita, chociaż kocham ją bardzo, piękna już nie jest. I długo nie będzie, jeśli w ogóle kiedykolwiek odzyska swoją dawną twarz.

— Wiesz, piękna twarz z czasem się nudzi, piękna dusza — nigdy — odparł z goryczą w głosie, bo pomyślał o własnym małżeństwie.

Daisy była bardzo piękna i dlatego się do niej zbliżył, a teraz mimo bezsprzecznej urody swojej małżonki nie mógł na nią patrzyć. Co prawda od powrotu z Breslau nie była tak okropna, jak wcześniej, ale za to chodziła otumaniona lekami i była milcząca. Kiedyś mówiła dużo, ale głównie o jego rzekomych kochankach, teraz nagle okazało się, że nie mają ze sobą o czym rozmawiać.

— Dobrze więc. Ale pamiętajcie obaj, ty i twój ojciec, jeśli ten człowiek unieszczęśliwi moją córkę, będzie to wasza wina — powiedziała zimno i wyszła z salonu.

Miała rację. Jeśli Max Geyer okaże się złym mężem, on będzie za to odpowiedzialny. Nie miał pojęcia, co wówczas poczuje, ale zapewne wyrzuty sumienia zatrują jego duszę.

— O co kłóciłeś się z matką? — zapytała monotonnym głosem Daisy, gdy weszła do salonu i usiadła obok niego na kanapie.

— O narzeczonego Marity, Maxa Geyera.

— Dlaczego? — zdziwiła się Daisy. — To taki miły człowiek. I kocha Maritę bardziej niż ty mnie, chociaż jestem od niej ładniejsza.

Chciał powiedzieć coś kąśliwego, ale odpuścił sobie.

— Tak, kochanie. Matka już o tym wie.

— Że mnie nie kochasz? — Głos jej zadrżał.

— Nie. O tym, że Max Geyer to miły człowiek. A ja cię bardzo kocham, więc nie rozumiem twojego porównania — skłamał.

— Ja też cię bardzo kocham. Tak bardzo, że nie ma dla mnie życia bez ciebie. Jesteś całym moim światem...

Pocałował ją w policzek. Daisy była niczym zdarta płyta. W kółko mówiła to samo.

— Wiem, kochanie — westchnął. — Wybacz, cały dzień zawaliłem. Luger przywiózł mi papiery z biura, muszę je przejrzeć. Idź spać.

Nie protestowała, tylko uśmiechnęła się uwodzicielsko.

— Jak skończysz, będziemy się kochać.

— Tak, kochanie. Z przyjemnością. — Herbert wysilił się na uśmiech.

Mógł jej to obiecywać bezkarnie, bo wiedział, że zanim przyjdzie do sypialni, Daisy będzie spała jak niemowlak.

13.

*B*yły takie momenty w życiu Judith Kellerman, kiedy jej strach mieszał się ze zdumieniem. Ulice Berlina kojarzyły się jej z miejscem, gdzie panuje totalna anarchia, a władzę nad miastem przejęli uzbrojeni bandyci w brunatnych koszulach. Ofiarami tych bezkarnych osiłków padali głównie komuniści, ale kiedy wiosną Goebbels zaczął nawoływać mieszkańców, by bojkotowali sklepy i zakłady usługowe, prowadzone przez Żydów, agresja przeniosła się także na tę część społeczeństwa niemieckiego. Krążył nawet ponury dowcip, że teraz najgorzej być Żydem komunistą, bo raz można oberwać jako komunista, drugi — jako Żyd.

W tajemnej pracowni ojca, której okna wychodziły na podwórze, Judith pozamykała zewnętrzne okiennice i nie otwierała ich nawet wówczas, gdy malowała. Zarówno mieszkanie, jak i atelier znajdowały się na wysokim parterze, ale nawet jeśli ktoś zajrzałby do środka, zobaczyłby normalną, niebudzącą żadnych podejrzeń pracownię malarską. Obawiała się jednak, że pewnego dnia będzie musiała w niej ukryć brata i narzeczonego. Pokazała im to miejsce, nie wdając się w żadne wyjaśnienia, i poprosiła kategorycznie, by schowali się w nim, gdyby policja albo bojówkarze SA przyszli ich aresztować. Tego, że tak się stanie, była pewna.

— Nie ma mowy, Judith — oznajmił wówczas Serafin. — Jeśli przyjdą po mnie, pójdę do więzienia, jak wszyscy moi koledzy. I będę dochodził swoich praw przed sądem. Nie może być tak, że całe hordy ludzi zamykają bez żadnego powodu i bez nakazu.

— Serafinie, ty naprawdę uważasz, że wciąż jesteśmy demokratycznym państwem, a konstytucja weimarska coś znaczy? — zirytowała się Judith. — Słyszałeś o Monachium? Wiem, że to mogą być plotki, ale przecież o tym opowiadają wasi koledzy.

— W Monachium tymczasowym szefem policji został Himmler, a to psychopata — wtrącił się do rozmowy Johann.

— A cóż stoi na przeszkodzie, by kogoś podobnego zatrudnić w Berlinie? Jeśli Himmler w starej fabryce w Dachau otworzył obóz koncentracyjny dla politycznych wrogów, bo nie mieszczą się już w więzieniach, to nie będą widzieli problemu, by koło Berlina stworzyć coś podobnego. Słyszeliście, że już szykują podobny w Oranienburgu. A wy obaj zgrywacie chojraków. Tam, w obozach, jest państwo w państwie i żadne prawo nie obowiązuje tych gnoi.

— Judith... — powiedział łagodnie Johann. — Nie możemy ukrywać się jak szczury w kanałach, gdy nasi koledzy są torturowani i mordowani. Musi gdzieś istnieć granica...

Judith miała już dosyć tej dyskusji i zdenerwowała się.

— Granica? NSDAP wygrało wybory, bo pozamykało komunistów i socjaldemokratów, a teraz wprowadzono „ustawowe upoważnienie" dla gabinetu Hitlera, bo szacowny marszałek Reichstagu, Göring, uznał, że jeśli partia komunistyczna działa nielegalnie, ich głosy w parlamencie się nie liczą — syknęła Judith.

— Przepchnęli tę ustawę, bo Partia Centrum za nią zagłosowała — prychnął Serafin.

— Jak oni mogli zrobić coś takiego, widząc, co się dzieje dookoła? — jęknęła Judith i zakryła twarz rękoma, bo „ustawowe upoważnienie" oznaczało, że naziści mogą niepodzielnie rządzić w kraju i bez żadnych ograniczeń, a parlament stał się fikcją.

— Hitler i jego świta nękali Kościół tak samo, jak komunistów i Żydów. Centrum obiecało więc poparcie za pozostawienie Kościoła w spokoju. Hierarchowie kościelni, łącznie z Watykanem, zaczęli naciskać i w zamian za święty spokój centrowcy zagłosowali za „upoważnieniem" — odparł Johann.

— Zdrajcy! — syknęła Judith i dodała: — Idę na uczelnię, dopóki mnie z niej nie wyrzucono, a wracając, zrobię zakupy. I mówię zupełnie poważnie. Jeśli ci barbarzyńcy tu przyjdą, uciekajcie do atelier ojca. Tam was nie znajdą.

— Nie zrobię tego, Judith. Niech mnie nawet zamordują — syknął Serafin.

Judith wiedziała, że niczego nie wskóra. Zarówno jej brat, jak i Johann byli nieugięci.

Szła powoli ulicami Berlina i patrzyła z trwogą na samochody wypełnione żołnierzami SA, grupy wyrostków, prawie dzieci, w brunatnych koszulach, wykrzykujące Heil Hitler albo odgrażające się Żydom i komunistom. Widziała, jak wywlekają z domów i biur jakichś ludzi i ciągną ich do samochodów, a potem odjeżdżają z nimi nie wiadomo dokąd. Tutaj, podobnie jak w Monachium, brakowało już miejsca w więzieniach, więc SA tworzyła własne, rządzone przez sadystów i morderców, którzy traktowali swoje ofiary w sposób okrutny. I robili to zupełnie bezkarnie, tymczasem jej brat i narzeczony bredzili o dochodzeniu swoich praw przed sądem. Od czasu do czasu sądy faktycznie nakazywały wypuszczać działaczy partyjnych z socjaldemokracji, jakby jeszcze tliły się w nich resztki poczucia sprawiedliwości, ale w najmniejszym stopniu nie dotyczyło to komunistów, którzy po podpaleniu przez szaleńca Lubbego Reichstagu, jawili się jako samo zło. Nikt nie wstawiał się za takimi ludźmi ani też nie buntował przeciwko powstawaniu obozów koncentracyjnych, gdzie zatrzymani byli traktowani gorzej niż zwierzęta. Może bali się, a może nie mieli pojęcia, co się dzieje, bo w każdej gazecie i rozgłośni radiowej pojawiali się ludzie z nadania partyjnego, najczęściej z SS, którzy sterowali wychodzącymi w świat informacjami.

W policji także przeprowadzano czystki i obsadzano stanowiska swoimi ludźmi. Judith zastanawiała się, czy i Rudolfa spotka podobny los, bo nie należał ani do SA, ani też do SS. I zapewne fakt, że Dorst był świetnym policjantem, nie miał kompletnie żadnego znaczenia.

Coraz więcej budynków przyozdabiano czerwono-białymi flagami z czarną swastyką, w miejsce tych, które dotychczas obowiązywały, czyli czarno-czerwono-żółtych. Te drugie występowały w charakterze szmat walających się na ulicach. Leżały brudne, podarte albo nadpalone i jakby krzyczały, że wszystko, co było, musi odejść w zapomnienie.

Przed swoją uczelnią zobaczyła ogień. Przez chwilę pomyślała, że doszło do pożaru budynku szkoły, ale gdy podeszła bliżej, ujrzała ogromny stos palących się książek. Zgromadzeni wokół ogniska członkowie Niemieckiego Związku Studentów, działający z namaszczenia NSDAP, z lubością wrzucali kolejne egzemplarze, chyba nawet do końca nie wiedząc, co te zawierają. Przystanęła na chwilę, wgapiając się w wysoki na kilka metrów płomień, wciągała nozdrzami zapach spopielonych woluminów i pomyślała, że tak jak niegdyś, przed wiekami, palono czarownice, tak teraz puszczono z dymem ostatni bastion wolności — słowo pisane. Jakby nie wystarczyło im przejęcie kontroli nad filmem, radiem i teatrami. To było jak symbol kończącej się wolności. Naziści zdołali w ciągu kilku miesięcy podeptać konstytucję, kulturę i prawo. Właśnie patrzyła na pogrzeb demokracji.

Wewnątrz budynku kręciło się mnóstwo brunatnych koszul. Jedni wynosili z biblioteki i sal wykładowych książki, inni nawoływali do rozprawienia się z komunistami, jeszcze inni wykrzykiwali, że Żydów należy wyizolować ze społeczeństwa niemieckiego. Nie poszła na zajęcia. I następnego dnia także nie zamierzała tam iść. Nie chciała znosić tego wszystkiego i czekać, aż nowe władze same ją stamtąd wyrzucą.

Wracała do domu kompletnie rozbita. Postanowiła, że po powrocie spieniężyy wszystko, co się da, łącznie z autoportretem Rembrandta, który miała nazajutrz pokazać Stolzmanowi, i nakłoni Serafina i Johanna do wyjazdu z Rzeszy. Nawet jeśli państwem docelowym miałby być Związek Radziecki, chociaż, prawdę powiedziawszy, wolałaby kraj, gdzie wciąż istniała wolność. Była do niej przywiązana tak silnie, że nawet małżeństwo ją trochę przerażało. Być może to była zasługa ojca, który ucząc ją fachu fałszerza, powtarzał jej w kółko, że to pozwoli jej nie być od nikogo zależnym. A ona nie chciała być podległa, nawet ukochanemu mężczyźnie.

Na Olivaer Platz wstąpiła do piekarni Schechtera. Do lady ustawiła się kolejka. Wszyscy rozmawiali o tym, co dzieje się w Berlinie.

— Dzień dobry, Judith — powiedział Schechter. — Jak się pani trzyma?

— Dzień dobry, panie Schechter. No cóż, jestem przerażona, jak wszyscy. Teraz strach być Żydem. Ale ja wolę należeć do tych wyklętych niż być kojarzona z obecną władzą. — Uśmiechnęła się smutno i poprosiła o trzy chleby.

— Robi pani zapasy? — zagadnął.

— Nie, brat i narzeczony teraz w domu siedzą, więc i jedzenia potrzeba więcej.

— Rozumiem. — Piekarz uśmiechnął się i pożegnał Judith.

W takich miejscach jak to czuła się dobrze. Była wśród swoich i nie widziała w oczach innych wrogości. Ona dzięki swoim intensywnie niebieskim oczom nie przypominała Żydówki, nie należała też do ortodoksów, podobnie jak jej rodzice i brat, ale niekiedy miała ochotę zawiesić sobie na szyi planszę: „Jestem jedną z nich. Jestem Żydem". Tylko co dałaby jej taka manifestacja? Obiliby jej twarz albo poturbowali i tyle by jej z tego przyszło. To już nie były chuligańskie bandy, tępione przez policję, ale władza. Namaszczeni przez rząd Hitlera bandyci z szerokimi uprawnieniami i pozbawieni sumienia. A może jedynie z wypranymi przez Goebbelsowską propagandę mózgami.

Szła powoli po Bregenzer w kierunku domu i skubała chleb, gdy zobaczyła przed swoją kamienicą kilka samochodów SA. Pobiegła w tamtą stronę i weszła do bramy. Tuż przy drzwiach do klatki schodowej poczuła, że ktoś mocno zaciska dłoń na jej ramieniu. Odwróciła głowę i zobaczyła sąsiada z naprzeciwka, Salomona Weissa.

— Niech pani tam nie idzie, oni są w pani mieszkaniu — powiedział spanikowanym głosem.

— Muszę, panie Salomonie, tam jest mój brat i narzeczony — jęknęła i zaczęła się wyrywać.

— Zaaresztują i panią. Oni nie patrzą, czy ktoś winny, czy niewinny. A jak pani pomoże bratu, kiedy i panią zamkną? — odparł sąsiad i jeszcze mocniej zacisnął dłoń na jej ramieniu.

Przestała się wyrywać i przymknęła powieki. Mężczyzna miał rację. Nie zdoła im pomóc, jeśli i ona pójdzie siedzieć. A jeśli zachowa wolność, będzie mogła wynająć dobrego adwokata albo poszukać pomocy u jakichś ważnych ludzi. Wyszła z bramy i udała się na podwórko. Przycupnęła przy drewnianej komórce, w której dozorca trzymał rzeczy potrzebne mu do utrzymania porządku wokół kamienicy. Widziała, jak wyprowadzają jej brata, a potem Johanna. Kilka minut później odjechali.

A ona nie mogła się ruszyć. Wciąż siedząc w kucki, wpatrywała się w pustą bramę, jakby chciała ujrzeć w niej Serafina i Johanna. Uśmiechniętych i wyprostowanych. Mijały jednak kolejne minuty, a ona wciąż widziała pustą przestrzeń i przejeżdżające ulicą wozy i samochody albo przechodniów śpieszących się do swoich spraw. Mieszkańcy kamienicy pochowali się w swoich mieszkaniach, zapewne modląc się, aby brunatne koszule nie pojawiły się w ich domach. Przechodnie zaś nie zwracali już uwagi na podobne akcje. W mieście na niemal każdej ulicy mogli oglądać takie widoki i słuchać krzyków czy wydobywającej się z piersi bojówkarzy *Horst Wessel Lied*.

— Odjechali, może pani wrócić do domu — usłyszała strapiony głos sąsiada. Tego samego, który czekał na
nią w bramie, by ostrzec przed niebezpieczeństwem.
Wstała i wolnym krokiem poszła w stronę domu.
Mieszkanie przypominało pobojowisko. Wszystko, co było ze szkła lub porcelany, walało się w szczęt-
kach na podłodze. Stół i krzesła zostały przewrócone,
a kanapy pocięte nożem. Z szaf i komód wyrzucono
wszystkie rzeczy. Każdy pokój wyglądał podobnie.
W kuchni posadzka zasypana była mąką, cukrem
i kaszą oraz pozostałą zawartością szafek.

Weszła do pracowni. Rozsuwany segment wciąż stał
na swoim miejscu, ale ogólnodostępne atelier nasu-
wało myśl o szalonym artyście, który w chwili niemocy twórczej wpadł w amok. Naczynia, gdzie moczyły
się pędzle, wywrócono, podobnie zresztą jak sztalugi,
z tubek zaś wyciśnięto farby, malując nimi bezkształ-
tne esy-floresy na ścianach. Na jednej z nich napisano
czarną farbą: „Śmierć Żydom i komunistom".

Zdewastowali wszystko, co tylko mogli, a przecież
nie było jej w domu zaledwie przez dwie godziny. Nie
miała pojęcia, co im zrobiły przedmioty, że tak brutalnie je potraktowali. Być może szukali jakichś do-
kumentów, obciążających Serafina i Johanna, ale nie
rozumiała w jakim celu, jeśli nikt kwestiami winy czy
jej braku się nie przejmował. Nie miała siły, żeby posprzątać ten cały bałagan. Ani siły, by zacząć działać
w jakikolwiek inny sposób. Tak jakby nagle straciła nadzieję, że może cokolwiek wskórać i pomóc w uwol-
nieniu mężczyzn, którzy przez ostatni czas byli jedyną
jej rodziną. Zamknęła drzwi, nawet nie przekręcając

klucza. O dziwo, ci bandyci nie wyłamali zamka, widocznie Johann i Serafin wpuścili ich do środka bez oporu. Weszła do salonu i usiadła na podłodze. Wydawało się jej, że zrobiło się strasznie cicho. Nawet nie tykał zegar, bo leżał teraz przewrócony.

Popatrzyła w okno. Zbliżał się koniec lata. Jakiś gołąb przycupnął beztrosko na parapecie i rozglądał się ciekawie dookoła. Jego pewne sprawy nie dotyczyły. Zapragnęła w tym momencie przeistoczyć się w ptaka i pofrunąć w przestworza. Poczuć się wolna, pozbyć się lęku, który od kilku miesięcy jej towarzyszył, i myśli, jakie kołatały jej w głowie. Popatrzyłaby na Berlin, swoje ukochane miasto, z góry. Bez obaw, że czyjaś ręka ją dosięgnie. Znalazłaby się tak wysoko, że nawet kule z karabinu nie byłyby w stanie jej zranić czy zabić.

Chciała wyjechać, uciec stąd, zostawiając za sobą rodzinny dom, tajemne atelier ojca, miejsce, gdzie urodziła się i wychowała, cały swój świat, który teraz stał się złowrogi i obcy. Nie mogła jednak tego zrobić, bo tutaj pozostali ludzie, których kochała. I liczyli na nią. I na to, że im pomoże.

14.

— *Co* ty tutaj robisz? — zdziwił się Rudolf Dorst, widząc wchodzącego do jego biura Maxa Geyera.

Wciąż nie mógł przywyknąć do widoku przyjaciela w mundurze SS, ale musiał stwierdzić, że Max wygląda w nim rewelacyjnie. Od razu pomyślał o nieszczęśliwie zakochanym w nim Klausie Fisherze. Gdyby ten ujrzał go w takim stroju, z pewnością zapałałby do niego jeszcze większą namiętnością.

— Jak to co robię? Porządek, kurwa, robię. — Wyszczerzył swoje śnieżnobiałe zęby i rozparł się na krześle. Po dawnym, zabiedzonym i pełnym kompleksów przyjacielu nie pozostał już ślad.

— Przyszedłeś mi powiedzieć, że właśnie straciłem robotę? — westchnął Rudolf.

Zawsze obawiał się utraty pracy. Chyba dlatego, że to kojarzyło mu się z nędzą i upadkiem. Poza tym nie potrafił niczego innego, tylko prowadzić śledztwa i łapać złodziei. Mógł, co prawda, zapisać się do SS albo SA i mieć święty spokój, ale wydawało mu się, że nie będzie się z tym dobrze czuł. W swojej pracy chciał być uczciwy i bezstronny, a taki mundur już zawsze stawiałby go po stronie, co tu dużo mówić, bardzo stronniczej władzy.

— Nie. Przyszedłem ci powiedzieć, żebyś spał spokojnie. Zostaniesz na swoim miejscu, a kto wie, może niedługo nawet awansujesz i zostaniesz szefem wydziału — powiedział Max.

— I będę musiał zapisać się do SS…

Geyer pokręcił przecząco głową.

— Ty nic nie musisz, jesteś moim przyjacielem. To wystarczy. — Zarechotał kolejny raz.

— Nie wiem, jak mógłbym ci podziękować — wydukał wzruszony Dorst.

— Nawet tak nie mów, znamy się od lat i nie wyobrażam sobie, że mógłbym się za tobą nie wstawić. Właściwie policja to nie moja działka, ja zajmuję się prasą. Teraz już nie piszę do gazetki dla fanatycznych miłośników astrologii i chiromancji, ale oddelegowano mnie do wydawnictwa Ullstein. Dasz wiarę, że teraz jestem szefem Belli Fromm? Wyobraź sobie, że ta ostra tygrysica nagle straciła wszystkie ząbki.

— A jak układa ci się z teściową? — zapytał Dorst.

— Ignoruję sukę, a ona... wychodzi z siebie, żebym zwrócił na nią uwagę. Może sądzi, że powrócą dawne czasy, ale ja nie wykręcę takiego numeru Maricie. Mogę pójść na dziwki, ale nie zamierzam mieć stałej kochanki. Zbyt mocno szanuję swoją żonę. À propos mojej czcigodnej małżonki... Czy coś wiadomo w sprawie tego cholernego napadu? — zapytał drżącym głosem Max.

Rudolf zmieszał się. Jego przyjaciel tak wiele dla niego zrobił, a on nie potrafił złapać jakiegoś rzezimieszka, który oszpecił mu żonę.

— Przykro mi... — wydukał. — Wydaje mi się, że Marita była przypadkową ofiarą jakiegoś szaleńca, ale wciąż węszę i szukam. Zobacz, mam w końcu listę oprychów handlujących nielegalnie bronią. Sprawdzę ich wszystkich, przysięgam. Tylko widzisz, co teraz się dzieje. Jednych wyrzucają, drugich przyjmują, a tych nowych ktoś musi przeszkolić. Powiem ci, Max, bałagan straszny...

Na znak, że Rudolf nie odpuścił sobie sprawy Marity, podał przyjacielowi listę z nazwiskami podejrzanych handlarzy. Swoją drogą, był pełny podziwu dla

Maxa, że odważył się wziąć ślub z panną von Reuss, nie czekając nawet, aż rany na jej twarzy się zabliźnią. W uroczystości uczestniczyło tylko kilkanaście najbliższych osób, ale nawet oni mieli wymalowane na twarzach przerażenie, gdy ujrzeli pokrytą plastrami twarz panny młodej.

Max omiótł wzrokiem listę i położył ją na biurku.

— Wiedz, że nie mam do ciebie żalu. Von Reussowie także. Wilhelm i Herbert uruchomili wszystkie znajomości, wynajęli nawet prywatnych detektywów, ale i oni nie znaleźli ani tego człowieka, ani motywu napaści. Więc nie obwiniaj się. Myślę, że lada chwila będziesz musiał zamknąć to śledztwo, a ja pogodzić się z faktem, że mężczyzna, który skrzywdził Maritę, nie poniesie kary. Wiesz, lekarze mówią, że niedługo będą mogli zająć się przeszczepem skóry na twarzy Marity, i niewykluczone, że za dwa lata będzie wyglądała lepiej niż przed wypadkiem. Moja żona cieszy się teraz małżeńskim szczęściem, więc i von Reussowie przestali wariować i chyba odpuścili sobie poszukiwania sprawcy. Kiedyś Herbert wydzwaniał codziennie do detektywów, teraz robi to zdecydowanie rzadziej. Zresztą ty wiesz to najlepiej, bo jeszcze do niedawna nękał cię bezustannie. Pomaga mu chyba uśmiech na twarzy ukochanej siostry, zwłaszcza że u swojej małżonki nie widuje go zbyt często.

— Herbert nie poprosił o pomoc szwagra? — zdziwił się Rudolf.

— Jakiś czas temu Herbert dał po mordzie Manfredowi i od tej pory ich stosunki są bardziej niż chłodne. — Max machnął ręką i dodał: — Lecę, przyjacielu, mam jeszcze milion spraw do załatwienia. A ty pracuj i nie przejmuj się już czystkami.

Max Geyer był dobrym przyjacielem. Rudolf nawet nie pomyślał o tym, by prosić go o wstawiennictwo. A on sam z siebie, zupełnie przez niego nienagabywany, pomógł mu w pozostaniu na stanowisku i w policji w ogóle. Poczuł, jakby nagle wyrosły mu skrzydła. Przez kilka miesięcy żył w ogromnym napięciu, jego wigor ulotnił się w odmętach czarnych myśli i kompletnie nie potrafił skoncentrować się na pracy. Teraz jednak mógł odetchnąć z ulgą. Pomyślał, że dzięki Maxowi będzie mógł na powrót zająć się sprawą Kellermana, choć nieoficjalnie, bo nikt nie zechce wznowić dochodzenia, jeśli ofiarą był Żyd. A tym bardziej posądzić o jego zamordowanie wpływowego marszanda, należącego do NSDAP i przyjaciela sekretarza stanu. Chciał jednak to zrobić dla Judith. I nie po to, by się mściła, ale uważała na Stolzmana. I na siebie.

Postanowił ją odwiedzić. Przez chwilę pomyślał, że kupi jej kwiaty, ale doszedł do wniosku, iż jest to niezbyt fortunny pomysł. Gdyby zastał u niej narzeczonego, Johanna Ebelinga, który nadal cieszył się wolnością, poczułby się paskudnie. Przychodząc z pustymi rękami, wciąż mógł udawać podejrzliwego policjanta.

℘

Późnym popołudniem zadzwonił do drzwi Judith Kellerman. Nie otworzyła mu. Zadzwonił kolejny raz, ale nadal nie słyszał, by ktoś podchodził do drzwi. Za to z sąsiedniego mieszkania wynurzył się starszy człowiek i powiedział:

— Judith jest w domu, ale lepiej, żeby pan dzisiaj sobie darował odwiedziny.

— Coś się stało? — zaniepokoił się Rudolf.

— A stało się, stało… — mruknął jegomość i zniknął na powrót za drzwiami swojego mieszkania.

Dorst jednak nie odpuścił i nacisnął klamkę. Klucz nie był przekręcony, więc po chwili był już w środku. I od razu domyślił się, co mogło się wydarzyć. W przedpokoju panował niesamowity bałagan.

— Judith! Judith, proszę, odezwij się! — zaczął nawoływać w panice.

Odpowiedziała mu cisza. Zaglądał do pokoi, równie mocno zdewastowanych, co korytarz, i w końcu dotarł do salonu Kellermanów. Rozejrzał się po pobojowisku i wtedy ją zobaczył. Siedziała pod jedną ze ścian i wpatrywała się w widok za oknem. Pochylił się nad nią i zapytał:

— Judith, nic ci nie jest?

Popatrzyła na niego.

— Nie. Aresztowali Johanna i Serafina. Dzisiaj w południe.

Usiadł koło niej i dotknął jej dłoni.

— Przykro mi — powiedział cicho.

— Naprawdę, Rudolfie? — zapytała z goryczą w głosie.

— Naprawdę — odparł. Szczerze.

Jakkolwiek w głębi duszy życzył sobie, by Ebeling trafił do więzienia i zostawił Judith samą, tak widząc przygnębienie i rozpacz malujące się na jej twarzy, zmienił zdanie.

— Co mogę zrobić? Poradź mi — jęknęła.

— Wiesz, co się dzieje, a twój narzeczony i brat należeli do KPN-u. Jedyne, co możesz zrobić, to wynająć dobrego adwokata, który udowodni przed sądem, że to byli szeregowi członkowie partii. Może dostaną krótsze wyroki. O ile w ogóle dojdzie do sprawy w najbliższym czasie. Sądy nie nadążają z rozprawami, a władza nie przejmuje się faktem, że ludzie siedzą bez wyroków. Mają swoje dekrety, te o konfiskacie mienia także, i robią to wszystko w majestacie prawa. Więc jeśli możesz uratować ich majątki, zrób to czym prędzej — powiedział.

Judith uśmiechnęła się smutno.

— Niech konfiskują. Wytarte palta i stare gacie.

— Zapiszę ci kontakt do kilku adwokatów, którzy niezbyt lubią nową władzę. Ale nie są tani.

— Zapisz. Zdobędę pieniądze — odparła cicho. Po chwili jakby ocknęła się i zapytała zimno: — A właściwie co ty tutaj robisz? Dowiedziałeś się o aresztowaniu i przyszedłeś w charakterze pocieszyciela? Liczysz na coś?

— Przestań, Judith. Nie miałem o tym pojęcia. Przyszedłem... Właściwie to nie wiem po co. Chyba po prostu się stęskniłem. Za twoim widokiem, uśmiechem i twoimi niebieskimi oczami... Tak, to było głupie.

Chciał wstać i wyjść, ale Judith zatrzymała go. Położyła mu głowę na ramieniu i powiedziała cicho:

— Kiedy zamordowano mi ojca, zapytałeś, czy ze mną zostać. Odpowiedziałam, że zaraz przyjdzie Johann, a za kilka dni przyjedzie mój brat. Dzisiaj żaden z nich się nie zjawi... Jestem sama. I jest mi tak cholernie źle. Jeśli twoja propozycja jest aktualna, zostań ze mną. Lubię cię. I przepraszam, że znowu chciałam wyżyć się na tobie za coś, czemu nie jesteś winien — szepnęła.

Pogłaskał ją po policzku i uśmiechnął się do niej.

— Zostanę. I nie wykorzystam sytuacji. To byłoby poniżej mojej godności.

— Wiem, dlatego zostań.

— I będziemy siedzieli na podłodze? — zapytał.

— To jedyne miejsce, które nie jest usiane potłuczonym szkłem. Zostało jeszcze moje łóżko.

— Więc chodźmy do łóżka. Oczywiście nie w takim sensie — wydukał.

— Tak, przenieśmy się na moje łóżko. Nie w takim sensie... — Uśmiechnęła się delikatnie. Po raz pierwszy, odkąd wszedł do jej mieszkania.

Siedział oparty o wezgłowie i przytulał do siebie Judith. Jak przyjaciel, który chce pocieszyć osobę, bo przytrafiło się jej coś złego. Żałował, że nie może być tylko jej przyjacielem i pocieszycielem, ale jest zakochanym w niej bez pamięci głupkiem.

Ze ściany spoglądały na niego ciemne oczy jakiegoś mężczyzny.

— Ten człowiek na mnie patrzy — powiedział cicho. — Pilnuje, żebym nie dopuścił się żadnej niegodziwości względem ciebie.

— To Johann. Namalowałam jego portret, gdy miałam siedemnaście lat. Byłam zakochaną nastolatką. Z czasem to zauroczenie przeistoczyło się w miłość, ale wtedy... Wiesz, myślę, że wtedy namalowałam ten obraz bardziej sercem aniżeli pędzlem.

— Niesamowite jest to, że jakkolwiek bym usiadł, to on na mnie patrzy. Identyczną sztuczkę stosował Rembrandt. Nie lubię go, bo malował okropnie paskudnych ludzi, ale też miałem wrażenie, że ich wzrok za mną podąża.

— W tym względzie należy mieć pretensje do Ismaela Kellermana, on pomógł mi z tym spojrzeniem błądzącym za widzem. I wytłumaczył, że na tym właśnie polega fenomen Rembrandta. Na uchwyceniu odpowiedniego spojrzenia.

— Udało mu się znakomicie — wycedził. — Nie miałbym nawet odwagi cię pocałować.

— Nie rób tego, Rudolfie. Wszystko zepsujesz — szepnęła.

— Judith... A gdyby nie było Johanna? Gdyby nikogo nie było w twoim życiu, to miałbym u ciebie jakieś szanse?

— Nie wiem, Rudolfie. To tak, jakbym zapytała cię, czy jakaś inna kobieta mogłaby cię w sobie rozkochać, gdyby nie istniała Judith Kellerman. Jednak ja istnieję, tak jak Johann Ebeling.

— Masz rację, to było głupie pytanie. — Roześmiał się.

— Teraz zasnę przytulona do ciebie, a mój Johann będzie pilnował i zerkał, by żaden głupi pomysł nie wpadł ci do głowy. Jutro jest nowy dzień, a ja będę musiała zawalczyć o wolność dla swojego brata i narzeczonego. Ty zaś wrócisz do swoich zajęć i rozejrzysz się za jakąś ładną i dobrą dziewczyną. Rudolfie, jesteś porządnym człowiekiem i zasługujesz na cudowną kobietę.

— Śpij spokojnie. Nie zrobię ci żadnej krzywdy, a co do kobiet... Teraz wydaje mi się, że żadna nie spodobałaby mi się równie mocno, co ty. Ale nie martw się o mnie. Jestem twardym mężczyzną, poradzę sobie z niechcianym uczuciem do pewnej artystki — odparł i pogłaskał ją po głowie.

Po kilkunastu minutach Judith zasnęła, wtulona w jego ramiona. A on nie potrafił się nawet zdrzemnąć. Czuł ciepło przenikające przez ubranie Judith, jej oddech i zapach, i było mu dobrze. Bo była obok. Jak jasny promień słońca przenikający przez złowrogie ciemne chmury, które zebrały się nad Berlinem i całą Rzeszą. Chmury, które zwiastowały nie tylko rzęsisty deszcz, ale także burzę z piorunami.

Nie mógł pomóc narzeczonemu i bratu Judith, bo pewne sprawy w kraju zaszły już za daleko. Nie chciał także odbierać jej nadziei, ale zdawał sobie sprawę, że bliscy jej mężczyźni mogą spędzić w więzieniu albo obozie jeszcze wiele miesięcy. Max z pewnością nazwałby go frajerem, że w ogóle się nad podobnymi kwestiami zastanawia, zamiast zaciągnąć panienkę do łóżka i sprawić, że zapomni o narzeczonym i oszaleje na punkcie Rudolfa. Może i był frajerem, bo nawet wówczas, gdy wisiał nad nim miecz Damoklesa, a widmo utraty pracy wydawało się bardzo realne, nie wstąpił ani do SA, ani też do SS. I dzisiaj także nie zamierzał bałamucić Judith. Czułby się wówczas jak ostatnia świnia.

15.

Kiedy Max Geyer wziął do ręki listę sporządzoną przez Rudolfa i ujrzał na niej nazwisko Samuela Globego, o mały włos ze zdenerwowania nie wypuścił jej z rąk. Gdyby jego przyjaciel dotarł do „Rogacza" przed nim, z pewnością w ciągu kilku minut poznałby sprawcę napadu na Maritę von Reuss, obecnie dumnie noszącą nazwisko Geyer. Nie miał pojęcia, jak zachowałby się Rudolf. Być może nie wydałby go, ale nad Maxem przez resztę życia ciążyłoby brzemię tajemnicy ukrywanej przez przyjaciela. Dorst nie zrozumiałby także motywów, jakimi kierował się Max, i zapewne nie przekonałby go argument, że Geyer stara się być mężem wręcz doskonałym.

Nie okłamał Rudolfa. Naprawdę lubił i szanował Maritę. Może mógłby nazwać to nawet miłością, gdyby wiedział, co oznacza to słowo. Owszem, poznał smak szalonej namiętności do Agnes von Reuss, kiedyś oszołomił go wygląd Angeli Richter, ale nic poza tym. Wiele jego marzeń i planów się ziściło, żywił także nadzieję, że pewnego dnia wyruszy w podróż w poszukiwaniu Świętego Graala, ale to jedno pragnienie zdawało się poza jego zasięgiem. Niekiedy patrzył na siebie w lustrze i myślał sobie: „Oto twoja największa miłość. Max Geyer. Większej niż ta, już nigdy nie spotkasz".

Potem przychodziła mu do głowy pewna refleksja. Czy człowiek tak bardzo zakochany w sobie jest w stanie znaleźć w sercu miłość dla kogoś jeszcze? A może nie zdołał poznać niepokoju duszy, tęsknoty i wewnętrznego bólu, jaki opisywali romantyczni poeci, bo prawie zawsze dostawał to, czego chciał? Pragnął Agnes i wystarczyło kilka gładkich zdań, by rozłożyła przed nim nogi. Zamarzył wejść do rodziny von Reussów i teraz miał oddaną i kochającą go małżonkę, noszącą przed ślubem to zacne nazwisko. Spodobała mu się kiedyś Angela Richter i gdyby tylko chciał, byłaby jego.

Pogodził się jednak z faktem, że w życiu nie można mieć wszystkiego, a on dostał od losu i tak bardzo wiele. A może od Lucyfera, któremu pewnego dnia w zaciszu ubogiego i cuchnącego mieszkania przy Krögel oddał duszę? Tak, wtedy szeptał sobie cichutko, przykryty pierzyną, że zapisze duszę diabłu, byle tylko ten go wyrwał z biedy i niemocy. Teraz czuł się jak władca wszechświata. Poprzez małżeństwo z Maritą został udziałowcem firmy budowlanej Reuss Gesellschaft i nadzorcą z ramienia Ministerstwa Propagandy i Oświecenia Publicznego w wydawnictwie Ullstein. Z pensją, o jakiej kiedyś nie mógł nawet śnić. Był częścią systemu, który kilka miesięcy wcześniej przejął władzę nad wszystkimi krajami związkowymi Republiki Weimarskiej. Narodziła się Trzecia Rzesza, a on stał się jej zagorzałym orędownikiem.

To wszystko jednak mogło się rozsypać, bo niebawem Rudolf miał odwiedzić i przesłuchać Samuela Globego. Po chwili uśmiechnął się do siebie i stwierdził, że „Rogacz" był teraz nikim. W połowie Żyd, notowany przestępca, a i pewnie niejeden raz sprzedał swój towar towarzyszom z komunistycznych bojówek, którzy upodobali sobie biedne dzielnice.

Powinien wrócić do wydawnictwa i przejrzeć artykuły prasowe. Żaden bowiem nie miał prawa się ukazać bez jego akceptacji. Musiał także sprawdzić, czy pojawiły się informacje o wszystkich istotnych wydarzeniach związanych z działalnością nowego rządu. Wytyczne w tym zakresie były jasne — społeczeństwo miało być zarzucone nagłówkami o nowych przedsięwzięciach Hitlera. Na przykład o planie czteroletnim i powstaniu Reichsautobahn, które miało stworzyć tysiące nowych miejsc pracy. Czyli dać Niemcom to, czego najbardziej potrzebowali. Możliwość zatrudnienia. Nowa władza pragnęła, by niemieckie społeczeństwo ją kochało i nie widziało działań, jakie podejmowała wobec swoich oponentów. Przeciwnicy polityczni mieli zniknąć. A kiedy rząd pozbędzie się ich, w końcu zabierze się za Żydów i ich majątki.

Postanowił, że zanim usiądzie w swoim nowym gabinecie, załatwi ostatnią sprawę, która go dręczyła. Wprost z biura Rudolfa Dorsta udał się na Krögel, do pralni „Rogacza". Mężczyzna z paskudnym guzem na czole przywitał Maxa z uśmiechem.

— Pomogło koledze? Potrzebujesz tego więcej?
Geyer rozejrzał się dookoła.

— Jesteś sam?

— Jak widać — mruknął Globe. — Nie bój się, nikt cię nie nakryje, chociaż mógłbyś przynosić ze sobą jakieś palto do wyprania, żeby nikt nie nabrał podejrzeń.

Max wysunął z kabury pistolet, służbowego walthera PP, i strzelił Rogaczowi prosto w serce. Potem nacisnął spust jeszcze kilka razy, dla pewności, że Globe już nigdy nie wypowie ani jednego słowa. Wyszedł z pralni i udał się na przystanek tramwajowy. Nie obchodziło go, czy ktoś się zainteresuje strzałami i nim samym. Samuel Globe był nikim, a jemu i tak nie spadłby włos z głowy, nawet gdyby wydało się, że jest zabójcą.

Dotarł do wydawnictwa i udał się wprost do biura. Zaczął przeglądać leżące na biurku papiery i doszedł do artykułu Belli Fromm. Poprawnego politycznie i jak zawsze ciekawie napisanego. Zapewne ta znana dziennikarka, traktująca go niegdyś z wyższością, nie spodziewała się, że pewnego dnia on zostanie jej szefem. W każdym razie jej los był teraz w jego rękach i bardzo mu to odpowiadało.

Do pokoju weszła sekretarka i oznajmiła:

— Pani Agnes von Reuss chciałaby się z panem zobaczyć.

Najchętniej posłałby ją do diabła, ale nie wypadało robić skandalu i odprawić z kwitkiem swojej teściowej.

— Niech wejdzie. A ty za piętnaście minut przypomnij mi o bardzo ważnym spotkaniu w ministerstwie propagandy. — Uśmiechnął się do niej.

Dziewczyna przewróciła oczami.

— Teściowe bywają uciążliwe…

— Niekiedy nawet bardzo. — Puścił do niej oko.

Chwilę potem weszła do pokoju Agnes. Wyglądała jak gwiazda filmowa. Miała na sobie zwiewną sukienkę i letni kapelusz. Uróżowała policzki i pociągnęła usta karminową szminką. Wyglądała jak w dniu, w którym poznali się w radzieckiej ambasadzie, tylko nie miała na sobie jedwabnego szala.

— Cóż sprowadza mamusię w moje skromne progi? — zapytał z szyderstwem w głosie.

— Nie mów tak na mnie — warknęła.

— Dlaczego? — Uniósł brwi.

— Pieprzyłeś mnie kiedyś, draniu — syknęła.

— Ale już tego nie robię, prawda? A może lunatykuję i nie pamiętam czegoś? Teraz jestem mężem twojej córki, więc czy chcesz, czy nie, jesteś moją teściową. W czym mogę ci pomóc? — Max przestał żartować i zrobił się nieprzyjemny.

— To proste. Chcę, żeby było jak kiedyś — powiedziała, patrząc mu prosto w oczy.

— Jestem mężem twojej córki — wycedził powoli.

— Wiem, potworze, ale wciąż cię pragnę.

— Jesteś żałosna, wiesz? — zadrwił. — Tak bardzo chce ci się pieprzyć, że jesteś gotowa to zrobić z własnym zięciem, ale źle trafiłaś. Marita jest moją żoną i teraz pieprzę Maritę. Co noc. To ją uszczęśliwia. Mnie zresztą też.

— Max… — jęknęła. — Nie mów tak…

— Dobrze, więc powiem inaczej. Jestem na ciebie wściekły, odkąd dowiedziałem się, że to ty najbardziej torpedowałaś mój związek z Maritą. Udawałaś, że jesteś po mojej stronie, tymczasem szydziłaś za moimi plecami. Że biedny, bez nazwiska i łasy na waszą pierdoloną forsę.

— Przepraszam, Max. Po prostu byłam zazdrosna. Zakochałam się w tobie. Było mi z tobą cudownie i nie chciałam cię stracić — powiedziała słodko.

— Agnes, coś ustaliliśmy. Jakiś czas temu. Tak?

— Tak... — wymamrotała. — Ale nie potrafię się z tym pogodzić.

— Musisz, Agnes. Po prostu nie masz wyjścia. Masz do dyspozycji moich przystojnych kolegów, którzy chętnie ci dogodzą. Możesz mieć każdego z nich. Oprócz mnie. — Głos Maxa złagodniał.

Agnes zmrużyła oczy. Nie cierpiała przegrywać.

— Zamienię ci życie w piekło, ty diable — syknęła.

— O... pokazujesz pazurki. Wiesz, nawet mnie to kręci. — Zarechotał.

— Mówię prawdę. Małżeństwo zawsze można zakończyć. Zwłaszcza jeśli wszyscy się dowiedzą, że za napadem na Maritę stoisz ty. Ja wiem, że to twoja sprawka. Słyszysz?

Wstał zza biurka i podszedł do Agnes. Złapał ją za pierś i mocno ścisnął. Jęknęła.

— Marita to moja żona, napalona cipo. Jeśli chcesz ze mną wojny, to cały świat się dowie, że posuwają cię chłopcy z SS, a pan sekretarz stanu ma w swoim domu kurwę. Herbert też zapewne będzie z ciebie bardzo dumny. A teraz wypierdalaj.

Agnes wyszła bez jednego słowa. Jego zaś podnieciła ta awantura. A raczej władza, jaką miał nad szacowną panią von Reuss. Był ciekaw, czy po obelgach, jakie od niego usłyszała, nadal byłaby gotowa rozłożyć przed nim nogi. Potem przywołał się do porządku. Postanowił, że będzie lojalny wobec Marity i miał zamiar dotrzymać słowa.

∞

Wieczorem, gdy leżeli w łóżku, jego żona powiedziała:

— Wiesz, Max, uratowałeś mi życie.

— Nie żartuj, skarbie. To lekarze ci je uratowali — odparł, jakby od niechcenia.

Pokręciła głową.

— Nie o tym mówię. Gdyby nie ty, po wyjściu ze szpitala chybabym od razu poszła z powrotem na Lehrter Bahnhof i rzuciła się pod pociąg. Ty sprawiłeś, że już nawet o tym nie myślę. Teraz pragnę znowu normalnie wyglądać. Dla ciebie, mój ukochany.

— Błagam, jedna chroniczna samobójczyni przy Bellevuestrasse wystarczy. — Zaśmiał się.

— Masz rację, mój brat całkiem by oszalał. — Zaczęła chichotać.

— No dobrze, maleńka. A teraz gaś światło i zdejmij z siebie tę cholerną koszulę. Popieszczę cię troszkę.

— Tylko popieścisz? — Znowu zachichotała.

— Nie żartuj, nie mógłbym na tym poprzestać.

— Mama wczoraj skarżyła się, że za bardzo hałasujemy — powiedziała cicho.

— Widocznie ta willa ma za cienkie ściany. — Zarechotał i dodał: — Nie przejmuj się, twój ojciec i tak
sypia z zatyczkami w uszach. Niech Agnes weźmie
z niego przykład.

Zdawał sobie sprawę, że pewne odgłosy docierają
do uszu Agnes. I doskonale wiedział, iż sprawiają jej
przykrość. Jednak naprawdę był wściekły na panią von
Reuss, która tylko udawała jego przyjaciółkę i była gotowa nigdy nie dopuścić do jego małżeństwa z Maritą,
byle tylko należał do niej. Uznał, że taka kara słusznie
się jej należy.

16.

ℋerbert von Reuss nie miał czasu zastanawiać
się nad spektakularnym sukcesem NSDAP.
Mimo że zdobyli większość w Reichstagu i tak brakowało im posłów, by przeforsować zmiany w konstytucji. Znaleźli więc inny sposób, jakim były specjalne
uprawnienia dla kanclerza Rzeszy i Reichstag przestał mieć rację bytu, a Hitler i jego ludzie rozpoczęli
swoje rządy, nie licząc się z nikim i z niczym. On robił swoje i trzeba przyznać, że odkąd władzę przejęli
naziści, ich biznes ruszył pełną parą. Również dlatego, że nowi włodarze potrzebowali swoich siedzib
i domów równie spektakularnych, co ich sukces.

Podjechał przed galerię przy Friedrichstrasse i nakazał kierowcy, by wrócił po niego za dwie godziny.
Wszedł do środka i przywitał się z córką Stolzmana,

Gretchen, która była równie niesympatyczna, co paskudna.

— Tato ma gościa — oznajmiła wyniośle. — Ale powiem, że pan przyszedł.

— Poczekam — mruknął.

Córka Stolzmana sprawiała, że nawet uprzejmy z natury człowiek stawał się od razu nieprzyjemny i dopasowywał się do tonu panny Gretchen. Zachowywała się, jakby siedziała na tronie, a przybyli do galerii klienci byli jej poddanymi.

Po chwili został zaproszony do gabinetu marszanda i spostrzegł, że owym gościem jest Judith Kellerman. Przywitała się z nim chłodno, a może po prostu była rozkojarzona, bo miała ten sam wyraz twarzy co wówczas, gdy przyszła na Bellevuestrasse szukać swojego ojca.

— Panna Kellerman już wychodzi — powiedział Stolzman.

— Ależ obecność panny Kellerman wcale mi nie przeszkadza — odpowiedział, uśmiechając się do marszanda.

— Ale ja już naprawdę muszę iść — westchnęła i podniosła się z krzesła.

— Coś się stało? Mizernie pani wygląda — zapytał Herbert z troską.

Właściwie problemy Judith Kellerman nie powinny go obchodzić, a jednak obchodziły. Wcale nie zamierzał zadawać podobnego pytania, ale mimo wszystko ono padło.

— Aresztowano mojego narzeczonego i brata — powiedziała zimno i popatrzyła na niego w taki spo-

sób, jakby co najmniej on osobiście zakuł ich w kaj-
dany.

— Jeśli są niewinni, z pewnością zostaną niebawem wypuszczeni — odparł niepewnie Herbert,
chociaż zdawał sobie sprawę, że teraz kwestia czy-
jejś winy lub niewinności nie miała większego znaczenia.

— A pan chyba jest prawnikiem, prawda? — zapytała niepewnie i przygryzła wargę.

— Tak, panno Kellerman, ale nie jestem adwoka-
tem. I nie zajmuję się sprawami karnymi. Jeśli jednak poczeka pani na mnie, zarekomenduję panią kilku moim kolegom.

— Dziękuję, mam parę nazwisk, ale chciałam za-
angażować kogoś, do kogo mogłabym mieć zaufanie — westchnęła.

— To miłe, że mi pani ufa. Ciekawa odmiana.
— Herbert nie mógł powstrzymać się przed drobną
złośliwością.

Po chwili jednak spojrzał na Judith kolejny raz.
Naprawdę wyglądała jak kupka nieszczęścia, a on
zapragnął, by zobaczyć ten błysk w jej oku, co kiedyś, gdy patrzyła na obraz w jego salonie albo gdy
pochylała się nad sztalugami. Dodał więc:

— Proszę na mnie poczekać. To nie potrwa długo.
Może jednak będę mógł pani pomóc i polecić kogoś
godnego zaufania.

Pokiwała jedynie głową. Jakby nie miała innego
wyboru, tylko zdać się na jego łaskę. A takich sytuacji panna Kellerman bardzo nie lubiła.

Czekała na niego przed galerią.

— Chodźmy gdzieś na kawę — zaproponował.

Znowu zaledwie kiwnęła głową. Zachowywała się tak, jakby nagle ktoś stępił jej pazurki. Musiała mieć naprawdę poważny problem.

Usiedli przy stoliku na świeżym powietrzu i zamówili kawę.

— Niechże więc pani mówi. Ja nie gryzę.

— Mój brat, Serafin, i mój narzeczony, Johann Ebeling, zostali wczoraj aresztowani. Należeli do Komunistycznej Partii Niemiec — powiedziała cicho.

— Pani też jest komunistką? — Zmarszczył czoło.

— Głosowałam na socjaldemokratów, co oczywiście nie podobało się ani bratu, ani Johannowi. Nie mogłabym zagłosować na nazistów, ponieważ nie byłabym w stanie poprzeć kogoś, kto nienawidzi Żydów. Bo to tak, jakbym sama siebie nienawidziła.

— Wie pani, że nie tak prosto będzie wyciągnąć ich z aresztu? — mruknął.

— Wiem. Boję się jednak, że zanim dojdzie do procesu, zgniją w obozie koncentracyjnym. Przecież to bezprawie i pan, jako prawnik, wie o tym lepiej ode mnie. Ci ludzie ze Sturmabteilung nie mieli ani nakazu aresztowania, ani też żadnego upoważnienia, by zdemolować mi mieszkanie, bo gdyby wszystko odbyło się zgodnie z prawem, mogłabym chociaż ich zobaczyć albo dowiedzieć się, jakie postawiono im zarzuty. Tymczasem gdziekolwiek pójdę, odsyłają mnie do diabła. I nie wiem kompletnie, co zrobić. Myślę wciąż, czy wynajęcie adwokata cokolwiek pomoże, czy jedynie pochłonie ogromne pieniądze. Panie von Reuss, ja naprawdę nie wiem, co zrobić. Wydaje mi się, że wszędzie widzę ludzi, którzy źle mi życzą.

— Panno Kellerman, proszę nie panikować. Taki stan nie może trwać wiecznie, ale ma pani rację, przy takiej liczbie zatrzymanych nie ma co liczyć na szybki proces — powiedział.

— I na sprawiedliwy — prychnęła. — Naziści są wszędzie. Niedługo spacyfikują także sądy. Nie jestem tak naiwna, by wierzyć, że nie zasadzą się na ich niezawisłość.

— Panno Kellerman, przypominam, że mówi pani do oficera Schutzstaffel i członka NSDAP. — Roześmiał się.

Judith zmieszała się i uciekła wzrokiem przed jego spojrzeniem. Nie chciał jednak, by się go obawiała. Polityka zajmowała go o tyle, o ile można było na niej zarobić. Jego ojciec był sekretarzem stanu w nowym rządzie, a przynależność Herberta do SS gwarantowała spokojne prowadzenie biznesu. Oczywiście, wykorzystywał znajomości swojego ojca, w przeciwnym razie nie otrzymałby lukratywnych kontraktów, jednak nie był tak nawiedzony, jak Manfred Sebottendorf czy Max Geyer.

— Przepraszam. I proszę zapomnieć o tej rozmowie — wydukała.

Położył rękę na jej dłoni. Mimo panującego upału była chłodna. I drżała.

— Nie zapomnę, panno Kellerman. Proszę wrócić do domu i posprzątać mieszkanie. A ja zajmę się resztą. Dobrze? — powiedział ciepło.

Zachował się jak prawdziwy samiec, zdejmujący z ramion kruchej kobiety problemy. Od razu poczuł się lepiej. W tym momencie Judith była zupełnie bezbronna. A on miał dwa wyjścia — wykorzystać to albo jej pomóc i sprawić, że na powrót zobaczy starą, zadziorną Judith Kellerman. Przez jedną krótką chwilę pomyślał, że bardzo chciałby, aby Judith go pokochała. Wbrew wszystkiemu, swoim poglądom i całemu światu. Wtedy dopiero mógłby poczuć siłę prawdziwej miłości. Tylko co z tego, jeśli ona tęskniła za swoim narzeczonym i to jego darzyła uczuciem. A on zamierzał właśnie wyciągnąć go z więzienia czy gdziekolwiek w tym momencie przebywał.

— Pomoże mi pan? — Popatrzyła na niego błagalnym wzrokiem.

— Nie mogę tego pani obiecać, ale przyrzekam, że się postaram. — Uśmiechnął się do niej, wciąż trzymając za rękę.

— Dziękuję — powiedziała cicho.

— Proszę jeszcze nie dziękować... Mój kierowca po mnie przyjechał. Odwieźć panią do domu?

Pokręciła przecząco głową.

Nie miał ochoty rozstawać się z Judith. Dobrze się czuł w jej towarzystwie. Chyba dlatego, że nie musiał przed nią niczego udawać. Miał nadzieję, że wkrótce znów ją zobaczy. I tak się stało...

☙

Kilka tygodni później Judith Kellerman zjawiła się w jego biurze. Trzymała pod pachą niewielki obraz, przedstawiający martwą naturę. Jabłka porozrzucane na skromnym drewnianym stole.

— To dla pana — powiedziała, uśmiechając się promiennie.

Jej oczy rzucały wesołe iskierki i właśnie taką Judith pragnął zobaczyć. Żałował jedynie, że szczęście wymalowane na jej twarzy nie było spowodowane widokiem jego osoby.

— Genialny, zaraz go powieszę — odparł, patrząc na prezent podarowany mu przez Judith. Obraz naprawdę był świetny, a Judith Kellerman utalentowana.

— Dziękuję, panie von Reuss. Z całego serca — powiedziała z taką czułością w głosie, że aż nogi się pod nim ugięły.

— Szczęśliwa? — zapytał jedynie.

— Tak. Teraz jestem szczęśliwa. Moi najbliżsi są przy mnie. A za dwa miesiące wychodzę za mąż — odparła.

Zrobiło mu się trochę smutno z tego powodu, ale miał nadzieję, że niebieskooka Judith będzie szczęśliwsza w swoim małżeństwie niż on we własnym.

— Cieszę się — wymamrotał.

— Ja też. I zawdzięczam to panu. — Uśmiechnęła się.

— Niech pani nie zadaje się z komunistami. To niebezpieczni ludzie. I pani mężczyznom także bym to zalecał — powiedział Herbert tonem dobrego wuja, który udziela rady swojej małej siostrzenicy.

— A pan niech uważa na nazistów. Najlepiej, żeby pan się z nimi nie zadawał. To niebezpieczni ludzie. — Uśmiechnęła się.

Po chwili podeszła do niego i pocałowała go. To nie było takie zwykłe cmoknięcie, ale pocałunek, jaki składa się czułemu kochankowi. Przymknął powieki i już wyciągał ręce, by przytulić ją do siebie, a potem wbić się w nią ustami, gdy nagle Judith odsunęła się od niego i speszona uciekła z gabinetu.

Stał jeszcze przez chwilę, kompletnie oszołomiony. Nie miał pojęcia, czy to sama obecność Judith to sprawiała, czy zapach jej perfum. A może ów pocałunek, który chyba nawet ją samą zawstydził. Chciał, żeby wróciła. Natychmiast. Tylko co wtedy stałoby się z nimi? Kochaliby się w jego biurze, na puszystym dywanie? A może na dużym dębowym biurku, zarzuconym papierami? To nie miało znaczenia. Jedynie fakt, że potem każde z nich musiałoby pójść w swoją stronę. A wtedy byłoby im jeszcze trudniej.

Zdawał sobie sprawę, że Judith nigdy nie będzie jego, a on nigdy nie będzie należał do Judith. Jednak myśl, że pojawiła się w jego życiu, dodawała mu otuchy. Był przekonany, że w trudnych dla niego chwilach, gdy życie z Daisy stanie się nie do zniesienia, będzie wracał myślami do tych kilku momentów, które pozornie nic nie znaczyły, a jednak znaczyły tak wiele.

Zdjął ze ściany swój dyplom ukończenia Uniwersytetu Fryderyka Wilhelma i powiesił w jego miejsce obraz otrzymany od Judith. Wgapiał się w namalowane przez nią drewniany stół, przykryty dzierganą serwetą, drzewa majaczące w tle i fragment wiejskiej chaty. Ładny domek, będący kwintesencją spokoju. I porozrzucane bezładnie jabłka. Rumiane i dorodne. Symbol pokusy, której ulegli Adam i Ewa. Dotknął palcem jednego z nich. Były jak Judith. Mógł je podziwiać, ale wiedział, że nie może po nie sięgnąć, bo są nieprawdziwe. Zastanawiał się, czy celowo namalowała takie owoce, czy był to czysty przypadek. Może tylko on widział w nich symboliczny przekaz, a były jedynie zwykłymi owocami namalowanymi przez genialną artystkę?

KONIEC TOMU I

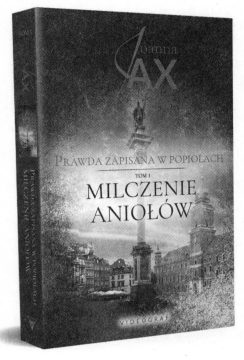

Początek lat sześćdziesiątych. Zimna wojna się zaostrza, na świecie wrze, a Polacy próbują odnaleźć się w gomułkowskiej „małej stabilizacji". Dla bohaterów nadszedł jednak czas, gdy życie zaczyna wystawiać rachunek za popełnione błędy. Niektórzy, szargani wyrzutami sumienia, starają się naprawić sytuacje, innym los nie pozostawia wyboru. Jedynie najbliższe sercu osoby rozumieją motywy postępowania, a okoliczności często nie wydają się jednoznaczne. Mimo swoich wad i przewinień każdy z nich szuka oparcia w drugim człowieku i akceptacji. Czy uda się im wybrnąć z problemów, czy przyjdzie im za swe występki płacić przez resztę życia?